suhrkamp tasc[illegible]
wissenschaft 1450

Der Naturalismus ist ein philosophisches Programm, dem zufolge die einzigen verläßlichen Methoden, Wahrheiten über die Welt herauszubekommen, naturwissenschaftliche sind. Es liegt nahe, den Naturalismus als eine natürliche Folge der Erfolgsgeschichte der neuzeitlichen Naturwissenschaft anzusehen. Insofern das »naturwissenschaftliche Weltbild« in einer Wissenschaftskultur ohne ernstzunehmende Alternative ist, wäre es dann auch der Naturalismus. Wenn allerdings Naturalismus nichts anderes als die Behauptung wäre, daß alles in der Welt mit rechten Dingen zugeht, wäre nicht zu erklären, worüber philosophische Naturalisten und ihre Gegner in der Erkenntnistheorie, in der Wissenschaftstheorie und in der Philosophie des Geistes so ausdauernd streiten. Antinaturalisten verteidigen dort nicht Obskurantismus und Wunderglauben; zur Debatte stehen vielmehr konkurrierende Auffassungen von den Aufgaben, den Methoden und den Erklärungsansprüchen der Philosophie. Gibt es überhaupt eine eigenständige *naturalistische Philosophie*, nachdem der *philosophische Naturalismus* das Erklärungsprivileg der Naturwissenschaften konstatiert hat?

Neben programmatischen Arbeiten zu der Frage, was Naturalismus ist, dokumentiert dieser Band ausgewählte Kontroversen über die Erklärungsansprüche naturalistischer Theorien in verschiedenen Gebieten der Philosophie.

Naturalismus

Philosophische Beiträge

Herausgegeben von
Geert Keil und Herbert Schnädelbach

Suhrkamp

Die Deutsche Bibliothek – CIP-Einheitsaufnahme
Naturalismus :
Philosophische Beiträge /
hrsg. von Geert Keil und Herbert Schnädelbach. –
1. Aufl. – Frankfurt am Main : Suhrkamp, 2000
(Suhrkamp-Taschenbuch Wissenschaft ; 1450)
ISBN 3-518-29050-9

suhrkamp taschenbuch wissenschaft 1450
Erste Auflage 2000

Druck: Wagner GmbH, Nördlingen
Printed in Germany
Umschlag nach Entwürfen von
Willy Fleckhaus und Rolf Staudt

1 2 3 4 5 6 – 05 04 03 02 01 00

Inhalt

Geert Keil und Herbert Schnädelbach
Naturalismus

Wir verhehlen es nicht: Dieser Band verdankt sein Entstehen nicht einer übergroßen Sympathie, die seine Herausgeber dem Naturalismus entgegenbrächten. Uns hat vielmehr eine Erfahrung motiviert, die wir wiederholt in der Diskussion mit erklärten Naturalisten gemacht haben: Die programmatischen Einlassungen von Naturalisten nehmen oft die Form allgemeiner Solidaritätsadressen an die Naturwissenschaften an, denen man vernünftigerweise nicht widersprechen kann. Versucht man dann, den Naturalisten auf identifizierbare Thesen jenseits dieser Solidaritätsadressen zu verpflichten, so handelt man sich leicht den Vorwurf ein, ihm etwas zu unterschieben, was er als Naturalist nicht behaupten müsse. Debatten zwischen erklärten Naturalisten und erklärten Antinaturalisten laufen oft auf Versuche hinaus, das jeweilige Kritikziel der Gegenseite als Strohmann zu erweisen. Deshalb ist diese Einleitung der Frage gewidmet, *was es eigentlich ist*, über das Naturalisten und Nichtnaturalisten uneins sind, *nachdem* die Strohmänner auf beiden Seiten aus dem Weg geräumt sind.

Man tut gut daran, sich zunächst vor Augen zu führen, daß »Naturalismus« ein Ausdruck der philosophischen Fachsprache ist. Das bedeutet nicht, daß der Begriff wohldefiniert wäre, es bedeutet nur, daß Nichtphilosophen in der Regel nicht wissen, was Philosophen mit »Naturalismus« meinen.

Das *Wort* gehört zweifellos zur Bildungssprache, doch seine vorherrschende Verwendung ist die als literarische oder kunsttheoretische Stil- und Epochenbezeichnung. Wir heben diesen Umstand hervor, weil er ein Verfahren der Begriffsexplikation unanwendbar macht, das in der Philosophie anderweitig schon gute Dienste geleistet hat, nämlich die Untersuchung etablierter Verwendungsweisen eines Ausdrucks in einer Sprachgemeinschaft. Im Falle von »Naturalismus« ist das Korpus einfach zu klein; es gibt kaum nichtphilosophische Sätze, in denen der Ausdruck vorkommt, und damit zu wenige Anknüpfungspunkte für eine normalsprachliche Analyse. Für viele Philosophen mag das kein großes Unglück sein, da sie dem normalsprachlichen Ansatz ohnehin nicht viel zutrauen; das steht hier indes nicht zur Debatte.

Der Naturalismus ist eine *philosophische* Position, die zu ihrer Stützung philosophischer Argumente bedarf. Dies gilt auch dann, wenn Naturwissenschaftler sich zu ihr bekennen. Es ist ein verbreitetes Mißverständnis zu glauben, daß ein Naturwissenschaftler, der etwas auf seine Arbeit hält, automatisch auch ein Naturalist sein müsse. Dieses Junktim gibt es nicht. Ein nachdenklicher Naturwissenschaftler wird vielmehr – wie ein nachdenklicher Philosoph – abgewogene Auffassungen über die Erklärungskraft seiner Theorien und Methoden haben, was ein Wissen um deren Grenzen einschließt. Es ist aufschlußreich, daß Philosophen häufig radikalere naturalistische Programme vertreten als Naturwissenschaftler. Nicht zuletzt aufgrund mangelnder Vertrautheit mit den Naturwissenschaften neigen viele Philosophen zur Überschätzung der Erklärungsleistung naturwissenschaftlicher Theorien. So trifft man in philosophischen Texten, ob naturalistischer oder nichtnaturalistischer Provenienz, immer noch auf die Annahme, daß die Physiker von morgen Laplacesche Dämonen sein werden.[1] Kein ernsthafter Physiker würde so etwas behaupten. Mißtrauisch machen sollte auch das übliche Ausstellen von Schuldscheinen auf einen dereinst avancierten Forschungsstand sowie die Rede davon, daß irgend etwas »im Prinzip vollständig erklärbar« sei. Beides fällt denjenigen leichter, die nicht mit ihrer eigenen Arbeit dafür geradestehen müssen.

Doch wodurch zeichnet sich der Naturalismus aus? Die naturwissenschaftlich Gebildeten unter seinen Verfechtern vertreten nicht so radikale Thesen. Vor einem halben Jahrhundert hat John Dewey den Naturalismus mit den Worten charakterisiert: »The naturalist is one who has respect for the conclusions of natural science«.[2] Und Roy Wood Sellars beschrieb ihn als »less a philo-

1 Ein Beispiel: »Jede Rede, jeder Gedanke, jede Theorie, jedes Gedicht, jede Komposition und jede Philosophie wird sich als etwas herausstellen, das in einer rein naturalistischen Terminologie vollständig voraussagbar ist. Einige ›Atome-plus-leerer-Raum‹-Theorien über die in menschlichen Wesen stattfindenden Mikroprozesse werden es ermöglichen, jeden einzelnen Laut oder jedes Schriftzeichen vorauszusagen, das je geäußert werden wird« (Richard Rorty, *Der Spiegel der Natur*, Frankfurt am Main 1981, S. 419).

2 John Dewey, »Antinaturalism in Extremis«, in: Yervant H. Krikorian

sophical system than a recognition of the impressive implications of the physical and biological sciences«.[3]

Wenn es das definierende Merkmal des Naturalismus sein sollte, Respekt vor den Leistungen und Erkenntnissen der Naturwissenschaften zu haben, dann ist schwer zu sehen, wie man heute *kein* Naturalist sein sollte. Haben wir diesen Respekt nicht alle? Glaubt nicht jeder von uns, die wir in einer wissenschaftsgetränkten Kultur leben, daß alles in der Welt mit rechten Dingen zugeht?[4] Und halten wir nicht naturwissenschaftliches Wissen für das Beste, was auf dem Markt ist? Wenn es ernst wird in unserem Leben, sind wir froh, daß es hochentwickelte Medikamente und professionell ausgebildete Ärzte gibt. Wir vergessen unsere wissenschaftskritischen Anwandlungen und wenden uns, mit wenigen Ausnahmen, an dieselbe Adresse. In diesem Sinne liegt es nahe, den Naturalismus als natürliche Begleiterscheinung oder als Folge des unbestrittenen Siegeszuges der neuzeitlichen Naturwissenschaft anzusehen, und insofern das »naturwissenschaftliche Weltbild« in einer Wissenschaftskultur ohne ernstzunehmende Alternative ist, wäre es dann auch der Naturalismus.

Tatsächlich trifft man gelegentlich auf missionarisch veranlagte Naturalisten, die bei allen, die sich nicht zum Naturalismus bekennen, Wunderglauben, Obskurantismus oder Okkultismus vermuten. Damit unterschätzen Naturalisten aber nicht nur ihre Gegner, sie machen auch ihre eigene Position undeutlich. Mit der Antithese »Natur vs. Übernatur« läßt sich heute keine interessante Position mehr markieren. Wenn Naturalismus nichts anderes als die Annahme wäre, daß alles in der Welt mit rechten Dingen zugeht, würden ihm alle ernstzunehmenden Opponenten abhanden kommen, und eine Position ohne Gegenposition ist keine Position mehr; wenn man überall steht, steht man nirgends. Sellars' Feststellung, daß »we are all naturalists now«,[5] spricht nicht für den Naturalismus, sondern gegen eine Begriffsbestimmung, die diese Konsequenz hat.

(Hg.), *Naturalism and the Human Spirit*, New York 1944, S. 1-16, hier: S. 2.

3 Roy Wood Sellars, *Evolutionary Naturalism*, New York 1922, S. i.

4 Zu der Formulierung »Überall in der Welt geht es mit rechten Dingen zu« vgl. den Beitrag von Vollmer in diesem Band.

5 Sellars, a. a. O., S. i.

Ein Blick in die gegenwärtige philosophische Landschaft zeigt, daß sich am *Bekenntnis* zum Naturalismus die Geister scheiden. In der Erkenntnistheorie, der Wissenschaftstheorie, der Philosophie des Geistes und der Ethik[6] streiten erklärte Naturalisten und erklärte Nichtnaturalisten mit Gründen über die »Naturalisierbarkeit« der jeweiligen Phänomenbestände. Eine Stilisierung, der zufolge die Naturalisten die wissenschaftlich Aufgeklärten sind und ihre Gegner die Hinterweltler oder -wäldler, ist schon deshalb unangemessen, weil sie nicht erklären kann, worüber Naturalisten und Nichtnaturalisten in ihren bisweilen auf hohem Niveau ausgetragenen Kontroversen eigentlich uneins sind. Eine angemessene Explikation von »Naturalismus« sollte geeignet sein, einige der tatsächlich bestehenden Dissense zwischen solchen, die sich Naturalisten nennen, und solchen, die sich Nichtnaturalisten nennen, einzufangen. Es ist schwierig, diese Auflage in nichtzirkulärer Weise zu formulieren, weil man nicht alle Selbstetikettierungen unbesehen übernehmen und zugleich erwarten kann, einen konsistenen Naturalismusbegriff zu erhalten. Angesichts der Heterogenität der Positionen, die unter »Naturalismus« firmieren, wird man nicht auf Überlegungen dazu verzichten können, was man unter dem Begriff *vernünftigerweise* verstehen sollte. Ein fröhlicher Pluralismus der Attribut-Naturalismen, wie er in der neueren Literatur zur Naturalisierung der Erkenntnistheorie zu beobachten ist,[7] macht es nicht überflüssig, anzugeben, was diese Positionen *qua Naturalismen* gemeinsam haben. Mit einem Verweis auf die »bestehende Vielfalt« naturali-

6 Den ethischen Naturalismus, wie er aus der Diskussion um den naturalistischen Fehlschluß bekannt ist, haben wir in diesem Band ausgeklammert. Die Kritik am naturalistischen Fehlschluß spielt allerdings auch in der Erkenntnistheorie eine Rolle (vgl. den Beitrag von Hartmann und Lange).

7 In zwei jüngeren Texten werden zum Beispiel die folgenden Naturalismen unterschieden: aposteriorischer, eingeschränkter, eliminativer, expansiver, gemäßigter, integrativer, kooperativer, metaphysischer, methodologischer, ontologischer, radikaler, reduktiver, reformistischer, revolutionärer, wissenschaftlicher, szientistischer und uneingeschränkter Naturalismus (Susan Haack, »Naturalism Disambiguated«, in: dies., *Evidence and Inquiry*, Oxford 1993, S. 118-138, sowie Dirk Koppelberg, »Was macht eine Erkenntnistheorie naturalistisch?«, in: *Zeitschrift für allgemeine Wissenschaftstheorie* 27 [1996], S. 71-90).

stischer Positionen, der man »gerecht werden« müsse,[8] kann man die Suche nach einem definierenden Merkmal nicht abbrechen, weil man in diesem Fall schon *unterstellt*, daß alle diese Positionen ihren Namen zu Recht tragen. Diese Unterstellung ist aber im Rahmen eines Explikationsversuchs eine *petitio principii*.

Eingeschränkt wird unsere Freiheit beim Definieren durch die Auflage der »deskriptiven« oder »empirischen Adäquatheit« (Carnap, Stegmüller) von Definitionen, die mit dem Anspruch einer Begriffsexplikation auftreten. – Halten wir vorläufig fest, daß es in jedem Falle unproduktiv ist, Strohmänner aufzubauen, und daß dies für den Naturalisten wie für den Antinaturalisten gilt. Unter einem Strohmann sei hier nicht eine Position verstanden, die leicht zu widerlegen ist,[9] sondern eine, die niemand vertritt.

1. Begriffs- und Problemgeschichtliches

Das lateinische Wort »naturalista« bezeichnet seit dem Mittelalter einen Naturforscher. Ebenso erläutert Diderot »naturaliste« in seiner *Encyclopédie*, und im Französischen und im Englischen hat sich diese nichtphilosophische Bedeutung bis heute erhalten. Die christlichen Apologeten des 17. Jahrhunderts verwenden den Ausdruck abwertend, denn insofern der Naturalist »lehrt, daß es weder Dinge noch Ereignisse gebe, die außerhalb der einen natürlichen Ordnung liegen«, gerät er »bald in den Verdacht des Atheismus«.[10] Verfolgt man den Begriff weiter durch die Jahrhunderte, so muß man der Einschätzung zustimmen, daß »the

8 »[Ich habe] die grundlegende Frage zu beantworten versucht, wodurch eine Erkenntnistheorie überhaupt naturalistisch wird. Eine einzige und einheitliche Antwort habe ich darauf nicht gefunden, und ich glaube auch nicht, daß sie sich finden läßt, wenn man der bestehenden Vielfalt naturalistischer Erkenntnistheorien gerecht werden will« (Koppelberg, a. a. O., S. 84).

9 So fragt Roy W. Sellars: »Why is naturalism insistently defined in so narrow a way that it becomes a thing of straw easily torn to pieces?« (a. a. O., S. i).

10 Georg Gawlick, Artikel »Naturalismus«, in: *Historisches Wörterbuch der Philosophie*, hg. von J. Ritter und K. Gründer, Bd. 6, Darmstadt 1984, Sp. 517-519, hier: Sp. 517; dort auch Belegstellen.

number of distinguishable doctrines for which the world ›naturalism‹ has been a counter in the history of philosophy is notorious«.[11]

Der philosophische Naturalismus in der heutigen Bedeutung des Wortes ist weniger ein Ismus der *Natur* als ein Ismus der Natur*wissenschaften*, den man so charakterisiert hat: »The closest thing to a common core of meaning is probably the view that the methods of natural science provide the only avenue to truth.«[12] In diesem Sinne wird der Ausdruck erst seit dem Ende des 19. Jahrhunderts in größerem Umfang verwendet. Hobbes und Hume würden sich im heutigen Sinne zweifellos als Naturalisten bezeichnen, ebenso Holbach und LaMettrie, doch müssen wir zur Kenntnis nehmen, daß die Geographie der Debatten seinerzeit in anderen Begriffen beschrieben wurde. Noch durch das 19. Jahrhundert hindurch wurde das, was man mit dem Ausdruck hätte meinen können, durch die Vorläufer-Ismen Empirismus, Materialismus und Mechanismus abgedeckt; gebräuchlich wurde der Begriff des Naturalismus zunächst nur als Stilbezeichnung in Literatur und bildender Kunst.

Es liegt auf der Hand, daß der Naturalismusbegriff nur dann einen *berechtigten* Platz im philosophischen Sprachgebrauch hat, wenn der Ausdruck nicht dasselbe bedeutet wie einer der benachbarten Ismen. Die Zahl der Ismen sollte nicht ohne Notwendigkeit vermehrt werden. Als Desideratum kann daher gelten, den Naturalismus vom Mechanismus, vom Materialismus und vom Empirismus abzugrenzen, ebenso vom Physikalismus und vom Biologismus. Diese Aufgabe wird durch den Umstand erschwert, daß viele erklärte Naturalisten – ein Paradebeispiel ist Quine – zugleich noch weitere dieser Ismen vertreten.

Manche Ausdrücke sind *motiviert*, wie die Linguisten sagen, das heißt, sie enthalten Morpheme, die uns Hinweise auf die Bedeutung des Ausdrucks geben. »Naturalismus« enthält das Wort »Natur«. Man sollte etwas dazu sagen können, warum.

Viele erklärte Naturalisten haben keine Verwendung für den Naturbegriff mehr. Dies wirft die Frage auf, ob, wer von der

11 Ernest Nagel, »Naturalism Reconsidered«, in: ders., *Logic Without Metaphysics*, Glencoe, Ill. 1956, S. 3-18, hier: S. 3.

12 Manley Thompson, »Naturalistic Metaphysics«, in: Roderick M. Chisholm u. a. (Hg.), *Philosophy*, Englewood Cliffs, N. J. 1964, S. 183-204, hier: S. 183.

Natur nicht reden will, nicht vom Naturalismus schweigen soll. Der Zusammenhang zwischen Naturalismus und Naturbegriff mag aber weniger direkt sein, als das Wort suggeriert. Der moderne Naturalismus scheint, wie gesagt, eher ein Ismus der Natur*wissenschaften* zu sein als ein Ismus der Natur. Der neuzeitliche Naturbegriff blickt auf eine lange, oft erzählte Geschichte der Entqualifizierung zurück, und an deren Ende erscheint »als Natur [...] nur noch das, was Gegenstand einer empirischen (Gesetzes-)Wissenschaft ist«.[13] Die Verfallsgeschichte des qualitativen Naturbegriffs kann man nicht einer einzelnen philosophischen Schule oder Strömung anlasten, so auch nicht dem Naturalismus. Doch selbst wenn der Begriff der Naturwissenschaft zu seiner Erläuterung nicht mehr des Naturbegriffs bedürfen sollte, ergibt sich für einen Ismus der Naturwissenschaften ein Nachfolgeproblem: Ein Naturalismus, der seinen Namen verdient, sollte etwas darüber sagen können, was die *Natur*wissenschaften vom Rest der Wissenschaften unterscheidet.

Es liegt nahe, sich nach Gegenbegriffen umzusehen. Auch für den Naturbegriff gilt ja, daß er seine Konturen immer durch Antithesen erhalten hat: *physis* und *techne*, Natur und Übernatur, Natur und Freiheit, Natur und Geschichte, Natur und Geist, Natur und Kultur.[14] Durch mechanisches Hinzufügen der Suffixe erhält man die Annahme, daß der Naturalismus eben die Antithese des Supranaturalismus, des Kulturalismus, des Historismus etc. ist. Und in der Tat läßt sich jede dieser Gegenüberstellungen durch einschlägige Kontroversen belegen, wobei das 19. Jahrhundert eine besonders reiche Fundgrube darstellt, insofern dort nacheinander der Geist, die Geschichte und die Kultur für Nichtnaturalisierbarkeitsthesen in Anspruch genommen wurden. So schloß der *Historismus* bei Ranke, Droysen, Jacob

13 Jürgen Mittelstraß, Artikel »Natur«, in: ders. (Hg.), *Enzyklopädie Philosophie und Wissenschaftstheorie*, Bd. 2, Mannheim/Wien/Zürich 1984, Sp. 961-964, hier: 962. Ähnlich erläutert Tetens »natürliche Welt« als »Erfahrungswelt, die arbeitsteilig von den Einzelwissenschaften erforscht wird« (siehe seinen Beitrag).

14 Für einen Überblick über diese Antithesen vgl. Robert Spaemann, Artikel »Natur«, in: Krings/Baumgartner/Wild (Hg.), *Handbuch philosophischer Grundbegriffe*, München 1973, Bd. II, S. 956-969; sowie ders., »Das Natürliche und das Vernünftige«, in: Oswald Schwemmer (Hg.), *Über Natur*, Frankfurt am Main 1987, S. 149-164.

Burckhardt und Dilthey die Behauptung ein, daß die naturwissenschaftlichen Methoden das Geschichtliche und damit das spezifisch Menschliche der Menschenwelt verfehlen müssen. Als Dilthey versuchte, die Grundlegung der historischen Wissenschaften durch eine ›Kritik der historischen Vernunft‹ von allen metaphysischen Vorannahmen über die Gegenstandsbereiche Geschichte und Natur zu befreien, verwandelte sich der bis dahin halbontologische Streit in die wissenschaftstheoretische Debatte über das Verhältnis von Natur- und Geisteswissenschaften, die als deutsche Spezialität nun schon über ein Jahrhundert andauert.[15] Die Naturalisten sind in dieser Konstellation diejenigen, die eine über naturwissenschaftliche Methoden definierte Einheitswissenschaft fordern, während die ›historistische‹ und später ›kulturalistische‹ oder ›hermeneutische‹ Gegenpartei einen methodologischen Dualismus von Natur- und Geisteswissenschaften vertritt. (Bemerkenswert ist allerdings, daß die Anwälte der Einheitswissenschaft innerhalb des Logischen Empirismus den Naturalismusbegriff nicht zur Kennzeichnung ihrer Position benutzten. Carnap und Neurath sprachen vom »Physikalismus« sowie allgemein von der »wissenschaftlichen Weltauffassung«.)

Die ›Geisteswissenschaftler‹ verteidigten zunächst die Position des älteren Historismus, weil sich die Geisteswissenschaften in Deutschland in erster Linie als historische Disziplin verstanden. Dies erwies sich als unzureichend, weil die Philologien und die systematischen Sprachwissenschaften sich nicht in diesem Bild unterbringen ließen, so daß man die Eigenständigkeit der Geisteswissenschaften nicht länger mit den alten historistischen Argumenten verteidigen konnte. Das neue Stichwort lautete ›Kultur‹. Vor allem die südwestdeutschen Neukantianer unternahmen eine wissenschaftslogische Grundlegung der Kulturwissenschaften, die von ontologischen Prämissen unabhängig zu sein beanspruchte und zudem den Vorteil hatte, die sogenannten Geisteswissenschaften vom metaphysikverdächtigen ›Geist‹ zu befreien. Der Geist ist mittlerweile in Gestalt der analytischen Philosophie des Geistes zurückgekehrt, hat aber bei seinem Um-

15 Zum Historismus vgl. Ernst Troeltsch, *Der Historismus und seine Probleme* (1923), Aalen 1961; vgl. auch Herbert Schnädelbach, *Geschichtsphilosophie nach Hegel. Die Probleme des Historismus*, Freiburg/München 1974, bes. S. 19 ff.

weg über das Englische (*philosophy of mind*) alle hegelianischen Konnotationen eingebüßt.

Den *Kulturalismus* kann man dem Naturalismus mit gleichem Recht gegenüberstellen wie den Historismus.[16] Allerdings handelt es sich (noch) nicht um einen allgemein gebräuchlichen Terminus; die großen Handbücher weisen keinen entsprechenden Eintrag auf. Wir wollen die Antithesen des Natur(alismus)begriffs und die mit ihnen verbundenen, verzweigten Debatten aber hier nicht weiterverfolgen, denn in zeitgenössischen Selbstkennzeichnungen naturalistischer Positionen spielen diese Antithesen keine prominente Rolle mehr.

2. Naturalismus und die Naturzugehörigkeit des Menschen

Mit allgemeinen Ehrenerklärungen für die Naturwissenschaften läßt sich heute keine interessante Position mehr markieren. Verständlich werden Formulierungen wie diejenige Deweys im Kontext einer kulturellen Frontstellung gegen den religiös geprägten Supranaturalismus, die im amerikanischen Naturalismus der Jahrhundertmitte noch deutlich spürbar ist. Nur so ist der Nachdruck zu verstehen, mit dem in diesen Texten[17] »privileged truth«, »mystical insights«, »superstition« und »obscurantism« abgelehnt werden. Eingefordert werden hingegen »the open-minded and persistent study of nature«[18] und die Separierung von wissenschaftlicher Erkenntnis und Offenbarungswahrheit, also Dinge, die sich in einer säkularisierten Wissenschaftskultur von selbst verstehen sollten. Man sollte für das Bekenntnis zur Aufklärungsleistung der Wissenschaft noch nicht den Naturalis-

16 Peter Janich kennzeichnet seine naturalismuskritische Position mittlerweile als »methodischen Kulturalismus«; vgl. Dirk Hartmann/Peter Janich (Hg.), *Methodischer Kulturalismus. Zwischen Naturalismus und Postmoderne*, Frankfurt am Main 1996.

17 Zur Übersicht über den amerikanischen Naturalismus der Jahrhundertmitte vgl. die Textsammlungen von Krikorian (Hg.), a. a. O.; sowie John J. Ryder (Hg.), *American Philosophic Naturalism in the Twentieth Century*, Amherst, N. Y. 1994; sowie Geert Keil, *Kritik des Naturalismus*, Berlin/New York 1993, S. 23-33.

18 James Bissett Pratt, *Naturalism*, New Haven/London 1939, S. 1.

musbegriff vergeben. Zwar dürften Menschen, die an übernatürliche Eingriffe oder an okkulte Kräfte glauben, in aller Regel keine Naturalisten sein. Falsch ist aber der Umkehrschluß, daß Nichtnaturalisten *eo ipso* Supranaturalisten sind. Daß die Frontstellung gegen den Supranaturalismus bei amerikanischen Naturalisten, so auch bei Quine, gelegentlich noch eine Rolle spielt, mag auch eine kulturelle Besonderheit eines Landes sein, in dem die Evolutionstheorie als Unterrichtsgegenstand immer noch den Angriffen einflußreicher religiöser Eiferer ausgesetzt ist.

Die Auffassung, daß die Methoden der Naturwissenschaft der einzige Weg zur Wahrheit seien,[19] ersetzt den Topos »Alles ist Natur«, der als der schlichteste Ausdruck einer naturalistischen Überzeugung gelten kann. Die schlichte Fassung sollten wir indes nicht vorschnell zu den Akten legen. Eine Behauptung wie »Mit allem, was Menschen sind, tun und können, sind sie ein Teil der natürlichen Welt«[20] zieht auch heute noch Philosophen in ihren Bann. Warum klingt sie so plausibel, und welche Funktion hat hier die Berufung auf die »natürliche Welt«? Wir möchten eine Vermutung äußern: Wo der Slogan »Alles ist Teil der Natur« heute noch eine Rolle spielt und keine bloße Verkürzung der methodologischen Fassung ist, wird er entweder *ontologisch* oder natur*geschichtlich* eingeführt. Ontologisch läuft der Slogan auf eine Verteidigung des Materialismus oder des Physikalismus hinaus: Was es gibt, sind Elementarteilchen, und alles, was es sonst noch geben soll, muß vollständig aus Elementarteilchen aufgebaut sein.[21] Ein ontologischer Physikalismus wird von vielen Naturalisten vertreten, aber wir sollten ihn nicht als definierendes Merkmal oder gar als identisch mit dem Naturalismus ansehen.[22]

19 S. o., Fußnote 12.

20 Wir übernehmen diese Formulierung aus Tetens' Beitrag (S. 274), ohne ihm die im folgenden diskutierte Auffassung zuzuschreiben. – Hartmann und Janich (a. a. O., S. 40) charakterisieren den Naturalismus als die These, »daß *alles Geschehen* einschließlich menschlichen Handelns unter historischen Bedingungen ein *Naturgeschehen* sei«.

21 Siehe Beckermanns Beitrag.

22 So Quine und Koppelberg in ihren Beiträgen. In vielen Naturalismusdefinitionen wird dem ontologischen Materialismus oder Physikalismus noch eine nichtontologische Bestimmung nachgereicht, deren kriterialer Status aber unklar bleibt, zum Beispiel bei Armstrong:

Interessanter ist die naturgeschichtliche Interpretation: »Alles, was Menschen sind, tun und können«, wird hier insofern als Teil der einen Natur angesehen, als es sich als kontingentes Ergebnis der Evolutionsgeschichte begreifen lassen muß. Die Attraktivität dieser Auffassung, für die sich im Englischen die Bezeichnung »evolutionary naturalism« eingebürgert hat, hängt vermutlich damit zusammen, daß sie mit sehr schwachen empirischen Annahmen über die Entwicklungsgeschichte des *homo sapiens* auskommt. Wichtig scheint allein zu sein, *daß* alles, was wir sind, tun und können, Ergebnis der Naturgeschichte ist, nicht, wie diese Geschichte im einzelnen verlaufen ist oder was wir über sie wissen.

Ein beliebter Philosophenkommentar zu Auffassungen dieses Allgemeinheitsgrades lautet, daß sie entweder trivial oder falsch seien. Dieser Kommentar liegt auch hier nahe: Daß alles, was wir sind, tun und können, in *dem* Sinne Resultat der Naturgeschichte ist, daß diese Fähigkeiten etc. nicht vorhanden wären, wenn die natürliche Evolution anders verlaufen wäre, ist eine Behauptung nahezu ohne empirischen Gehalt. Es ist nicht zu sehen, wogegen – abgesehen vom religiösen Supranaturalismus – sie sich richten könnte und warum mit der Einsicht, daß unsere Fähigkeiten kontingente natürliche Voraussetzungen haben, etwas für die Verteidigung des Naturalismus gewonnen sein sollte.

Es könnte aber auch etwas Stärkeres gemeint sein. Doch je anspruchsvoller man die Behauptung des »evolutionären Naturalismus« formuliert, desto mehr tendiert sie zum Falschsein. Betrachten wir die ›Evolution‹ des Mentalen: Heute gibt es auf der Erde Lebewesen, die intentionale Zustände haben. Das mag man eine kontingente Tatsache nennen, in dem Sinne, in dem auch das Vorhandensein von Sauerstoff in der Erdatmosphäre oder die Größe der Gravitationskonstante kontingente Tatsachen sind. Wenn man weiter danach fragt, worauf diese Tatsache *beruht* oder wie sie in die Welt gekommen ist, so wären zwei lange Geschichten zu erzählen, nämlich die Naturgeschichte des homo sapiens und, wenn man damit fertig ist, seine Kulturgeschichte. Da der Geist nicht mit dem Urknall das Licht der Welt

»Naturalism I define as the view that nothing else exists except the single, spatio-temporal, world, the world studied by physics, chemistry, cosmology, and so on« (David M. Armstrong, *What Is a Law of Nature?*, Cambridge 1983, S. 82).

erblickt hat, muß er sich entwickelt haben. Es muß Vor- und Zwischenstufen gegeben haben; sie zu charakterisieren ist notorisch schwierig, weil uns dafür buchstäblich die Worte fehlen. Unser intentionales Idiom ist auf die Beschreibung der in historischer Zeit erreichten kognitiven Fähigkeiten zugeschnitten.

Unsere Vorfahren müssen im Zuge einer Ko-Evolution von Sprache und Kognition damit begonnen haben, metaphorisch gesprochen, sich einen Reim darauf zu machen, was mit ihnen, um sie herum und zwischen ihnen geschah; und es wurde Licht. Später machten sie sich Reime auf andere Reime, und einiges verdunkelte sich wieder, denn diese Beziehung war nicht mehr transparent, sondern opak: Mit der Intentionalität kam die Intensionalität in die Welt.[23] Jetzt stehen wir da mit unserer Fähigkeit, uns Reime zu machen, und die Philosophen sagen, wir können uns intentional auf etwas beziehen oder auf etwas richten. Manche von uns können auch komponieren, Schach spielen oder philosophische Aufsätze schreiben. Daß Menschen diese Dinge können, ist eine *harte Tatsache*. Es ist aber keine *Natur*tatsache, denn diese Fähigkeiten sind in der Menschheitsgeschichte bei weitgehend unveränderter genetischer Ausstattung ausgebildet worden. Es ist eine *Kultur*tatsache, denn die Ausbildung dieser Fähigkeiten bedurfte der Weitergabe erworbener Eigenschaften durch das *animal symbolicum*. Daß die Kultur, wie viele Philosophen sagen, als »zweite Natur« des Menschen gelten kann, kann nicht ernsthaft zur Stützung eines *biologischen* Naturalismus angeführt werden. Jennifer Hornsby hat jüngst einen »naiven Naturalismus« verteidigt, dem zufolge es zur *Natur* des Menschen gehöre, intentionale Zustände zu haben.[24] Ähnlich hatte schon Peter F. Strawson von »zwei Naturalismen« gesprochen: Neben dem reduktiven Naturalismus gebe es einen Naturalismus der *menschlichen Natur*, der natürliche Eigenheiten des Menschen gegen Reduktionsansprüche des ersteren verteidigt.[25] Hornsby und Strawson erliegen hier einer bekannten Äquivokation im Naturbegriff: Wo die Rede davon ist, was in der Natur *des Menschen* liegt, wird »Natur« im Sinne von »Wesen« oder

23 Vgl. den Beitrag von Simons.

24 Vgl. Jennifer Hornsby, *Simple Mindedness. In Defense of Naive Naturalism in the Philosophy of Mind*, Cambridge/London 1997.

25 Peter F. Strawson, *Skepticism and Naturalism*, London 1985, bes. S. 37-42.

»eigentlicher Beschaffenheit« verstanden. Verweise darauf, was in diesem Sinne in der Natur der Sache – hier: des Menschen – liegt, begründen noch keinen Naturalismus. Werden sie mit der Auffassung kombiniert, daß die *Kultur* die (zweite) Natur des Menschen ausmache, können sie sogar einen dezidiert antinaturalistischen Charakter annehmen.

Auch wenn der Mensch von Natur aus auf Kultur angewiesen sein sollte, gehören kulturell ausgebildete Fähigkeiten nicht zur natürlichen, biologischen Ausstattung des Menschen. Allgemein ist nur schwer nachzuvollziehen, warum viele Naturalisten nur solche Erklärungen akzeptieren, in denen Humanes auf subhumane Bedingungen zurückgeführt wird.[26] Wie man den Härtegrad von Tatsachen messen kann, ist alles andere als klar, aber wer ein gutes Argument dafür hat, daß aufgrund der biologischen Evolution bestehende Tatsachen härter sind als aufgrund der Kulturentwicklung bestehende, der möge hervortreten.

In einer trivialen Lesart muß die Naturzugehörigkeit des Menschen vom Antinaturalisten nicht bestritten werden. Ein interessanter Programmpunkt entsteht erst dort, wo ein *Erklärungsprivileg* der Natur*wissenschaften* behauptet wird. Es ist diese Version des evolutionären Naturalismus, die Peter Geach zu der Bemerkung Anlaß gegeben hat:

When we hear of some new attempt to explain reasoning or language or choice naturalistically, we ought to react as if we were told someone had squared the circle or proved $\sqrt{2}$ to be rational: only the mildest curiosity is in order – how well has the fallacy been concealed?[27]

26 Gilbert Ryle kommentiert bissig: »[D]er Einfluß des mechanistischen Schreckgespenstes ist im Lauf des letzten Jahrhunderts fortwährend zurückgegangen, weil neben anderen Gründen die biologischen Wissenschaften in dieser Periode ihren Anspruch auf den Ehrentitel ›Wissenschaften‹ begründet hatten. [...] Der Mensch [...] könnte schließlich doch eine Art Lebewesen sein, nämlich ein höheres Säugetier. Es muß noch der verwegene Sprung zu der Hypothese gewagt werden, daß er vielleicht ein Mensch sei« (G. Ryle, *Der Begriff des Geistes*, Stuttgart 1969, S. 451).

27 Peter Geach, *The Virtues*, Cambridge 1977, S. 52.

3. Das Erklärungsprivileg der Naturwissenschaften

Im größeren Teil der Naturalismusdefinitionen, die sich in der Literatur finden, ist der Slogan »Alles ist Teil der Natur« durch eine methodologisch begründete These über den privilegierten Status naturwissenschaftlichen Wissens ersetzt. Hier einige Beispiele:

> Despite the variety of specific doctrines which naturalists have professed from Democritus to Dewey, what unites them all is the wholehearted acceptance of scientific method as the only reliable way of reaching truths about the world of nature, society, and man.[28]

> [D]er Naturalismus [...] erklärt die szientifischen Methoden, mit denen Dinge und Ereignisse in der raumzeitlichen und der kausalen Ordnung erfaßt werden, für den einzigen Zugang zur Wahrheit.[29]

> Naturalism [...] is a species of philosophical monism according to which whatever exists or happens is natural in the sense of being susceptible to explanation through methods which, although paradigmatically exemplified in the natural sciences, are continuous from domain to domain of objects and events.[30]

> The closest thing to a common core of meaning is probably the view that the methods of natural science provide the only avenue to truth.[31]

Über allgemeine Respektbekundungen für die Naturwissenschaften gehen diese Erläuterungen in zwei Punkten hinaus. Zum einen werden die Naturwissenschaften durch ihre Methoden ausgezeichnet, zum anderen wird eine Totalisierung vorgenommen: Die naturwissenschaftlichen Methoden verschaffen Wissen über alles, worüber man etwas wissen kann, und sie sind der einzige verläßliche Weg. Der universale Anspruch ist keine optionale Zutat zum Naturalismus, sondern liegt in der Logik des Programms. Daß es *Bereiche* gibt, in denen naturwissenschaftliche Methoden konkurrenzlos erfolgreich sind, kann man zugestehen, ohne Naturalist zu sein. In der Logik des Naturalis-

28 Sidney Hook, »Naturalism and Democracy«, in: Krikorian (Hg.) 1944, a. a. O., S. 40-64, hier: S. 45.

29 Gawlick, a. a. O., S. 517 f.

30 Arthur C. Danto, Artikel »Naturalism«, in: Paul Edwards (Hg.), *The Encyclopedia of Philosophy*, Bd. V, New York/London 1967, S. 448-450, hier: S. 448.

31 Thompson, a. a. O., S. 183.

mus liegt es, keine Enklaven zu dulden. Es ist deshalb begrifflich unbefriedigend, eigens einen ›schwachen‹ Naturalismus einzuführen, der den Kolonialisierungsanspruch zurücknimmt.[32] Das Motiv, eine *vertretbare* Position oder ein *aussichtsreiches* Programm zu markieren, ist verständlich, aber hier irrelevant. Zu zeigen wäre ja, warum eine Position, die man vertreten kann, unbedingt »Naturalismus« heißen muß.

In der Rede vom »einzigen Weg zur Wahrheit« schwingt ein Pathos mit, das Mißverständnissen Vorschub leisten kann. Daher zwei Klarstellungen: Es ist in der Regel nichts anderes gemeint als gewöhnliche Aussagenwahrheit, so daß »Wahrheit« hier hypostasierend für »Menge von wahren Aussagen« steht. Zum zweiten liegt zwar der Totalitätsanspruch in der Logik des Programms, nicht hingegen der *Infallibilismus*. Die naturwissenschaftlichen Methoden sind nicht in dem Sinne »the only avenue to truth«, daß sie unweigerlich zu wahren Aussagen führen. Vielmehr führen sie zu Aussagen, die als wahr reklamiert werden, die aber stets revidierbar bleiben. Was mit besten wissenschaftlichen Gründen für wahr gehalten wird, kann als falsch erwiesen werden – durch mehr Wissenschaft. Skeptische Zweifel, so die prägende Auffassung Quines, gehören zur Wissenschaft und werden innerhalb dieser – vorläufig – beantwortet; Skepsis gegenüber der Wissenschaft als ganzer ist fehl am Platze. Es mag zu jeder Zeit der Wissenschaftsentwicklung mehr Dinge zwischen Himmel und Erde geben, als unsere Schulweisheit sich träumen läßt, und es mögen zum Ausgleich, wie Lichtenberg versetzt hat, viele Dinge in unseren Kompendien stehen, die weder im Himmel noch auf Erden vorkommen. Doch Kompendien können berichtigt werden, und die Wissenschaft ist permanent damit beschäftigt. Der Naturalist à la Quine faßt die Wissenschaft als einen selbstkorrigierenden Prozeß methodisch kontrollierter Wahrheitssuche auf, »fallible and corrigible but not answerable to any supra-scientific tribunal«.[33] Diese Auffassung wird von einer

32 »According to Weak Naturalism there are some legitimate epistemological questions that are *not* scientific questions and cannot be resolved by scientific research« (Stephen P. Stich, »Naturalizing Epistemology: Quine, Simon and the Prospects for Pragmatism«, in: Christopher Hookway und Donald Peterson [Hg.], *Philosophy and Cognitive Science*, Cambridge 1993, S. 1-17, hier: S. 2).

33 Quine, *Theories and Things*, Cambridge, Mass./London 1981, S. 72.

Naturalismus- oder Szientismuskritik, die auf angebliche Unfehlbarkeitsansprüche abstellt, erkennbar nicht getroffen.

Man sieht an den zitierten Definitionen, daß der Naturalismus keine philosophische Theorie ist und vielleicht nicht einmal eine Theorienfamilie, sondern eine metatheoretische These oder, in praktischer Hinsicht, ein *Programm*. Programme lassen sich nicht auf die gleiche Weise evaluieren wie ausgearbeitete wissenschaftliche Theorien, denn sie erheben nicht selbst Erklärungsansprüche. Das naturalistische Programm stellt eine *Erklärbarkeits*behauptung auf. Nun muß aber auch diese Behauptung einen bestimmbaren Gehalt haben; sie darf sich nicht durch übergroße Vagheit der Beurteilung entziehen. In allen zitierten Definitionen des naturalistischen Programms ist von ›den naturwissenschaftlichen Methoden‹ die Rede. Um den Gehalt des Programms bestimmen zu können, müßte man wissen, welche Methoden damit gemeint sind, oder besser, welche *nicht* gemeint sind. Welche Methoden werden durch das naturalistische Programm ausgeschlossen?

Wir können die Suche nach einer Antwort schnell beenden, denn es ist für diese programmatischen Formulierungen charakteristisch, daß *mit Bedacht* nicht gesagt wird, welches diese Methoden sind. Es wird deshalb nicht gesagt, weil man, wie es von naturalistischer Seite heißt, die Wissenschaften nicht bevormunden möchte. Bei Quine heißt es darum schlicht: »The world is as natural science says it is.«[34] Daß sich die materialen Ergebnisse wissenschaftlicher Forschung nicht durch reines Nachdenken vorwegnehmen lassen, sollte sich von selbst verstehen. Für Naturalisten gilt dasselbe von den *Methoden* der Wissenschaft: Naturalisten möchten dem nicht vorgreifen, was die Wissenschaften selbst als methodologische Standards anerkennen oder entwickeln – Standards, die schließlich revidierbar seien. Man kann diese Haltung auf die Formel bringen: *Wherever science will lead, I will follow*. Es handelt sich bei dieser Art Naturalismus um einen *allgemeinen Szientismus*, im Unterschied zu denjenigen naturalistischen Positionen, die sich einer bestimmten *Leitwissenschaft* wie der Biologie, der Physik oder der behavioristischen Psychologie verschreiben.

34 Quine, »Structure and Nature«, in: *Journal of Philosophy* 89 (1992), S. 5-9, hier: S. 9.

Ein wesentlicher Grund für die Attraktivität des Naturalismus scheint ebendarin zu bestehen: daß man eine neutrale Haltung gegenüber jeder Wissenschaftsklassifikation bewahren kann. So findet man in programmatischen Äußerungen von Naturalisten immer wieder Abgrenzungen von Vorläufer-Ismen aus dem 19. Jahrhundert. Materialist oder Mechanist möchte kaum noch jemand sein, die Physik habe sich schließlich verändert. Biologistische Positionen waren aus wissenschaftlicher Sicht lange Zeit durch ihren Hang zum Vitalismus und zur Lebensphilosophie kompromittiert; gegenwärtig erfährt der Biologismus einen großen Modernisierungsschub. Der Physikalismus in der von Carnap vertretenen Form ist von Quine für unfruchtbar und wissenschaftsfern erklärt worden. Die behavioristische Psychologie hat im Zuge der ›kognitiven Wende‹ ihre Reputation an die Kognitionswissenschaften abtreten müssen. Kurz: Forschungsprogramme kommen und gehen, wissenschaftliche Paradigmen erschöpfen sich – was bleibt, ist der Naturalismus, insofern er sich nicht auf eine Referenzwissenschaft verpflichtet. Instruktiv ist in diesem Zusammenhang die Begründung, mit der Quine den herkömmlichen Begriff des physikalischen Gegenstandes aufgibt und ihn durch Mengen numerischer Koordinaten von Raum/Zeit-Regionen ersetzt, also durch abstrakte Gegenstände: Der Grund ist, daß *die Physik selbst dies getan habe*.[35] Das *Wherever science will lead, I will follow*-Motiv ist stärker als jede inhaltliche physikalistische oder materialistische These, die man fälschlich mit dem Naturalismus assoziieren mag. Quine geht so weit, selbst den Empirismus als fallible wissenschaftliche Hypothese zu bezeichnen. Auch erklärt er sich bereit, Hellseherei und Telepathie zur Wissenschaft zu zählen, wenn nur die Wissenschaft selbst ihnen einen Erklärungswert zuerkennen würde.[36]

Das Credo des Naturalisten lautet also, den Naturwissenschaften, wie sie faktisch betrieben werden, nicht vorzugreifen. Der Naturalist verbindet sein Schicksal nicht mit dem einer wissenschaftlichen Theorie oder eines Forschungsprogramms, sondern erklärt seine Solidarität mit dem *Gang der Wissenschaft* selbst.

Dem entspricht, daß Quine als sein Kritikziel nicht etwa die Methoden der Geistes- und Sozialwissenschaften ansieht. Er er-

35 Vgl. Quine, »Whither Physical Objects?«, in: *Boston Studies in the Philosophy of Science* 39 (1976), S. 497-504, bes. S. 502.

36 Vgl. Quine, *Pursuit of Truth*, Cambridge, Mass. ²1992, S. 20 f.

klärt generös, der Naturalismus könne sich abfälliger Bemerkungen über die ›weichen‹ Wissenschaften, und seien sie wohlverdient, enthalten.[37] Statt dessen richtet sich der Naturalismus gegen den angeblichen *Apriorismus* der traditionellen Erkenntnis- und Wissenschaftstheorie: gegen alle Versuche, die Methoden der Wissenschaft *a priori* zu bestimmen. Sein Kritikziel ist also ein meta-methodologisches.

4. Naturalismus und die Einheit der Wissenschaft

Von dem Motiv, den Wissenschaften nicht ins Handwerk zu pfuschen, mag man halten, was man will; unsere Frage ist, ob man auf diese Weise zu einem distinktiven Programm und damit zu einer brauchbaren Naturalismusdefinition kommt. Hat der Naturalist mit dem Bekenntnis zu den Methoden der Wissenschaft und dem Bevormundungsverzicht schon eine identifizierbare Position markiert? Wir sind skeptisch, denn es drängt sich eine Anschlußfrage auf: *Wen* genau möchte der Naturalist nicht bevormunden? Der unabsehbaren Zukunft *welches* Unternehmens liefert er sich aus? Als bloßer *Name* ist die Bezeichnung »die Naturwissenschaften« ja das, was alle Namen sind: Schall und Rauch. Der Naturbegriff fällt als Erläuterungsbasis aus, wie schon in den Debatten um den amerikanischen Naturalismus der Jahrhundertmitte bemerkt worden ist, denn »naturalism stands for scientific method; whatever rules out scientific method – that is supernatural. We are back where we were. ›Nature‹ means that which is open to scientific method«.[38] Und noch pointierter: »Naturalism excludes what is not scientifically investigable, and calls the domain of possible investigation ›nature‹«.[39]

Der Naturalist hat an dieser Stelle folgende Optionen: (1) Er könnte eine Liste der approbierten wissenschaftlichen Disziplinen vorlegen. (2) Er könnte darangehen, die approbierten Wissenschaften methodologisch auszuzeichnen – also etwas tun, was er eigentlich nicht tun wollte. (3) Er könnte sich zum einheitswis-

37 Siehe seinen Beitrag in diesem Band.
38 Wilmon H. Sheldon, »Critique of Naturalism«, in: *Journal of Philosophy* 42 (1945), S. 253-270, hier: S. 263. Siehe auch oben, Fußnote 13.
39 John H. Randall/Justus Buchler, *Philosophy. An Introduction*, New York 1942, S. 183.

senschaftlichen Programm oder zu einer zeitgenössischen Schrumpfform desselben bekennen. (4) Er könnte die funktionslos gewordene Berufung auf die *Natur*wissenschaften unterlassen, den Wissenschaftsbegriff liberal handhaben und auch die Geistes- und Sozialwissenschaften zur Forschungskarawane rechnen, der er sich anschließt.

Wir kommentieren die vier Optionen in umgekehrter Reihenfolge. Die vierte Option kann man vernünftigerweise nicht mehr dem naturalistischen Programm zuschlagen.[40] Es könnte aber durchaus sein, daß sie noch unter den *Szientismus*begriff fällt, daß man also Szientist sein kann, ohne Naturalist zu sein. Dabei würde es sich um eine Position handeln, die dem *Scientia mensura*-Satz von Sellars zustimmt (»In the dimension of describing and explaining the world, science is the measure of all things«[41]), ohne die Identifikation von Wissenschaft und Naturwissenschaft zu übernehmen, die man üblicherweise mit dem Szientismus assoziiert. Dies wäre eine ungewöhnliche Verwendung des Szientismusbegriffs, die wir hier indes nicht weiterverfolgen wollen.

Man sollte sich davor hüten, ein zu harmonistisches Bild vom Miteinander der Einzelwissenschaften zu zeichnen. Zwischen den wissenschaftlichen Disziplinen gibt es nicht nur Arbeitsteilung und Kooperation, sondern immer auch Gebietskonflikte, und wenn keine Privilegierung der Naturwissenschaften mehr vorgenommen wird, können solche Konflikte – beispielsweise zwischen psychologischen und physiologischen Erklärungen psychischer Störungen oder zwischen Milieutheoretikern und Nativisten über die relativen Einflüsse von Sozialisation und genetischer Disposition – nicht mehr mit naturalistischen Argumenten zugunsten der jeweils ›härteren‹ Disziplin entschieden werden, was immer die Naturalisten mit ›härter‹ meinen mögen. Deshalb kann sich der Naturalismus nicht auf einen liberalen

40 Tetens sieht dies anders (vgl. seinen Beitrag). – Vgl. zum Folgenden Geert Keil, »Ist die Philosophie eine Wissenschaft?«, in: Simone Dietz u. a. (Hg.), *Sich im Denken orientieren*, Frankfurt am Main 1996, S. 32-51.

41 Wilfrid Sellars, *Science, Perception, and Reality*, London 1963, S. 173. Gleichlautend Quine: »What reality is like is the business of scientists [...]; and what there is, what is real, is part of the question. [...]. The last arbiter is so-called scientific method, however amorphous« (Quine, *Word and Object*, Cambridge, Mass. 1960, S. 23.)

oder pluralistischen Szientismus zurückziehen: *Wherever science will lead, I will follow* ist keine befolgbare Maxime mehr, wenn sich die Karawane einmal teilt. Man muß sich dann *entscheiden*, welchem Zug man sich anschließen möchte.

Die dritte Option krankt daran, daß die Einheit der Wissenschaft kein Faktum ist, sondern ein Projekt. Klassisch ist Fodors Verteidigung der »disunity of the special sciences«: Generalisierungen, die in der einen Disziplin erklärungskräftig sind, sind es in der nächsten nicht oder lassen sich in deren Vokabular nicht einmal ausdrücken; die Einzelwissenschaften kreuzklassifizieren ihre jeweiligen (un)natürlichen Arten. Zu den klassifikatorischen kommen methodologische Unterschiede hinzu. Es besteht kein Grund zu der Annahme, daß es eine Menge von notwendigen und hinreichenden Bedingungen der Wissenschaftlichkeit gibt, die von allen Fächern erfüllt werden. Wir können hier auf Dramatisierungen verzichten, denn viele erklärte Naturalisten sehen es ebenso: Die Rede von *der* naturwissenschaftlichen Methode lebt vom Mythos des bestimmten Artikels.[42] Die faktische Ausdifferenzierung der Einzelwissenschaften rückgängig zu machen oder wegzuinterpretieren ist nicht bloß ein wenig aussichtsreiches Unterfangen – *Hell is paved with failed unified theories* –, sondern es ist auch wider den Geist des hier verhandelten Naturalismus: Die Wissenschaft(en) seiner Philosophie anzupassen statt umgekehrt ist unnaturalistisch.[43] Es ergibt sich für den Naturalismus eine Spannung, die ganz in unserem Sinne so beschrieben worden ist:

> A tension which has been ignored by the proponents of naturalized philosophy of science has been introduced into their program. On the one hand, naturalism demands unified method. On the other hand, naturalism also demands that the philosophy of science be true to science as practiced, and, *pace* the positivists, science itself has been shown not to be unified in its method.[44]

Es bleiben die ersten beiden Optionen, die Aufstellung einer Liste der approbierten Disziplinen oder deren methodologische Auszeichnung. Wir möchten diese Optionen in Verbindung mit dem Naturalismus Quines diskutieren.

42 Vgl. Koppelbergs Beitrag in diesem Band.
43 Vgl. Tetens' Beitrag in diesem Band.
44 David Stump, »Naturalized Philosophy of Science with a Plurality of Methods«, in: *Philosophy of Science* 59 (1992), S. 456-460, hier: S. 457.

An den meisten Stellen, an denen Quine seinen Naturalismus erläutert, bekennt er sich nicht zu bestimmten Referenzwissenschaften. Vielmehr nimmt er die Wissenschaft insgesamt vor Fundierungsansprüchen der Philosophie in Schutz, wenn er den Naturalismus als »abandonment of the goal of a first philosophy prior to natural science« bestimmt.[45] Die Ablehnung einer fundierenden Rolle der Philosophie verbindet Quine mit dem Motiv, daß alle Phänomene Teil der einen natürlichen Welt seien:

I hold that knowledge, mind, and meaning are part of the same world that they have to do with, and that they are to be studied in the same empirical spirit that animates natural science. There is no place for a prior philosophy.[46]

An solchen Stellen spricht Quine immer von der Wissenschaft im Kollektivsingular, und er erklärt uns für gut beraten, von wissenschaftlichen Erkenntnissen jedweder Art Gebrauch zu machen:

[M]y position is a naturalistic one; I see philosophy not as an *a priori* propaedeutic or groundwork for science, but as continuous with science. [...] All scientific findings, all scientific conjectures that are at present plausible, are therefore in my view as welcome for use in philosophy as elsewhere.[47]

Was aber meint Quine mit »allen« wissenschaftlichen Erkenntnissen? Welche Disziplinen zählen zur Wissenschaft? Offenbar meint Quine nicht Erkenntnisse aus allen Fächern, die man an Universitäten studieren kann. Zwar legt er nirgends eine Aufstellung der approbierten Disziplinen vor, doch seine Praxis ist deutlich genug. Es ist immer dasselbe halbe Dutzend Disziplinen, auf das er zurückgreift, während andere niemals vorkommen. Er beruft sich auf die behavioristische Psychologie, die Physik, die Evolutionsbiologie, Teile der Sprachwissenschaften, Logik und Mathematik. Dieser Fundus ist zwar größer als der vieler anderer Naturalisten, läßt aber dennoch eine Voreingenommenheit erkennen. Wir brauchen darüber nicht zu spekulieren, denn in einigen programmatischen Passagen ist es mit der Liberalität vollends vorbei. Während Logik und Mathematik zu allen Diszi-

45 Quine, *Theories and Things*, a. a. O., S. 67.
46 Quine, *Ontological Relativity and Other Essays*, New York 1969, S. 26.
47 Ebd., S. 126 f.

plinen gleichermaßen in Verbindung stehen, bringt Quine die empirischen Wissenschaften in eine Hierarchie, an deren Spitze die Physik steht: »Physics investigates the essential nature of the world«, während die Biologie und erst recht die Psychologie mit lokalen Auswüchsen befaßt sind.[48] Erklärungen durch Anführung von Sprach- und Verhaltensdispositionen sind nur als vorläufiger Ersatz für physiologische oder physikalische Erklärungen aufzufassen;[49] mentale Entitäten sind hypothetische Setzungen, die noch unbekannte physische Mechanismen vertreten.[50] Wo es darum geht, die »true and ultimate structure of reality« darzustellen, ist insbesondere für das intentionale Idiom der propositionalen Einstellungen kein Platz.[51] Brentanos Einsicht in die Nichtreduzierbarkeit des intentionalen Idioms zeigt »the baselessness of intentional idioms and the emptiness of a science of intention« an.[52]

Quine hat also mitnichten ein so großes Herz, wie die zuvor zitierten Formulierungen es vermuten ließen. Von einer Bereitschaft, alle verfügbaren Erkenntnisse aus allen Disziplinen zu nutzen, kann nicht die Rede sein. Es gibt bei Quine eine unaufgelöste Spannung zwischen einem *allgemeinen Szientismus*, der die Neutralität wahrt, und dem *Physikalismus*, der Intentionalität, Intensionalität und Modalität aus der Wissenschaft verbannt.[53]

Die Frage, welchen wissenschaftlichen Disziplinen der Naturalist die Definitionsmacht über die respektablen »scientific methods« überläßt, kann nicht selbst wieder durch Quines Kehrreim »Science itself tells us« oder durch Sellars' *Scientia mensura*-Satz beantwortet werden. Wenn die Wissenschaften methodologisch ein Plural sind, gehen diese Sätze ins Leere. *Wenn* man von

48 Quine, *Theories and Things*, a. a. O., S. 93.

49 »Mind and Verbal Dispositions«, in: Samuel Guttenplan (Hg.), *Mind and Language*, London 1975, S. 83-95, hier: S. 95.

50 *The Roots of Reference*, La Salle, Ill. 1974, S. 33 f.

51 *Word and Object*, a. a. O., S. 221.

52 Ebd.

53 Quines offizielle Begründung für die »Flucht vor den Intensionen« lautet, daß es für Semantisches und Mentales keine klaren Identitätsbedingungen gebe. Dies ist aber keine *unabhängige* Begründung, denn es sind behavioristische und physikalistische Standards, angesichts deren Quine semantische Identitätsbedingungen *nicht akzeptiert*.

der methodologischen Einheit oder Kontinuität der Einzelwissenschaften schon überzeugt ist, kann man zwischen Physikalismus, Behaviorismus, Psychologismus, Biologismus und einem allgemeinen Szientismus hin- und herpendeln, wie es die Lage gerade erfordert. Allein das *Bekenntnis* zum Naturalismus ist aber nicht die dafür nötige Klammer. Am Ende sind die beiden Optionen »Naturalismus mit Leitwissenschaft« und »Naturalismus ohne Leitwissenschaft« nicht so weit voneinander entfernt. Im einen Fall braucht man reduktionistische Argumente dafür, *daß* die Leitwissenschaft die Leitwissenschaft ist. Im anderen Fall braucht man Argumente dafür, daß die einzelnen Wissenschaften in einem solchen Kontinuitätsverhältnis zueinander stehen, daß man keine Leitwissenschaft braucht. Angesichts der faktischen Ausdifferenzierung der Einzelwissenschaften können diese Argumente aber wiederum nur Reduktionsargumente sein.

Wir möchten betonen, daß diese Überlegungen kein bloßer *ad-personam*-Einwand gegen Quine sind. So könnte ja eine Gegenrede lauten: Quines Physikalismus, sein Behaviorismus und seine »Flucht vor den Intensionen« seien idiosynkratische Züge seines wissenschaftlichen Weltbildes, die über den Gehalt des naturalistischen Programms nichts aussagen. Der nächste Naturalist mag sich auf die Kognitionswissenschaften berufen, und auch Quine bemüht sich ja neuerdings, seinen Naturalismus vom Physikalismus und selbst vom Empirismus abzukoppeln.[54] Als genuin naturalistisch bleibe allein das Credo übrig, daß »the world is as natural science says it is« und daß die Naturwissenschaft in jeder Hinsicht für sich selbst sorgt, also keiner Fundierung seitens einer *prima philosophia* bedarf.

Diese Gegenrede geht aber an der Sache vorbei, denn die zu beantwortende Frage lautete, welchen Disziplinen man die Definitionsmacht über die Standards oder Methoden überläßt, vermöge deren eine Praxis zur Wissenschaft *zählt*. Auf *wessen* Bevormundung zu verzichten rät uns der Naturalist? Die Wissenschaft selbst kann man dazu nicht befragen, denn die Wissenschaft*en* sind darüber uneins. Im Streit der Fakultäten den Schiedsrichter zu spielen ist für den Naturalisten hingegen der Sündenfall schlechthin und wird mit Schulverweis bestraft. – Stephen Stich gerät mit seinen Überlegungen zum »puritanischen

54 Siehe oben, Fußnote 36.

Naturalismus« in ein ähnliches Dilemma. Als puritanischen Naturalismus charakterisiert und kritisiert er das in der Philosophie des Geistes verfolgte Projekt, abseits der faktisch betriebenen Wissenschaft philosophische Kriterien für ein naturalistisch akzeptables Vokabular zu entwickeln. Es gebe keine Möglichkeit, die inakzeptablen Prädikate oder Eigenschaften im voraus auszusortieren, da diese sich *ausschließlich* dadurch auszeichneten, daß sie keine Rolle in erfolgreichen wissenschaftlichen Theorien spielen. Was eine erfolgreiche wissenschaftliche Theorie ist, lasse sich wiederum nicht philosophisch bestimmen, da es sich dabei um ein offenes und evolvierendes Konzept handle.[55]

Diese Darstellung scheint nur noch die Möglichkeit offenzulassen, daß die Zugehörigkeit zur Wissenschaft eine Frage des Türschildes ist. Nun können aber alle Fächer, die man an einer Universität studieren kann, schon deshalb nicht gemeint sein, weil dazu auch die Philosophie gehört, und zur Philosophie gehören Erkenntnistheorien mit aprioristischen Ansprüchen, und mit denen kann es ex hypothesi keine Versöhnung geben. (Es gibt an Universitäten Institute, an denen noch ganz anderes gelehrt wird: daß Wahrheit bloß ein soziales Konstrukt sei, Theorien etablierte Meistererzählungen, Wissenschaft ein literarisches Genre unter anderen etc.). Mit dem Slogan *Wherever science will lead, I will follow* als einzigem, nicht weiter präzisierbarem Programmpunkt hat der Naturalist deshalb den Bogen überspannt. Er braucht sehr wohl nichtsoziologische, nichtinstitutionelle Identitätsbedingungen für das, was er Wissenschaft zu nennen bereit ist. Diese stehen auf keinem Türschild. Nehmen wir an, von heute auf morgen liefen alle Physikprofessoren geschlossen zu einer spiritistischen Sekte über, behielten aber ihre Lehrstühle bei: Würden Quine und Stich deren Verlautbarungen immer noch als das beste verfügbare Wissen ansehen? Würden sie immer noch sagen, die Welt sei so, wie die Physiker sagen, daß sie ist? Nein, sie würden – so hoffen wir – das, was die Bekehrten treiben, nicht mehr Physik *nennen*. Sie würden die Spiritisten ungeachtet des Türschildes als *ehemalige* Physiker bezeichnen und eine Kampagne für die Neuausschreibung der Lehrstühle unterstützen.

Naturalisten sollten nicht bloß »die Wissenschaft« verteidigen, sie sollten auch *an* der Wissenschaft etwas zu verteidigen fin-

55 Vgl. den Schluß von Stichs Beitrag in diesem Band.

den.[56] Nicht zuletzt würde der Verzicht auf nichtinstitutionelle Identitätsbedingungen für Wissenschaft den Naturalisten aller Argumente gegen die Übertreibungen des »social constructivism« berauben. Es könnten ja die vereinigten Konstruktivisten, Soziologisten und Relativisten in irgendeiner Neuauflage der »science wars« einmal die Oberhand behalten, so daß, sagen wir, Fälschungen von Forschungsergebnissen einen Wissenschaftler nicht mehr die Reputation kosten, sondern als kreative Forschungspraxis neben anderen akzeptiert würden. Wir hatten oben angemerkt, daß sich mit der Opposition gegen den Supranaturalismus heute keine interessante Position mehr markieren läßt. Ein wildgewordener »social constructivism« hat gute Aussichten, die Nachfolge des Supranaturalismus und des Obskurantismus anzutreten, was den Affekt gegen Vernunft und wissenschaftliche Erklärungsansprüche betrifft. Ein Naturalismus, der nicht mehr zu sagen wagt, *was* er an der Wissenschaft verteidigenswert findet, hätte einer ideologischen Umdefinition des Wissenschaftsbegriffs, die erfolgreich die wissenschaftlichen Institutionen infiltriert, nichts entgegenzusetzen.

Das Nichtbelehrenwollen aller, die an Universitäten oder an Instituten mit den richtigen Türschildern arbeiten, kann also nicht der definierende Programmpunkt des Naturalismus sein, denn es ist dessen *reductio ad absurdum*. Diese Art von Urteilsenthaltung läuft auf einen soziologischen Begriff von Wissenschaft hinaus und damit auf eine eher kulturalistische denn naturalistische Position. *Les extrêmes se touchent.*

56 Quine verteidigt in seinen neueren Schriften an der Wissenschaft vor allem die hypothetisch-deduktive Methode und sieht offenbar die Überprüfbarkeit einer wissenschaftlichen Hypothese anhand ihrer beobachtbaren Konsequenzen als ein *definierendes* Merkmal der Wissenschaftlichkeit an (vgl. *Pursuit of Truth*, a. a. O., S. 20; sowie seinen Beitrag in diesem Band). Damit hätte er jedenfalls den Einwand eines soziologistischen Wissenschaftskriteriums vermieden.

5. Die Berücksichtigung empirischen Wissens

Naturalistische Erkenntnistheoretiker reklamieren, daß der Bevormundungsverzicht durchaus als ein distinktiver Programmpunkt gelten kann, wenn man ihn als Forderung der *Berücksichtigung empirischen Wissens* versteht. Diese Forderung sei immerhin dem Apriorismus traditioneller Erkenntnistheorie entgegengesetzt und könne daher nicht trivial sein. In diesem Sinne könnte man dafür argumentieren, daß Quines »abandonment of the goal of a first philosophy prior to natural science« doch den Naturalismus definiert.

Quines Formulierung und ihre zahlreichen Parallelstellen sind schwierig zu evaluieren, weil über die abgelehnte Gegenposition wenig gesagt wird. Von einigen Hinweisen auf Descartes und auf Carnaps *Logischen Aufbau der Welt* abgesehen, wird weder systematisch noch historisch präzisiert, was erkenntnistheoretischer Apriorismus ist. Alvin Goldman, Larry Laudan, Philip Kitcher, Jane Duran, Hilary Kornblith und andere nennen eine Erkenntnistheorie dann naturalistisch, wenn sie empirisches Wissen »berücksichtigt«, »einbezieht« oder »davon Gebrauch macht«.[57] Damit kann Verschiedenes gemeint sein. Empirisches Wissen *berücksichtigt* zu haben könnte ein Erkenntnistheoretiker schon dann reklamieren, wenn nichts von dem, was er behauptet, empirischem Wissen *widerspricht*.[58] Diese Auflage ist natürlich viel zu schwach. Auch Descartes, Leibniz und Kant erscheinen dann als Naturalisten; Kitcher nimmt diese Konsequenz ausdrücklich in Kauf.[59] (Irgendwann wird noch jemand behaupten, man werde dadurch zum Naturalisten, daß man empirisches Wissen *besitzt*.) Doch es gibt auch stärkere Versionen dieser Auflage: Gemeint ist oft, daß bestimmte *rationalistische*

57 Für einen Überblick vgl. Philip Kitcher, »The Naturalists Return«, in: *Philosophical Review* 101 (1992), S. 53-114.

58 »Die Resultate der Philosophie sollten nicht den Ergebnissen der empirischen Forschung widersprechen« (Tetens in diesem Band, S. 288).

59 Vgl. Kitcher, a. a. O., S. 54. Kornblith liefert die Begründung: Auch diese Philosophen »sought to show that their ideas comported well with the best available science of their times« (Hilary Kornblith, »Naturalism: Both Metaphysical and Epistemological«, in: Peter A. French u. a. [Hg.], *Philosophical Naturalism* [= *Midwest Studies in Philosophy* 19], Notre Dame, Ind. 1994, S. 39-52, hier: S. 49).

Idealisierungen traditioneller Erkenntnistheorie rückgängig gemacht werden zugunsten einer Berücksichtigung dessen, wie epistemische Subjekte tatsächlich funktionieren und Wissen erwerben. Diese Auflage markiert zweifellos einen Unterschied zwischen Theorien, die richtig sein können, und solchen, die falsch sein müssen, denn eine Erkenntnistheorie, die den Erwerb von Wissen an Voraussetzungen bindet, die empirisch von epistemischen Subjekten nicht erfüllt werden, ist deskriptiv inadäquat oder hat keine Anwendung. Wir suchten aber nicht nach einem Unterschied zwischen richtigen und falschen Theorien, sondern nach einem zwischen naturalistischen und nichtnaturalistischen.

Die empirische, insbesondere kognitionspsychologische Erforschung epistemischer Prozesse hat zu teilweise überraschenden Befunden geführt, deren Bedeutung für die philosophische Erkenntnistheorie wir nicht trivialisieren möchten. Eindrucksvoll sind insbesondere die Einsichten in das Ausmaß an *Irrationalität* in unseren tatsächlichen Schlußpraxen und Rechtfertigungsstrategien. Sie lassen es geraten erscheinen, die Idealisierungen des entscheidungs- und spieltheoretischen Rationalitätsbegriffs zu überdenken und uns eingehender mit derjenigen Rationalität zu beschäftigen, die in unvollkommenen, endlichen Wesen wie uns verkörpert ist.

Für unseren Zusammenhang ist die Apriorismuskritik der naturalistischen Erkenntnistheorien allerdings kaum relevant. Es lassen sich immer erkenntnistheoretische Untersuchungen der philosophischen Tradition finden, in denen *bestimmte* empirische *constraints* übersehen oder vernachlässigt worden sind und denen diese Versäumnisse zum Nachteil gereicht haben. Auch Quines behavioristische Theorie des Spracherwerbs gehört übrigens dazu. Das Berücksichtigen empirischen Wissens taugt gleichwohl nicht zum definierenden Merkmal des Naturalismus. Man wird nicht behaupten können, daß die *Mißachtung* empirischen Wissens jemals ein Programmpunkt nichtnaturalistischer Erkenntnistheorie war. Auch Kant hat sich bei allem »Apriorismus« seiner transzendentalen Analysen auf empirische Annahmen berufen; seine Vermögenspsychologie wird heute eben dafür gescholten. Distinktiv wäre die Forderung allenfalls dann, wenn man sie auf die Berücksichtigung *bestimmten* empirischen Wissens einschränkte. Unausgesprochen geschieht dies häufig, wenn etwa Erkenntnisse der sogenannten Kognitionswissenschaften als gute Empirie durchgehen, während man im Falle von Austins linguistischer Phänomenologie nicht auf die Idee kommt, daß es sich um berücksichtigenswerte *empirische* Belege handeln könnte – obwohl dies zweifellos der Fall ist: Die tatsächlichen Verwendungsweisen von Wörtern in einer Sprechergemeinschaft sind empirische Belege, die einzigen, die man im Rahmen philosophischer Begriffsanalysen heranziehen kann.[60]

Wir führen dieses Beispiel an, weil es das unter Naturalisten so unpopuläre Verständnis von Philosophie als Begriffsanalyse betrifft. Es gibt unter jüngeren amerikanischen Philosophen einen regelrechten *backlash* gegen philosophische Begriffsanalyse und -kritik, zumal wenn sie die konzeptuellen Voraussetzungen einzelwissenschaftlicher Theorien betrifft. Das einschlägige Lamento lautet, daß hart arbeitende Naturwissenschaftler auf Belehrungen aus dem Lehnstuhl über ihre angeblichen Begriffsverwirrungen verzichten können. Statt dessen wird der Philosophie angesonnen, ein *kooperatives* Verhältnis zu den Einzelwissenschaften einzunehmen. Leider wird selten ausgeführt, worin denn genau der spezifisch philosophische Beitrag in solchen Kooperationen bestehen soll. Philosophen, die sich zum Naturalismus bekennen, sollte eine klare Stellungnahme dazu abgefordert werden, was sie als die Aufgaben einer naturalistischen *Philosophie* ansehen, *nachdem* sie ihr obligates Bekenntnis zum Erklärungsprivileg der Naturwissenschaften abgelegt haben. Wenn die Philosophie, wie Wittgenstein sagt, selbst »keine der Naturwissenschaften« ist, wird die Frage unabweisbar, was für einen naturalistischen Philosophen eigentlich *zu tun bleibt*. In diesem Sinne ist schon in den Debatten um den amerikanischen Naturalismus der Jahrhundertmitte der Verdacht geäußert worden, daß die »apparent main thesis« der Naturalisten überhaupt keine These sei, sondern »strictly an enunciation of policy. In effect they say: ›Let us be scientific‹. [...] What causes the difficulty is that having said: ›We are going to do science‹, they do not do science.«[61] Ausgerechnet jenes Credo des Naturalisten,

60 »Questions about the actual structure of our concepts are *in principle* as empirical as questions about the actual structure of iron« (Michael Bishop, »The Possibility of Conceptual Clarity in Philosophy«, in: *American Philosophical Quarterly* 29 [1992], S. 267-277, hier: S. 269).
61 O. K. Bouwsma, »Naturalism«, in: *Journal of Philosophy* 45 (1948), S. 12-22, hier: S. 20 f.

daß »the methods of natural science provide the only avenue to truth«, ist selbst *kein* Satz irgendeiner empirischen Wissenschaft. Das Dilemma, in dem der Naturalist sich wiederfindet, erinnert an den Schluß des *Tractatus*: Wenn alles, »was sich sagen läßt«, die Sätze der Naturwissenschaften sind, bleibt dem Philosophen allein die Rolle des Wachhundes, der immer bellt, »wenn ein anderer etwas Metaphysisches sagen wollte«.[62] Wir wollen dem Naturalisten diese Rolle nicht aufdrängen, fordern ihn aber nachdrücklich auf, sich zu den Aufgaben einer naturalistischen *Philosophie* zu erklären. Insofern stimmen wir Holm Tetens darin zu, daß der Naturalismus vor allem Zündstoff hinsichtlich der Frage birgt, was aus naturalistischer Perspektive der Philosophie zu tun bleibt. Schon Danto hatte darauf hingewiesen:

> [H]ere the matters more or less stand, the chief divisions being [...] between competing views of what *philosophy* is. And here the critics of naturalism are not necessarily antinaturalistic in the comfortable sense of being unhappy with science, in proposing that there are nonnatural entities, etc., but rather in the sense of supposing philosophy has its own problems and techniques.[63]

Wir benutzen die Gelegenheit, unsererseits eine Lanze für die Begriffsanalyse zu brechen. Sofern der Einwand gegen »Belehrungen aus dem Lehnstuhl« ein *Einmischungsverbot* zum sachlichen Kern hat, halten wir ihn für verfehlt. Zum einen ist einfach nicht zu sehen, wie Philosophie auf das Instrument der begrifflichen Analyse verzichten könnte, das ihr seit Platon gute Dienste geleistet hat.[64] Beiseite gesprochen: Begriffsanalyse für ein unentbehrliches Werkzeug der Philosophie zu halten verpflichtet nicht auf die Auffassung, daß jedes Prädikat durch eine Menge von notwendigen und hinreichenden Bedingungen definiert werden können muß. Zum anderen möchten wir auch die Be-

62 Wittgenstein, *Tractatus logico-philosophicus*, Frankfurt am Main 1960, § 6.53.

63 Danto, a. a. O., S. 450.

64 »Although it has become fashionable in some circles to pretend otherwise, I don't really see that anyone out there has much idea how analytic philosophy [...] is to be done without a hefty helping of *a priori* conceptual analysis« (Paul Boghossian, »Analyticity and Conceptual Truth«, in: Enrique Villanueva [Hg.], *Truth and Rationality* [= *Philosophical Issues* 5], Atascadero, Cal. 1994, S. 117-131, hier: S. 117).

griffs*kritik* verteidigen: das Recht der Philosophie, begriffliche Verwirrungen aufzudecken und zu beanstanden, gegen die in natürlicher Sprache formulierte einzelwissenschaftliche Theorien nicht gefeit sind. Ebenso wie es schlechte Philosophie gibt, gibt es auch schlechte Wissenschaft. Oft genug hängt beides zusammen: Es ist eine bittere Ironie, daß das, was die Freunde einer wissenschaftsnahen Philosophie aus den jeweiligen Einzelwissenschaften aufgreifen, häufig nicht das Empirische daran ist, sondern die unverdaute Philosophie. Als Beispiel mag der in Theorien der visuellen Wahrnehmung und allgemein in den Kognitionswissenschaften verbreitete *Repräsentationalismus* dienen. Wie sein Vorgänger, der Phänomenalismus der Sinnesdaten, ist der Repräsentationalismus kein empirischer Befund, sondern eine abgesunkene philosophische Theorie, die auf die Auffassung Humes und vieler anderer zurückgeht, daß dem Bewußtsein allein seine Perzeptionen, nicht aber die äußeren Gegenstände gegenwärtig seien. Das Postulieren »mentaler Bilder« in repräsentationalistischen Theorien der Wahrnehmung zieht fast zwangsläufig homunculus-Fehlschlüsse nach sich (Wer *sieht* diese Bilder?!) und regt unfruchtbare Forschungsprogramme an. Die Begriffsverwirrungen und Argumentationslücken, die solchen Programmen zugrunde liegen, bedürfen einer philosophischen Kritik, denn schlechte Philosophie wird nicht dadurch besser, daß sie mit empirischer Forschung vermengt wird. Wie John Hyman sagt: »A major part of the philosopher's business is to disentangle conceptual puzzles that have been woven into the fabric of empirical research.«[65] Von diesem Geschäft dürfen Philosophen sich nicht durch Einmischungsverbote abhalten lassen. Die Rede vom »Bevormunden« oder »Belehren« hat ja einen polemischen Zungenschlag. Kritik am Begriffsgerüst einer wissenschaftlichen Theorie ist entweder berechtigt oder nicht. Wenn sie nicht berechtigt oder nicht zur Sache ist, kann man sie mit Gründen zurückweisen. Die Naturwissenschaften aber *im allgemeinen* vor Einmischung – sprich: vor Kritik – zu beschützen ist eine Einmischung seitens des Naturalisten, die der Sache der Wissenschaft nicht dient.[66]

65 John Hyman, *The Imitation of Nature*, Oxford 1989, S. xiv.

66 Wir stimmen hier Peter Janich zu, der die naturalistische Haltung der »zustimmenden Nichteinmischung« in naturwissenschaftliche Theoriebildung kritisiert.

Natürlich ist der Aufweis von Begriffsverwirrungen kein *Privileg* der Fachphilosophie. Philosophieren ist eine Tätigkeit, die auch außerhalb philosophischer Institute ausgeübt werden kann. Nichts, wenn nicht Arbeitsüberlastung, hindert einen Naturwissenschaftler daran, philosophische Kompetenzen auszubilden. Die Wissenschaftsgeschichte kennt einige solcher Doppelbegabungen; beim heutigen Spezialisierungsgrad scheinen sie immer seltener zu werden. Jedenfalls haben Fachphilosophen keinerlei *institutionelles* Privileg für Begriffs- und Methodenkritik, und es ist eine abwegige Annahme, man könne die empirischen, theoretischen, konzeptuellen und methodologischen Anteile wissenschaftlicher Arbeit akkurat auf verschiedene Disziplinen verteilen. Wir nehmen es Naturalisten vor allem übel, daß sie die Kampfbegriffe »Einmischung« und »Belehrung« überhaupt in die Debatte werfen. Einmischungsverbote sind aufklärungsfeindlich, denn über die Berechtigung einer Kritik kann nicht ohne Prüfung entschieden werden. Es gibt im Reiche der methodisch kontrollierten Wahrheitssuche keine »inneren Angelegenheiten«, in welche einzumischen man sich verbitten könnte.

Der Umstand, daß Philosophen Einmischungsverbote erlassen, die sich gegen das eigene Fach richten, muß auch vor dem Hintergrund der oft beschworenen Identitätskrise der Philosophie angesichts der unbestreitbaren Erfolge der Naturwissenschaften gesehen werden. Gerade solche Philosophen, die große Stücke auf die Wissenschaften halten, zugleich aber Standards der Wissenschaftlichkeit als maßgeblich ansehen, die das eigene Fach nicht erfüllen kann, sind in einer schwierigen Lage. Es drängt sich der Verdacht auf, daß der Naturalismus besonders für Philosophen attraktiv ist, die die Philosophie für ein außer- oder unwissenschaftliches Unternehmen halten und eigentlich lieber Naturwissenschaftler wären. Die Forderung, die Naturwissenschaften ungestört ihre Arbeit machen zu lassen, scheint nicht selten der Kompensation eines philosophiespezifischen Minderwertigkeitskomplexes zu dienen. Hätte man über die Wissenschaftlichkeit der Philosophie nicht von vornherein anhand unangemessener Standards geurteilt,[67] bedürfte es dieser Kompensation nicht.

Kehren wir zur Forderung nach Berücksichtigung empirischen

67 Vgl. dazu Keil, *Ist die Philosophie eine Wissenschaft?*, a. a. O.

Wissens zurück: Unser Fazit lautet, daß auch diese Forderung kein definierendes Merkmal des Naturalismus sein kann. Ohne weitere Qualifikation wird sie nahezu jeder unterschreiben; der »reine Apriorismus«, vor dem naturalistische Erkenntnistheoretiker warnen, ist ein Strohmann. Jedenfalls ist ein Nichtnaturalist auf einen überzogenen Apriorismus nicht *verpflichtet*. Wenn hingegen nur *bestimmtes* Wissen gemeint ist, ist man an die Frage zurückverwiesen, welche Disziplinen zur Referenzklasse zählen – also an eine Frage, die oben schon offen bleiben mußte und die zu beantworten für den Naturalisten als *allgemeinen* Szientisten eine zweischneidige Sache ist. Über nichtphilosophisches Wissen zu verfügen wird für den Philosophen immer ein Gewinn sein, doch gibt es keinen Grund, kosmologisches oder physiologisches Wissen von vornherein gegenüber juristischem oder kulturgeschichtlichem auszuzeichnen.

Am interessantesten ist wissenschaftsnah betriebene Erkenntnistheorie, wenn nicht bestimmtes berücksichtigenswertes Wissen ausgezeichnet wird, sondern bestimmte Arten, es zu berücksichtigen: wenn also Vorschläge gemacht werden, wie die erkenntnistheoretische Kooperation zwischen Philosophie und empirischen Wissenschaften im einzelnen aussehen soll. Die Stärken wissenschaftsnah betriebener Erkenntnistheorie liegen dort, wo die *Rolle* angegeben wird, die empirisches Wissen, beispielsweise im Rahmen des meliorativen Projekts, für die Formulierung kognitiver Tugenden oder anstrebenswerter Erkenntnisziele spielen kann.

6. Naturalismus, Wissenschaft und *common sense*

Wir haben die Möglichkeiten sondiert, in Abwesenheit eines spezifizierten Naturbegriffs einer Explikation von »Naturalismus« näherzukommen, indem wir den *Scientia mensura*-Satz beim Wort genommen haben. Der Versuch, das mit diesem Satz verbundene Programm zu präzisieren, stieß rasch auf Schwierigkeiten, die sich aus der inneren Pluralität des Kollektivsingulars »Wissenschaft« ergeben. Ein Naturalismus, der sich als allgemeiner Szientismus versteht, hat aber nicht nur ein Homogenisierungsproblem im Bereich der Wissenschaften, er hat auch ein Problem der Abgrenzung zwischen Wissenschaft und Nichtwissenschaft. Er hätte es dann noch am wenigsten, wenn der Bereich der Nichtwissenschaft vollständig durch Aberglauben, Obskurantismus und Irrationalismus ausgefüllt wäre. Wenn aber die Alternative nicht heißt »Wissenschaft oder Aberglaube«, sondern »Wissenschaft oder *common sense*«, fällt es ungleich schwerer zu wählen. Vielen erklärten Naturalisten scheint es am attraktivsten, sich hier nicht entscheiden zu müssen. Sie vertreten eine *Kontinuitätsthese von common sense und Wissenschaft*, und einige Autoren fassen die Kontinuitätsthese sogar als ein definierendes Merkmal des Naturalismus auf:

Naturalism, as a philosophy, is a systematic reflection upon, and elaboration of, the procedures man employs in the successful resolution of the problems and difficulties of human experience.[68]

Bei Quine heißt es ganz analog: »science is itself a continuation of common sense«.[69] Es stellt sich die Frage, wie die Kontinuitätsthese mit dem *Scientia mensura*-Satz zusammenpaßt. Danto stellt den Zusammenhang so dar:

Science reflects while it refines upon the very methods primitively exemplified in common life and practice. [...] Should there be a conflict between common sense and science, it must be decided in favor of science, inasmuch as it employs, but more rigorously, the same method that common sense does and cannot, therefore, be repudiated without repudiating common sense itself.[70]

Wissenschaft erscheint hier als die kontinuierliche Verlängerung des common sense und zugleich als dessen bessere Hälfte. Was der common sense kann, kann sie auch, aber besser. Darum hat sie in Konfliktfällen das letzte Wort. Wenn der *Scientia mensura*-Satz zusammen mit der Kontinuitätsthese vertreten wird, nimmt die letztere dem Szientismus die kulturrevolutionäre Spitze.

68 Sidney Hook, *The Quest for Being (and Other Studies in Naturalism and Humanism)*, London 1961, S. 195.

69 Quine, *The Ways of Paradox and Other Essays*, New York 1966, S. 220.

70 Danto, a. a. O., S. 449. Und Quine: »The scientist is indistinguishable from the common man in his sense of evidence, except that the scientist is more careful. This increased care is not a revision of evidential standards, but only the more patient and systematic collection and use of what anyone would deem to be evidence« (*The Ways of Paradox*, a. a. O., S. 220).

Soviel leuchtet ein: Je inklusiver der zugrunde gelegte Wissenschaftsbegriff, desto plausibler ist die Behauptung, daß die wissenschaftlichen Methoden der Königsweg zur Wahrheit seien. Bei Quine ist dieses pragmatisch-holistische Motiv unverkennbar. Wir erkennen diese entspannte Sicht der Dinge ausdrücklich an, bestreiten aber, daß es sich dabei um ein naturalistisches Motiv handelt. Hier tritt eine genuin *anti-szientistische* These im Gewand eines definierenden Merkmals des Naturalismus auf, und das ist kühn. Es liegt im Geiste des Naturalismus, einen wissenschaftlichen Weltumgang von einem nichtwissenschaftlichen abzugrenzen. In keinem bisher erwogenen Sinn von Naturalismus ist die Kontinuitätsthese von common sense und Wissenschaft eine naturalistische These. Sie ist eine *pragmatistische* These, nämlich eine der Hauptthesen des amerikanischen Pragmatismus. Dewey hat sie vertreten, und *qua Pragmatist* vertritt Quine sie ebenfalls.

Die Kontinuitätsthese ist uns nicht unsympathisch. Sie drückt genau jene unaufgeregte Parteinahme für die Wissenschaft aus, die nichts außer dem Irrationalismus ausgrenzt und die uns Angehörigen einer wissenschaftsgetränkten Kultur gut ansteht. Wenn es dem Naturalismus um nichts anderes ginge, sollten wir uns mit ihm solidarisch erklären.

Unser Einwand lautet, daß Quine und andere Naturalisten das, worin wir ihnen gern zustimmen, mit dem obstinaten »Science itself tells us« unter der falschen Flagge segeln lassen. Auf wissenschaftliches Wissen verlassen wir uns nicht deshalb, weil die Wissenschaft selbst es uns sagt, sondern weil und insofern es *vernünftig* ist, dies zu tun. *Nicht* vernünftig ist die Maxime, der Wissenschaft *blind* zu folgen, denn erstens ist »die Wissenschaft« als Kollektivsingular ein Mythos, und zweitens gibt es genuin philosophische Fragen, die nicht durch Beibringung empirischen Wissens zu beantworten sind.

Ob der Naturalist *de facto* der Wissenschaft blind folgt, mag dahingestellt bleiben. Vorzuwerfen ist ihm, daß er *vorgibt*, alle seine Einsichten der Wissenschaft selbst zu entnehmen. Er betreibt eine *rhetorische* Selbstauslieferung der Philosophie an die Naturwissenschaft, die man ein *antiphilosophisches Selbstmißverständnis* nennen kann. Wovon handeln denn Quines einundzwanzig Bücher? Quine ist ein zu eingefleischter und zu selbstbewußter Philosoph, als daß er ernsthaft naturwissenschaftliche

Theorien an die Stelle philosophischer Argumentation und Problemklärung zu setzen versuchte. So mögen Quines Überlegungen zur Ontologie *für* Physiker erhellend sein; gleichwohl handelt es sich um genuin philosophische Ausführungen.[71]

Aus Quines Sicht sind solche Klarstellungen gegenstandslos, da er keine Abgrenzungen zwischen Philosophie und Wissenschaft akzeptiert; auch hier sieht er nichts als kontinuierliche Übergänge. Der Naturalismus habe eine »heilsame Verwischung« der Grenzen zwischen Philosophie und Naturwissenschaft zur Folge.[72] Kontinuität ist freilich nicht Identität. Es ist kein nachahmenswerter Sprachgebrauch, jede Wahrheitssuche zu einer innerwissenschaftlichen Frage zu erklären.[73]

Es kann gute Gründe dafür geben, den Wissenschaftsbegriff so einzuführen, daß die Philosophie selbst als eine Wissenschaft zählt. Doch wird sie dadurch nicht zu einer *Natur*wissenschaft, und das allein würde sie in das naturalistische Projekt integrierbar machen. Im Rahmen eines liberalen, holistischen Wissenschaftsbegriffs würde die These vom Erklärungsprivileg der Wissenschaft aufhören, eine naturalistische These zu sein. Quines Fassung des *Scientia mensura*-Satzes lautete schließlich »The world is as *natural* science says it is«. Nur diese restriktive Fassung ist auch mit seinem intentionalen Irrealismus vereinbar. Die Spannung zwischen einem eingrenzenden und einem ausgrenzenden Wissenschaftsbegriff bleibt indes bei Quine unaufgelöst.

Die gebotene *Wertschätzung* der Naturwissenschaften, in der Naturalisten und Nichtnaturalisten übereinstimmen können, ist

71 Susan Haack nennt als instruktives Beispiel Quines Argumentation zum Induktionsproblem in »Natural Kinds«: Quine führt dort zwar evolutionstheoretische Überlegungen über angeborene Ähnlichkeitsstandards an, doch die eigentliche Problemlösung erbringen Überlegungen zur Projizierbarkeit von Prädikaten, die »*entirely philosophical* in character« sind (vgl. Susan Haack, »Naturalism Disambiguated«, a. a. O., S. 133).

72 Siehe seinen Beitrag in diesem Band.

73 »Quine's view [...] is that we always speak from within a scientific theory. Taking this as literally as possible, it might seem false. [...] If I want to know what time the meeting begins, or where I left my copy of *Word and Object*, what I am concerned with is very oddly described as a question of ›science‹. Quine accepts this oddity, however« (Peter Hylton, »Quine's Naturalism«, in: Peter A. French u. a. [Hg.], *Philosophical Naturalism*, a. a. O., S. 261-282, hier: S. 265 f.).

nicht bloß der Wissenschafts*skepsis*, sondern auch der Wissenschafts*gläubigkeit* entgegengesetzt. Welche Fragen wissenschaftlich entschieden werden können und welche nicht, ist nicht selbst eine innerwissenschaftliche Frage, sondern eine, deren Beantwortung Urteilskraft erfordert. Deweys Charakterisierung des Naturalisten als desjenigen, der Respekt vor den Naturwissenschaften hat, krankt nicht zuletzt daran, daß selbst Okkultisten, Parapsychologen und Astrologen ein verdrehter Respekt vor den Naturwissenschaften nicht fremd ist. Adorno hat diese Melange aus Wissenschaftsgläubigkeit und Irrationalismus treffend beschrieben: »Das zetert über den Materialismus. Aber den Astralleib wollen sie wiegen. [...] Es soll streng wissenschaftlich zugehen; je größer der Humbug, desto sorgfältiger die Versuchsanordnung.«[74] Im Unterschied zu religiösen Supranaturalisten suchen PSI-Anhänger und Okkultisten, wissenschaftliches Wissen und die damit verbundene Reputation *selektiv* zu nutzen. Hier liegt ein blinder, nicht mit Urteilskraft gepaarter Respekt vor der Wissenschaft vor. Daß man wissenschaftliches Wissen nicht selektiv nutzen, sondern sein Urteil unter Einbeziehung alles relevanten Wissens fällen soll, ist aber nicht selbst eine Erkenntnis irgendeiner Wissenschaft, sondern ein Gebot der Vernunft.

Die Bemerkung, daß Quine sein Schiff unter falscher Flagge segeln läßt, ist so gemeint: Die apriorismuskritischen, antifundamentalistischen und holistischen Formulierungen, mit denen Quine seinen Naturalismus erläutert, machen sofort Sinn, wenn man »Vernunft« für »Wissenschaft« einsetzt. *Die Vernunft* ist keinem höheren Tribunal verantwortlich, *ihr* gegenüber ist radikale Skepsis unangebracht, *sie* birgt alle Korrektive in sich. Freilich müssen wir nicht zwischen Vernunft und Wissenschaft *wählen* oder gar die Wissenschaft als Hort einer »positivistisch halbierten Rationalität« denunzieren. Auch in Kants Gerichtshof, auf den Quines Rede wider das »supra-scientific tribunal« anspielen mag, sitzen ja mitnichten die Wissenschaften auf der Anklage- und die Vernunft auf der Richterbank; die Vernunft sitzt dort über sich selbst zu Gericht und übernimmt dabei mehrere Rollen. Von einem Fundierungsanspruch der Philosophie, der in irgendeinem Sinne *gegen* den sicheren Gang der Wissen-

74 Theodor W. Adorno, *Minima Moralia*, Frankfurt am Main 1951, S. 327 (§ 151).

schaft gerichtet wäre, kann nicht die Rede sein. Die Wertschätzung für die Wissenschaft ist gerechtfertigt, weil und insofern es dort in der Regel vernünftig zugeht. *Daß* dies der Fall ist, kann nicht damit erklärt werden, daß es sich eben um Wissenschaft handelt oder daß »die Wissenschaft selbst« es sagt – solche Erklärungen laufen auf einen soziologischen Wissenschaftsbegriff hinaus.

Zugegeben, »die Vernunft« ist ebenso eine Hypostase wie »die Wissenschaft«. Nichts und niemand erbringt Leistungen der vernünftigen Beurteilung, wenn nicht wir, die vernunftfähigen Subjekte, es tun. Daß die Vernunft, wie Kant sagt, »keinen anderen Richter erkennt, als selbst wiederum die allgemeine Menschenvernunft«,[75] ist ebenso hypostasierend wie Quines gleichlautende Behauptung über die Wissenschaft.[76] Reflexive Wendungen scheinen hier unvermeidlich zu sein. Doch wenn die Wissenschaft in dem Sinne ein selbstkorrigierender Prozeß ist, daß ihre Methoden und Standards durch diejenige Instanz kritisiert und weiterentwickelt werden, der sie sich ursprünglich verdanken, dann sollten wir doch so wörtlich wie möglich sagen, wer diese Instanz ist: weder die Vernunft noch die Wissenschaft, sondern – vernünftige Wissenschaftler. Um Quines Lieblingsmetapher des auf offener See umzubauenden Schiffs abzuwandeln: Der Erfolg des ständigen Umbaus mit Bordmitteln erklärt sich nicht aus den Eigenheiten des Baumaterials, sondern aus den Fähigkeiten der Besatzung.[77]

Unsere Suche nach einer Präzisierung eines am *Scientia mensura*-Satz orientierten Verständnisses von »Naturalismus« war wenig erfolgreich. Das kann verschiedene Gründe haben. Vielleicht ha-

75 Kant, *Kritik der reinen Vernunft*, B 780/A 752.

76 Der Zusammenschluß beider Instanzen findet sich auch bei Husserl: »Vielleicht gibt es im ganzen neuzeitlichen Leben keine mächtiger, unaufhaltsamer vordringende Idee, als die der Wissenschaft. [...] In idealer Vollendung gedacht, wäre sie die Vernunft selbst, die neben und über sich keine Autorität mehr haben könnte« (Edmund Husserl, *Philosophie als strenge Wissenschaft*, in: *Logos* 1 [1911], S. 296).

77 Vgl. Herbert Schnädelbach, »Was ist eigentlich ein relatives Apriori?«, in: Christoph Hubig (Hg.), *Cognitio humana – Dynamik des Wissens und der Werte*, XVII. Deutscher Kongreß für Philosophie, Berlin 1997, S. 491-502, hier: S. 496.

ben wir nicht gründlich genug gesucht, vielleicht an den falschen Stellen oder mit zuwenig Wohlwollen.[78] Am Ende ist es auch nicht leicht, unsere Unzufriedenheit mit den hier diskutierten Explikationen von dem Umstand zu trennen, daß wir die entsprechenden Programme eben nicht überzeugend finden. Man könnte es ja einfach dabei *belassen*, daß der Naturalismus dasjenige Programm ist, dem die naturwissenschaftlichen Methoden als nicht weiter erläuterbarer Königsweg zur Wahrheit gelten – so daß nicht die Explikation unbefriedigend wäre, sondern das so charakterisierte Programm.

Zurückweisen möchten wir allerdings den Einwand, daß es sich auch bei *diesem* Naturalismusbegriff um einen Strohmann handle. Roy W. Sellars hatte geklagt: »Why is there this conservative withholding of allegiance to naturalism on the part of the majority of philosophers? Why is naturalism insistently defined in so narrow a way that it becomes a thing of straw easily torn to pieces?«[79] Es ergibt sich eine merkwürdige Konstellation: Erklärte Naturalisten werfen ihren Kritikern vor, Naturalismus so eng zu definieren, daß dieser zum Strohmann wird. Umgekehrt werfen die Kritiker den Naturalisten vor, den Begriff so *weit* zu definieren, daß ein jeder als Naturalist gilt, dem es an obskurantistischen Neigungen gebricht. Gleichwohl besteht hier kein begriffspolitisches Patt. Es gibt zwischen Naturalisten und Nichtnaturalisten keine symmetrische Verteilung der Explikationslasten. Es liegt in der Natur von Ismen, daß derjenige, der sich zu einem Ismus bekennt, seine Position positiv darzustellen hat. Wir haben dafür argumentiert, daß vieles, was als Naturalismus firmiert, diesen Namen nicht verdient, während das, was ihn verdient, nicht verdient, vertreten zu werden.

78 Zu diskutieren bleibt noch die Option, den Naturalismus durch das Verbot der unanalysierten Verwendung des intentionalen Idioms auszuzeichnen (vgl. die Beiträge von Stich und Keil).

79 Roy W. Sellars, a. a. O., S. i. Koppelberg (siehe seinen Beitrag) schließt sich dieser Klage an.

Der größere Teil der hier versammelten Beiträge geht auf Vorträge bei einer Konferenz über »Fragen des Naturalismus« zurück, die vom 13. bis 15. Februar 1997 an der Berliner Humboldt-Universität stattgefunden hat. Wir danken der Deutschen Forschungsgemeinschaft und der Humboldt-Universität für die finanzielle Unterstützung der Tagung. Unser besonderer Dank gilt Frau Ursula Rehs, die uns mit großer Sorgfalt und Geduld bei der Erstellung der Druckvorlagen für diesen Band unterstützt hat.

Gerhard Vollmer
Was ist Naturalismus?

1. Zur Diskussionsebene

Streiten kann man über vieles: über die Bedeutung von Begriffen, die Wahrheit von Sätzen, die Geltung von Normen und Werten. Um aber überhaupt streiten zu können, muß man auch über einiges einig sein: Man braucht eine gemeinsame Sprache; man muß den Sinn von Behauptungen, Fragen, Vorschriften verstehen, wenigstens soweit sie für die Diskussion wichtig sind; man sollte wissen, daß es sich um einen Streit handelt. (Freilich brauchen nicht alle Parteien den Streit zu *wollen*; man kann auch gegen seinen Willen in einen Streit verwickelt werden.)

Für einen *sinnvollen* Streit sollte man sich zudem einig sein, worüber man eigentlich streitet, welche Mittel zum Streiten zugelassen sind und wie sie eingesetzt werden dürfen. Bestimmte Symmetrieprinzipien sollten anerkannt sein. (Ob sie tatsächlich befolgt werden, ist eine andere Frage.) Schließlich sollten beide Seiten sich einigen können, ob ein Streitpunkt geklärt ist.

Natürlich kann man sich auch über all dieses noch einmal streiten: In der Hierarchie von Streitebenen gibt es keine oberste oder letzte Ebene. Aber je höher man steigt, desto grundsätzlicher wird der Streit, und desto geringer werden die Gemeinsamkeiten.

Als Wissenschaftler streiten wir in erster Linie über Sachfragen, in zweiter Linie auch über Verfahrensfragen; in beiden Fällen setzen wir aber doch vieles unbefragt und »unbestritten« voraus. Als Philosophen dagegen hinterfragen wir auch und gerade solche Voraussetzungen: Wir machen sie uns bewußt, stellen sie in Frage, sammeln Argumente dafür und dagegen, suchen Alternativen, formulieren Kriterien, verweisen auf Lücken, Zirkel, Widersprüche. Und natürlich können wir selbst diese Tätigkeiten noch einmal hinterfragen. Insbesondere fragen wir gerne nach den *Bedingungen* dafür, daß etwas möglich ist, auch nach den Bedingungen für unser Sprechen, Fragen, Schließen, Diskutieren, Streiten.

Von Philosophen besonders viel diskutiert wird die Frage, welche Bedingungen erfüllt sein müssen, damit Wahrnehmen, Erfahren, Erkennen möglich werden. Sie heißt nach Kant die *transzendentale Frage*. Kants Fragestellung ist fruchtbar, auch wenn seine Antwort nicht allen einleuchtet. Sie wird aber auch erweitert und auf andere menschliche Fähigkeiten und Aktivitäten ausgedehnt, insbesondere auf wissenschaftliches Arbeiten.

Bei dem, was Wissenschaftler gewöhnlich voraussetzen, um arbeiten, forschen (und streiten) zu können, spricht man gerne von Hintergrundannahmen, von Weltbild, von forschungsleitenden Paradigmen, von metaphysischen Grundentscheidungen. Über sie wird im wissenschaftlichen Alltag selten diskutiert, kaum nachgedacht, allenfalls am Wochenende »philosophiert«.

Im Sinne der Arbeitsteilung zwischen Philosophie und Einzelwissenschaften ist dies auch völlig legitim: Weder auf Reisen noch in der Forschung kommt man voran, wenn man sich zu oft umwendet und zum Ausgangspunkt zurückblickt. Ist man jedoch in einer Sackgasse gelandet, so kann es nützlich sein, zum Startpunkt zurückzukehren, sich neu zu orientieren, eine andere Richtung einzuschlagen, vielleicht sogar einen neuen Ausgangspunkt zu wählen. Dann profitieren viele davon, daß Philosophen solche Überlegungen längst angestellt haben. In diesem Sinne ist Philosophieren immer auch *Denken auf Vorrat*.

Auch die Diskussion über den Naturalismus ist keine innerwissenschaftliche, sondern eine philosophische. Zwar sind viele Naturwissenschaftler Naturalisten (in einem Sinne, den wir noch erläutern müssen); aber den meisten ist dieser Begriff nicht einmal geläufig, und sie wären auch kaum in der Lage, ihre Position genauer zu charakterisieren oder argumentativ zu verteidigen. (Mit den Anti-Naturalisten steht es kaum besser, selbst wenn sie Philosophie aus dem Begleitstudium kennen, vielleicht sogar schätzen.) Wer wissen möchte, ob der Naturalismus vertretbar ist, begibt sich nicht ins Labor: Es handelt sich dabei nicht um eine empirisch entscheidbare Frage, auch wenn Erfahrungstatsachen in dieser Diskussion eine wichtige, vielleicht sogar ausschlaggebende Rolle spielen können.

Im folgenden wollen wir möglichst deutlich sagen, was wir unter Naturalismus verstehen. Wir tun das, indem wir – nach einer groben Charakterisierung in Abschnitt 2 – die wichtigsten Thesen des Naturalismus formulieren und erläutern.

2. Zwei wichtige Merkmale: Universalität und Mittelbeschränkung

Den Naturalismus verstehen wir hier als eine naturphilosophisch-anthropologische Position. Am kürzesten läßt sie sich charakterisieren durch die These, *überall in der Welt gehe es mit rechten Dingen zu.*[1] Diese Auffassung zeichnet sich demnach durch zwei wichtige Merkmale aus: durch ihren *universellen Anspruch* und durch die *Beschränkung der Mittel*, die zur Beschreibung und Erklärung der Welt zugelassen werden.

Dabei ist uns bewußt, daß ›Naturalismus‹ in anderen Zusammenhängen auch anders verstanden werden kann, etwa wenn in der Kunst von Naturalismus die Rede ist (wobei es vor allem um *Naturnachahmung* geht) oder wenn Charles Darwin über seine Weltreise mit der *Beagle* unter dem Titel *A Naturalist's Voyage* berichtet (wobei er offenbar nichts weiter als ein *Naturforscher* sein will), wenn Karl Popper von naturalistischen Richtungen in den Sozialwissenschaften spricht (soweit sie die *Anwendung physikalischer Methoden* befürworten) oder auch wenn in der Ethik von Naturalismus gesprochen wird (in einem Sinne, wonach *Normen und Werte in der Natur »da draußen«* auffindbar oder aus auffindbaren Fakten gewinnbar sein sollen, was der hier von uns explizierte Naturalismus gerade bestreitet).

Der erwähnte *Universalitätsanspruch* des Naturalismus ist durchaus wesentlich. Selbst Kant läßt sich unwidersprochen, wenn nicht sogar gerne, einen Naturalisten »von eigener Art« nennen, fordert er doch, daß in der Naturwissenschaft alles *natürlich* – und nicht etwa in einer *theologischen* Sprache – formuliert und erklärt werden müsse.[2] Doch sieht er darin zugleich eine *Grenze* der Naturwissenschaft: Zur Erklärung organisierter Wesen, insbesondere der *Zweckmäßigkeit* organismischer Struktu-

1 Die Ausdrucksweise »mit rechten Dingen« verwendet Hubert Markl in: Hubert Markl (Hg.), *Natur und Geschichte,* München/Wien, 1983, S. 75, um die Haltung des Naturwissenschaftlers zu charakterisieren. Als Kurzformel für den *naturalistischen* Standpunkt finde ich sie zuerst bei Winfried Franzen, »Grenzen des Naturalismus?«, in: *Gießener Universitätsblätter* 17 (Mai 1984), 69-77, hier: S. 72; sie ist jedoch zweifellos älter.

2 Immanuel Kant, *Über den Gebrauch teleologischer Prinzipien in der Philosophie* (1788), A 126 f.

ren, müßten jedenfalls *teleologische* Erklärungsmuster herangezogen werden; ein Newton des Grashalms sei schlechterdings unmöglich. Kant ist also eigentlich nur in der Physik Naturalist, in der Biologie schon nicht mehr (und in Psychologie, Erkenntnistheorie und Ethik erst recht nicht).

Hier ist der moderne Naturalismus anspruchsvoller: Die unverkennbare Zweckmäßigkeit organismischer Strukturen erklärt er über das Prinzip der natürlichen Auslese und damit letztlich doch über ein *kausal* wirksames Prinzip. Ein Newton des Grashalms ist danach möglich; ob Charles Darwin schon der ganze Newton war oder ob dazu erst noch Gregor Mendel, Ronald Fisher, Julian Huxley, Ernst Mayr, Manfred Eigen und andere gebraucht werden, ist eine wissenschaftshistorische und für unser Problem eher zweitrangige Frage. Entscheidend ist, daß mit Darwins Selektionstheorie auch die Lebewesen und damit die gesamte Biologie in den naturalistischen Erklärungsrahmen einbezogen sind, so daß teleologische Erklärungen dort entbehrlich werden und die teleologischen Gottesbeweise nach Thomas von Aquin oder William Paley ihre Überzeugungskraft verlieren.

Der Verzicht auf Teleologie ist seinerseits ein typisches Beispiel für das zweite Merkmal des Naturalismus, für die programmatische *Mittelbeschränkung*. Nicht daß bestimmte Beschreibungs- und Erklärungsmittel von vornherein verboten wären; leitend ist vielmehr ein *Sparsamkeitsprinzip*, nach dem unter konkurrierenden und sonst gleichwertigen Hypothesen, Theorien, Modellen, Denksystemen die jeweils sparsameren, einfacheren, elementareren bevorzugt werden (sollen). Ob man dieses Prinzip nach Wilhelm von Ockham (»Occam's razor«) benennt oder nach Ernst Mach (»Denkökonomie«), ist dabei zweitrangig. Entscheidend ist, daß man es als Auswahlprinzip und als Argument akzeptiert. Der erwähnte Universalitätsanspruch des Naturalismus ist natürlich mit diesem Prinzip verträglich, auch wenn er nicht zwingend daraus folgt.

Nun ist die Redeweise, überall gehe es mit rechten Dingen zu, noch nicht besonders präzise. Wir wollen den Naturalismus deshalb genauer fassen, indem wir zunächst sein Programm vorstellen. Dieses *Programm* besteht aus mindestens vier Teilen:[3]

3 Zum naturalistischen Programm vgl. Ernest Nagel, »Naturalism Reconsidered«, in: *Proceedings and Addresses of the American Philosophical Association* 28 (1955), S. 5-17. Nagel spricht allerdings nicht von

– Er fordert und entwirft ein *kosmisches Gesamtbild*, ein »Weltbild«.
– Er schreibt auch dem *Menschen* einen bestimmten Platz im Universum zu.
– Er bezieht dabei *alle* Fähigkeiten des Menschen in seine Erklärungsansprüche und -ansätze ein, auch Sprechen, Erkennen, wissenschaftliches Forschen, moralisches Handeln, ästhetisches Urteilen.
– Er fordert und entwickelt auf dieser Grundlage insbesondere
  – eine naturalistische Anthropologie,
  – eine naturalistische Erkenntnistheorie,
  – eine naturalistische Methodologie der Forschung,
  – eine naturalistische Ethik,
  – eine naturalistische Ästhetik.

Im Rahmen dieses Programms vertritt der Naturalismus Thesen inhaltlicher und methodologischer Art.

3. Thesen des Naturalismus

a) Nur soviel Metaphysik wie nötig!

Die Meinungen über die Metaphysik gehen weit auseinander. Die traditionelle Philosophie war eher metaphysikfreundlich. Den »sicheren Gang einer Wissenschaft« vermochten jedoch auch Immanuel Kant, Heinrich Scholz oder Mario Bunge ihr nicht zu verschaffen. Positivismus, Instrumentalismus, Pragmatismus, logischer Empirismus und Wiener Kreis waren dagegen ausgesprochen metaphysikfeindlich. Es hat sich aber gezeigt, daß wir ohne metaphysische Annahmen nicht auskommen, auch nicht in der Wissenschaft. Der kritische Rationalismus lehnt Metaphysik deshalb nicht völlig ab, hält sie auch nicht für min-

einem Programm, sondern von einem »umfassenden intellektuellen Natur- und Menschenbild«; dazu gehöre »ein allgemeiner Entwurf für das kosmische Geschehen und für des Menschen Stellung darin sowie eine Forschungslogik«.
Von einem Programm spricht jedoch Bernulf Kanitscheider, »Probleme und Grenzen eines naturalistischen Weltverständnisses«, in: U. Hinke-Dörnemann (Hg.), *Die Philosophie in der modernen Welt* (für Alwin Diemer), Frankfurt am Main 1988, Band 1, S. 603-630, S. 603.

derwertig, sucht sie aber von der Erfahrungswissenschaft *abzugrenzen*, etwa über Karl Poppers Falsifizierbarkeitsforderung: »Eine empirisch-wissenschaftliche Theorie muß an der Erfahrung scheitern können.« Abgrenzen bedeutet jedenfalls nicht Abschaffen, wie man Popper gelegentlich unterstellt.

Wieviel Metaphysik sollen wir dann zulassen? Die naturalistische Antwort ist eindeutig: nur soviel Metaphysik wie *nötig* – nötig für die Forschung, für den Erkenntnisfortschritt, fürs Leben. Der Naturalist sucht also eine Art *Minimalmetaphysik*.[4] Dazu gehört die Annahme einer bewußtseinsunabhängigen, strukturierten, zusammenhängenden Welt (vgl. b, d, f, g, l) und deren partielle Erkennbarkeit durch Wahrnehmung, Erfahrung und eine intersubjektive Wissenschaft (vgl. c, h, i, k). Diese Auffassung heißt auch »hypothetischer Realismus«.

Sind solche metaphysischen Voraussetzungen auch nicht empirisch prüfbar (weil man alles Erleben als eine Art Traum deuten *kann*), so sind sie doch kritisierbar, etwa im Hinblick auf Widerspruchsfreiheit, Erklärungswert, Selbstanwendbarkeit, Willkürfreiheit, Denkökonomie, Fruchtbarkeit. Und sind sie kritisierbar, so kann es auch gute Gründe geben, sie zurückzunehmen und durch andere zu ersetzen. Auch die Minimalmetaphysik des Naturalisten gehört also – gelegentlich – auf den Prüfstand rationaler Kritik.

Der Zweifel ist hier – wie bei Descartes – *Methode*, nicht existentielle Gestimmtheit. Zwar ist nichts unhintergehbar, nicht der eigene Standpunkt, nicht unsere minimalen metaphysischen Voraussetzungen, auch nicht die Sprache, in der wir das alles formulieren, nicht einmal die eigenen Fragen, die eigenen Zweifel. Das heißt jedoch nicht, daß der Naturalist alles in der Schwebe ließe. Natürlich hat auch der Naturalist Überzeugungen, Gewißheiten, Evidenzen; aber er ist sich eben auch ihres fehlbaren Charakters bewußt.

Bei der Betrachtung einer solchen Minimalmetaphysik lassen sich zwei Gesichtspunkte unterscheiden: Wie findet man sie? Und welche Rolle spielt sie? Man *findet* sie durch Analyse, durch Reflexion auf die Voraussetzungen unseres Denkens und Tuns.

4 Von einem »Minimum an Metaphysik« spricht auch Hans Jürgen Wendel, »Die Grenzen des Naturalismus«, in: Michael Großheim, Hans-Joachim Waschkies (Hg.), *Rehabilitierung des Subjektiven*, Bonn 1993, 85-109, S. 104.

Diese Analyse ist eine typisch philosophische Tätigkeit. Sie untersucht unseren Sprachgebrauch, Leistungen und Fehlleistungen unserer Wahrnehmung und unserer Erfahrung, aber auch wissenschaftliche Methoden und Ergebnisse. Die *Rolle* unserer Minimalmetaphysik liegt darin, daß sie unser Denken und Handeln leitet. Ganz ohne solche erkenntnis- und handlungsleitenden Annahmen und Maximen kommen wir einfach nicht aus; »auf dem kahlen Zweifel wachsen keine Gründe« (Bertrand Russell). Der *Umfang* unserer Minimalmetaphysik richtet sich also auch danach, was wir wissen möchten und tun wollen.

b) Soviel Realismus wie möglich!

Argumentativ kann man niemanden zum Realismus zwingen. Noch der radikalste Solipsist, der nur sein augenblickliches Bewußtsein für existent hält, ist unwiderlegbar. Seine Position ist zwar unplausibel, aber, wenn sie umsichtig formuliert ist, zirkel- und widerspruchsfrei, konsequent und bescheiden. Deshalb vergleicht Schopenhauer den Solipsisten treffend mit einem Irren in einem uneinnehmbaren Blockhaus.

Für den Realismus sprechen jedoch gute Gründe.[5] Freilich sind sie weder logischer noch empirischer noch rein historischer, sondern *metatheoretischer* Natur. Im Gegensatz zu anderen Positionen kann der Realist insbesondere folgende Fragen beantworten. Warum gehen nicht alle unsere Wünsche in Erfüllung? Warum gelingt uns nicht alles, was wir anstreben? Woran scheitern wissenschaftliche Theorien? (Der Realist: weil die Welt anders ist, als wir erhoffen, vermuten, erwarten.) Warum liefern unabhängige Meßmethoden für Naturkonstanten dieselben Werte? Warum scheinen solche Werte sich einem Grenzwert zu nähern? Warum erweist sich von konkurrierenden Theorien in der Regel eine als allen anderen überlegen? (Diese Konvergenz der Forschung erklärt der Realist durch die Einzigkeit der von uns untersuchten realen Welt.) Warum ist unsere Suche nach Invarianten, etwa nach Naturkonstanten, allgemeinen Naturgesetzen oder Erhaltungsgrößen, so erfolgreich? (Für den Realisten sind

5 Vgl. Gerhard Vollmer, »Wider den Instrumentalismus«, in: Gerhard Vollmer, *Wissenschaftstheorie im Einsatz*, Stuttgart 1993, S. 161-181.

gerade solche Invarianzen Hinweise auf die *Objektivität* von Erkenntnissen, also auf ihren Wirklichkeitsbezug und ihre Unabhängigkeit vom erkennenden Subjekt.)

Nun gibt es viele Varianten des Realismus: naiver, kritischer, hypothetischer, wissenschaftlicher, konvergenter oder interner Realismus. Doch sind nicht alle diese Varianten haltbar. Der naive Realismus (»Die Welt ist so, wie sie mir erscheint.«) wird schon durch die Möglichkeit des Irrtums, insbesondere durch die Existenz einander widersprechender Sinneseindrücke widerlegt. Aber auch die klassisch-realistische Auffassung (»Alle Eigenschaften kommen den Dingen *unabhängig von aller Wechselwirkung*, insbesondere von aller Beobachtung, zu oder nicht zu.«) ist durch die moderne Quantenphysik in Frage gestellt. Ob andererseits der interne Realismus (»Wirklich ist, worauf sich eine fiktive (!) endgültige Weltbeschreibung erfolgreich bezieht.«) überhaupt noch ein Realismus ist, also noch genügend realistische Substanz hat, ist zumindest zweifelhaft.

Angesichts des verbleibenden Spektrums an Realismen optiert der Naturalist für soviel Realismus wie möglich. Realist ist er schon deshalb, weil er zwar eine Welt ohne Mensch, aber keinen Menschen (und auch keinen menschlichen Geist) ohne reale Welt für möglich hält. Raum, Zeit, Materie und Evolution sind für ihn also real, wirklich, bewußtseinsunabhängig (wohl aber durch das Bewußtsein erfaßbar). Er optiert damit auch für soviel *Objektivität* wie möglich, für Subjektivität dagegen nur soviel wie nötig.

Es könnte scheinen, als ob dieser Maximalrealismus über unsere Minimalmetaphysik unnötig weit hinausginge. Das ist jedoch nicht der Fall: Wir *brauchen* diesen Realismus, um die Erfahrungen des Alltags, den Verlauf der Evolution und den Gang der Wissenschaften zu *erklären*. Nur wer hier keinerlei Erklärungsbedürfnis hat, kann auf den Realismus verzichten.

c) *Bei der Erforschung der Natur ist die erfahrungswissenschaftliche Methode allen anderen überlegen.*

Die erfahrungswissenschaftliche Methode lebt von dem Wechselspiel zwischen *Theorie und Erfahrung*. Da von der unmittelbaren Erfahrung kein direkter Weg zur Theorie führt, sind wir auf *Versuch und Irrtumsbeseitigung* angewiesen. Für das Versuchen, also für das Finden beschreibender, erklärender und prädiktiver Hypothesen, sind letztlich alle Mittel erlaubt: Intuition, Assoziation, Analogien, Kreativitätstechniken, Brainstorming, Träume, Visionen, Spekulationen. Da jedoch der Irrtum die Regel, die Wahrheit dagegen die Ausnahme ist, müssen die Hypothesen einer *strengen Kritik* unterzogen werden. Soweit möglich, werden sie dazu an der Erfahrung überprüft; dem dienen Beobachtungen, Messungen und gezielte Experimente. Werden dabei Irrtümer entdeckt, so wird man versuchen, sie zu beseitigen.

Besonders bewährt hat sich diese Methode in den Naturwissenschaften; in der hier skizzierten Weise ist sie jedoch in allen Erfahrungswissenschaften anwendbar. Darüber hinaus hat dann jede Disziplin methodische Besonderheiten, die sie nicht mit den anderen Disziplinen teilt, weil sie auf ihre speziellen Forschungsgegenstände zugeschnitten sind.

Wegen des großen Erfolges spezieller naturwissenschaftlicher Methoden neigen viele dazu, diese auf alle anderen Disziplinen zu übertragen. Heuristisch ist ein solcher Versuch völlig legitim; aber eine Garantie für die universelle Anwendbarkeit jener Methoden besteht natürlich nicht. Auch hier – in methodologischen Fragen – wird man also aus gelungenen und mißlungenen Versuchen lernen; in diesem Sinne ist das Verfahren von Versuch und Irrtumsbeseitigung *selbstanwendbar*.

Manchmal wird der Naturalismus sogar charakterisiert über die Forderung, überall dürften *nur* naturwissenschaftliche Methoden angewandt werden. Ein solcher *Szientismus* wäre offenbar recht dogmatisch. Den Prinzipien des kritischen Rationalismus würde er damit ausdrücklich widersprechen. Aber auch der Naturalismus ist auf eine solche imperialistische Haltung weder festgelegt noch angewiesen; er selbst ist zwar vielleicht Voraussetzung, aber doch nicht Ergebnis der naturwissenschaftlichen Methode, selbst wenn diese Ergebnisse ihn bestätigen und insofern auch stützen. Gerade die *Voraussetzungen* des eigenen Tuns, insbesondere dessen, was Naturwissenschaftler tun, werden ja nicht im Labor, nicht im Experiment, nicht durch Beobachtung ausfindig gemacht. Fortwährendes Hinterfragen, kritisches Reflektieren der eigenen Voraussetzungen, seien sie metaphysischer, methodischer oder moralischer Natur, Denken auf Vorrat in diesem metatheoretischen Sinne ist eben nicht Sache der Einzelwissenschaften, sondern der Philosophie. (Was nicht ausschließt, daß auch Einzelwissenschaftler gelegentlich – und vielleicht sogar besonders erfolgreich – philosophieren.)

Entscheidendes Kriterium für philosophische, insbesondere für metatheoretische Positionen ist nicht ihre empirische Prüfbarkeit (oder gar Falsifizierbarkeit), sondern ihre *Kritisierbarkeit*. Da die empirische Prüfung faktischer Aussagen eine besonders strenge Form der Kritik darstellt, wird man sie überall dort einsetzen, wo sie tatsächlich anwendbar ist. Wo das nicht der Fall ist, da wird man sich auch anderer Methoden bedienen. Die Überlegenheit der erfahrungswissenschaftlichen Methode beruht also auf der Schärfe ihrer kritischen Instrumente; doch begründet diese Schärfe keinen Ausschließlichkeitsanspruch.

Selbst wenn also für den Naturalisten alles, was es gibt, zur *Natur* gehört, auch der Mensch, auch Denken und Erkennen, auch moralisches und ästhetisches Empfinden und Urteilen, wird für ihn doch nicht alles zum Gegenstand der *Naturwissenschaft*. Dieses scheinbare Paradoxon beruht darauf, daß das Wort ›Natur‹ alleinstehend eine weitere Bedeutung hat als in der Wortverbindung ›Naturwissenschaft‹. Obwohl sich der Objektbereich der Naturwissenschaften durch Verhaltensforschung, Neurobiologie und eine naturwissenschaftlich ausgerichtete Psychologie wesentlich erweitert hat und zudem viele Grenzen unscharf geworden sind, wird man doch nicht behaupten wollen, dadurch seien alle Erfahrungswissenschaften, auch die Geistes- und Sozialwissenschaften, zu Naturwissenschaften geworden. Mit Natur im Sinne des Naturalismus befassen sich eben nicht nur die Naturwissenschaften, und das wird auch niemals der Fall sein.

In einer *Hierarchie* jedoch, in der Wissenschaften auf anderen aufbauen, stehen die Naturwissenschaften ganz unten, und die Physik bildet dort das Fundament. Daß es eine solche Hierarchie überhaupt gibt, wird jedem einleuchten. Der Naturalist macht jedoch zusätzlich den Versuch, Methoden und Ergebnisse tieferer Hierarchiestufen für ein besseres Verständnis höherer zu nutzen. Die Frage nach der tiefsten Schicht führt uns dann zum nächsten Punkt.

d) Die Natur (die Welt, der Kosmos, das Universum, das Reale) ist primär materiell-energetisch, und zwar sowohl in zeitlicher als auch in kausaler Hinsicht.

Eine Alternative (die der Naturalismus verneint) wäre etwa die Behauptung, die Welt sei primär spirituell, ideell, geistig. Vor der Alternative Materialismus–Spiritualismus neigt der Naturalist also zum Materialismus, wenn auch nicht in jeder von dessen Formen. Insbesondere ging der klassische Materialismus von der Behauptung aus, alles Reale sei *materiell*. Mit Clerk Maxwell hat sich die Physik jedoch zu der Einsicht durchgerungen, daß es sinnvoll ist, auch *Feldern*, Wellen, Strahlen Realität zuzuschreiben. Spricht man hier überhaupt von Teilchen (etwa von Lichtteilchen, Lichtquanten oder Photonen), so handelt es sich um Teilchen ohne Ruhemasse. Solche Systeme lassen sich nicht durch ihre Masse, wohl aber durch ihre Energie charakterisieren. Deshalb benützen wir den komplizierteren Ausdruck ›Materie-Energie‹.

Die Existenz geistiger, insbesondere mentaler Phänomene (Zustände und Prozesse) wird dabei keineswegs geleugnet. Sie werden jedoch als Zustände und Prozesse *an* realen, also materiell-energetischen Systemen, insbesondere an Zentralnervensystemen ausreichender Komplexität angesehen. Körperlose mentale Zustände und Prozesse gibt es dann nicht. (Es kann jedoch zweckmäßig sein, so zu *reden, als ob* es solche körperlosen mentalen Phänomene gäbe, nämlich dann, wenn das materiale Substrat für die diskutierte Frage keine Rolle spielt.)

Von einem *Primat* der Materie-Energie gegenüber anderen »Dingen«, insbesondere gegenüber Mentalem (oder Geistigem) zu sprechen, bedeutet zweierlei: Erstens *kann* es materiell-energetische Systeme ohne mentale Eigenschaften geben. Zweitens gibt es *keine* mentalen Phänome ohne materiell-energetische Grundlage. Mit der Feststellung, daß es *tatsächlich* Systeme ohne mentale Eigenschaften gegeben hat, kommen wir dann bereits zur nächsten These.

e) *Alle realen Systeme – einschließlich des Kosmos als Ganzen – unterliegen der Entwicklung, der Evolution, dem Auf- und Abbau, dem Werden und Vergehen.*

Der moderne Naturalismus ist somit ein *evolutionärer Naturalismus*.[6] Jede Entwicklung kann einen Anfang und ein Ende haben; sie kann – nach zu wählenden Maßstäben – aufwärts oder abwärts führen. Sie könnte sogar zeitweise stagnieren; aber das kommt in unserem Universum kaum vor.

Es ist auch *denkbar*, daß die kosmische Evolution, die wir beobachten (und deren Zwischenergebnis wir sind), nur Teil eines gigantischen *Zyklus* ist, der wieder zum Ausgangspunkt zurückführt. Unser Universum könnte – im Sinne einer ewigen Wiederkehr – viele, sogar unendlich viele ähnliche oder gleiche Zyklen durchlaufen. Allerdings spricht nichts dafür, daß es so ist: Über die Zeit vor dem Urknall und über die Zeit nach dem (möglichen) Endknall wissen wir – einmal vorausgesetzt, diese Redeweisen seien tatsächlich sinnvoll – so gut wie nichts, auch nichts über die Existenz, Zahl und Art solcher Zyklen.

Das Stichwort ›Evolution‹ wird heute reichlich, geradezu inflationär gebraucht. Diese ausufernde Verwendung führt leicht zu Begriffsunschärfen, zu Mehrdeutigkeiten, zu Mißbrauch. Manchmal meint man mit ›Evolution‹ nur *biologische* Evolution; dann geht es ›nur‹ um biologische Verwandtschaft, um die Entstehung organismischer Arten aus anderen, um Stammbäume, um die Faktoren und Gesetze des Artenwandels. Von der Entstehung des Lebens, der Biogenese, ist dabei noch gar nicht die Rede, und selbst die Entstehung des Menschen, die Anthropogenese, muß dabei nicht unbedingt erwähnt werden. Auch Darwin behandelt in seinem Hauptwerk *Der Ursprung der Arten* von 1859 weder die Lebensentstehung noch die Entstehung des Menschen. Für eine Theorie der Biogenese schien ihm die Zeit auch später noch nicht reif. Und sein Buch *Die Abstammung des Menschen* erschien erst 1871; zu diesem Zeitpunkt waren viele seiner Gedanken bereits von anderen vorweggenommen worden.

Und doch liegt es nahe, die Anwendbarkeit des Evolutionsgedankens auf weitere Systeme zu prüfen, den Evolutionsbegriff

6 So auch der Titel des leider wenig beachteten Buches: Roy Wood Sellars, *Evolutionary Naturalism*, Chicago/London 1922.

und die Evolutionstheorie also »nach unten« und »nach oben« auszudehnen. Mit diesem Versuch sind die Natur- und die Sozialwissenschaften in unserem Jahrhundert sehr erfolgreich gewesen; man spricht heute mit Recht von *universeller Evolution*, von einem evolutionären *Paradigma* in einem sehr allgemeinen Sinne. Die Tragfähigkeit der Begriffe und Gesetze der biologischen Evolutionstheorie ist dabei in jedem Falle, also für jedes System und für jede Phase der kosmischen Evolution, eigens zu untersuchen; selbstverständlich ist sie nicht.

Theorien der Selbstorganisation versuchen dabei – und das ist auch ihre Aufgabe –, genauer zu sagen, was Evolutionsprozesse besonders auszeichnet, was verschiedene Evolutionsphasen gemeinsam haben und was sie doch unterscheidet. Im Begriff ›Selbstorganisation‹ steckt dabei offenbar wieder der Anspruch, die Bildung von Gestalten, von komplexen Strukturen, von Mustern »von unten« zu erklären. Es handelt sich also um weitere Schritte zur Verwirklichung des naturalistischen Programms.

Wie zu erwarten war, erwies sich die Ausdehnung des evolutionären Paradigmas nach unten als weniger problematisch als die nach oben. Zwar ist die Entstehung des *Lebens* bei weitem nicht vollständig durchschaut, verstanden oder erklärt; es herrscht aber weitgehend Übereinstimmung, daß sie auf der Erde und »von selbst«, also unter den damals – vor vier Milliarden Jahren – herrschenden Bedingungen und gemäß den uns bekannten Naturgesetzen erfolgen konnte und tatsächlich erfolgt ist, daß es also dabei im naturalistischen Sinne »mit rechten Dingen« zuging. Auch die evolutive Entstehung des *Menschen* als einer von vielen biologischen Arten ist allgemein anerkannt, selbst wenn hier – gemessen jedenfalls an unserem übergroßen »persönlichen« Interesse – ebenfalls noch schmerzlich viele Details unbekannt oder unklar sind.

Ganz anders sieht es aus, wenn es um die höheren Fähigkeiten und Leistungen des Menschen geht: Erkennen, Sprechen, moralisches Verhalten, ästhetisches Urteilen. Hier stehen sich denn auch viele unterschiedliche Positionen unvereinbar gegenüber. Nach naturalistischer Auffassung ist das evolutionäre Paradigma, ist der Erklärungsansatz »von unten« auch hier nicht nur möglich und sinnvoll, sondern durchaus erfolgreich. Verhaltensforschung, Soziobiologie, Neurobiologie, Bio- und Psycholinguistik, Künstliche Intelligenz und andere Disziplinen tragen dazu Forschungsergebnisse bei. Ihre Befunde lassen dann aber auch jene philosophischen Disziplinen nicht unberührt, die sich traditionell mit solchen typisch menschlichen Fähigkeiten befassen: Anthropologie, Erkenntnistheorie, Sprachphilosophie, Moralphilosophie und Ethik, Ästhetik. – Der Evolutionsgedanke verbindet viele wissenschaftliche Disziplinen miteinander: Indem er dazu anregt, die Entwicklung verschiedener Systeme als Teile oder Phasen einer *universellen* Evolution anzusehen und einzuordnen, trägt er zur Einheit der Wissenschaft bei (vgl. 3 l).[7]

f) Komplizierte Systeme be- und entstehen aus einfacheren Teilsystemen.

Die Evolution hat nicht mit komplexen Systemen oder einem besonders komplizierten Supersystem begonnen, die nun allmählich zerfallen und dabei mehr und mehr Eigenschaften verlieren. (Diese Idee wurde in Hinblick auf die Lebewesen zeitweise vertreten.) Es ist genau umgekehrt: Die komplizierteren Systeme entstehen später und zeigen Eigenschaften, die keines der Teilsysteme je besaß. Dieses Auftreten neuer Systemeigenschaften nennen wir *Emergenz*.[8]

Wenn komplizierte Systeme aus einfachen *entstehen*, dann liegt der Versuch nahe, die emergenten Eigenschaften aus denen der Teilsysteme zu *erklären*, erstere auf letztere *zurückzuführen*, zu *reduzieren*. Für den Naturalisten, der ja die *ontische* Emergenz behauptet, ist dieses *Evolutionsargument* das wohl stärkste Argument zugunsten eines *epistemischen* Reduktionismus.[9] Diese

7 Dazu Vollmer, »Der Evolutionsbegriff als Mittel zur Synthese – Leistung und Grenzen«, in: *Philosophia Naturalis*, 26 (1989), S. 41-65; auch in: Vollmer, *Biophilosophie*, Stuttgart 1995, S. 59-91.

8 Zur Emergenz vgl. Vollmer, »Das Ganze und seine Teile«, in: Wolfgang Deppert u. a. (Hg.), *Wissenschaftstheorien in der Medizin*, Berlin 1992, S. 183-223. Dort wird ausführlich diskutiert, daß man ›Emergenz‹ auch anders explizieren *kann*, daß manche insbesondere die *Nichterklärbarkeit* der neuen Eigenschaften »von unten« als definierendes Merkmal einbeziehen – was wir für ungeschickt halten.

9 Zum Evolutionsargument etwa: Vollmer, »Die Einheit der Wissenschaft in evolutionärer Perspektive«, in: Vollmer, *Was können wir wissen?*, Band 2: *Die Erkenntnis der Natur*, Stuttgart 1986, ²1988, S. 163-199, vor allem S. 185-189.

Strategie war bisher in vielen, jedoch keineswegs in allen Bereichen erfolgreich; deshalb verdienen gerade die Hindernisse besondere Aufmerksamkeit. Der Naturalist steht also dem Reduktionismus nahe, ohne unauflöslich an ihn gebunden zu sein.

Sind die realen Systeme immer weiter teilbar, oder gibt es eine untere Grenze der Teilbarkeit? Eine endgültige Antwort auf diese Frage wird es nie geben; denn wir können nicht herausfinden, ob unsere Unfähigkeit, Elementarbausteine weiter zu zerlegen, prinzipielle oder nur praktische Gründe hat. Zur Zeit spricht jedoch nichts dagegen, Quarks und Leptonen als unstrukturiert, als punktförmig und somit auch als unteilbar anzusehen.

g) Die reale Welt ist zusammenhängend und quasi-kontinuierlich.

Von Kontinuität kann man in vielen Hinsichten sprechen. Zunächst einmal sind *Raum* und *Zeit* kontinuierliche Parameter, die sich bei der Beschreibung der Welt hervorragend bewährt haben. Auch die realen *Systeme*, die wir kennen, hängen miteinander zusammen. Daß wir keine völlig isolierten Systeme finden, ist allerdings nicht verwunderlich; denn gerade sie könnten ja auch nicht mit uns als Beobachtern wechselwirken, auch nicht indirekt, so daß wir von ihnen schlechterdings nichts erfahren können. Die Existenz isolierter Objekte kann man also risikolos behaupten oder bestreiten; eine Widerlegung ist in keinem der beiden Fälle zu befürchten. Aus Sparsamkeitsgründen nimmt der Naturalist jedoch eine räumlich und zeitlich zusammenhängende Welt an.

Aber die *Prozesse*, mit denen wir zu tun haben, könnten durchaus sprunghaft verlaufen. Tatsächlich scheint es auf den ersten Blick viele Diskontinuitäten zu geben: Quantensprünge, Mutationen, Phasenübergänge, Bekehrungserlebnisse, Katastrophen, Revolutionen. In den meisten Fällen kommt es jedoch nur auf die Auflösung an, mit der man einen Vorgang betrachtet. Aus der Nähe erweisen sich dann auch vermeintlich sprunghafte Vorgänge zwar als überdurchschnittlich schnell, aber doch als stetig. Für die Quantenereignisse scheint dies jedoch nicht zu gelten. Sie bringen ein unstetiges Element in unsere Welt; mit Rücksicht darauf spricht der Naturalist nur von Quasi-Kontinuität.

h) Instanzen, die alle menschliche Erfahrung übersteigen, sind zwar denkbar, für die Betrachtung, Beschreibung, Erklärung und Deutung der Welt jedoch entbehrlich.

Beispiele für solche Instanzen, Ebenen, Wesen, Kräfte finden sich in vielen Mythen, in Religionen, Geheimlehren, esoterischen Strömungen, Para- und Pseudowissenschaften. Die Existenz solcher transzendenter Instanzen ist nicht widerlegbar. Aber daraus folgt natürlich nicht, daß es sie gibt (sowenig wie aus ihrer Unbeweisbarkeit folgt, daß es sie nicht gibt).

Müßte man die Existenzfrage dann nicht ganz offenlassen? Wieder ist es – wie schon in g – ein Sparsamkeits- oder Ökonomieprinzip, das die Symmetrie bricht: Der Naturalist geht davon aus, daß es solche Instanzen nicht gibt. Er ist also insbesondere hinsichtlich der Existenz eines persönlichen Gottes Agnostiker, wenn nicht sogar Atheist.[10] Ähnliches gilt für ein Weiterleben nach dem Tode.

Warum aber sollten wir einem solchen Sparsamkeits- oder Einfachheitsprinzip folgen? Viele Wissenschaftler, insbesondere Albert Einstein oder Paul A. M. Dirac geben dafür *ästhetische* Gründe an und sprechen gerne von der *Eleganz*, sogar von der *Schönheit* einer sparsamen Theorie. Die Bevorzugung einfacher Hypothesen gegenüber komplizierten ist aber nicht nur eine Frage des Wohlgefallens. Vor allem Popper betont, daß auch *methodologische* Gründe eine solche Wahl nahelegen: Die einfachere von zwei Hypothesen ist auch die leichter prüfbare (bei Popper: falsifizierbare[11]); sie ist, falls sie falsch ist, leichter als falsch zu erkennen und deshalb schneller durch eine andere zu ersetzen. Deshalb ist der Naturalist *zunächst* Monist, Atheist, Determinist, Physikalist, Reduktionist, bis starke Argumente solche Positionen eben doch als *zu* einfach erscheinen lassen. *Denkbare* Argumente dieser Art kommen im folgenden zur Sprache.

10 Dazu auch Vollmer, »Bin ich ein Atheist?«, in: Edgar Dahl (Hg.), *Die Lehre des Unheils*, Hamburg 1993, S. 16-31; München 1995; auch in: Vollmer: *Auf der Suche nach der Ordnung*, Stuttgart 1995, S. 168-184.

11 Den Vorschlag, Einfachheit mit dem Falsifizierbarkeitsgrad gleichzusetzen, macht Karl Popper in: *Logik der Forschung* (1934), Tübingen [9]1989, Abschnitt 43.

i) Wunder gibt es nicht.

Was sind Wunder? Auf diese Frage gibt es zwei verschiedene Antworten. Es liegt nahe, Wunder als Ereignisse zu definieren, die gegen Naturgesetze verstoßen. Naturgesetze sind dabei ausnahmslose Regelmäßigkeiten im Verhalten realer Systeme. Aber wenn nicht alle einschlägigen Systeme sich so verhalten, wie das vermeintliche Naturgesetz sagt, dann handelt es sich eben *nicht* um eine strenge Regelmäßigkeit und somit nicht um ein Naturgesetz. Nach dieser Explikation sind Wunder also schon definitorisch ausgeschlossen. Die Behauptung, es gäbe keine Wunder, ist dann zwar wahr, aber eben nur analytisch wahr.

Intuitiv verstehen wir jedoch Aussagen über die Möglichkeit oder über die Tatsächlichkeit von Wundern als *synthetische* Aussagen, die nicht schon allein aus sprachlichen Gründen wahr oder falsch sind. Wir definieren deshalb Wunder als Ereignisse, die eine strenge kosmische Ordnung durch das Wirken einer außerweltlichen Instanz durchbrechen.[12] Für diesen Begriff von Wunder sind also *vier* Elemente wesentlich:

- das Bestehen einer kosmischen *Ordnung*,
- der *Verstoß* gegen letztere,
- die *Seltenheit*, der Ausnahmecharakter solcher Verstöße,
- die aktive Beteiligung einer *außerweltlichen* Instanz.

Man könnte meinen, daß die zuvor behauptete Nichtexistenz transzendenter Mächte Wunder automatisch ausschließe. Das ist jedoch nicht ganz richtig. Außerweltliche Instanzen könnten ja gerade dadurch erfahrbar werden, daß sie spürbar Wunder tun; dann wären sie gerade nicht jenseits aller Erfahrung, nicht transzendent im strengen Sinne.

Der Naturalist bestreitet also beides: die Existenz transzendenter Instanzen *und* das gelegentliche Eingreifen außerweltlicher Instanzen in das Naturgeschehen. Ein überzeugender Nachweis von Wundern würde somit den Naturalismus wirksam widerlegen.

Wenn der Naturalist Wunder ablehnt, so heißt das nicht, daß er nicht bereit wäre, sich zu wundern oder Naturerscheinungen ob ihrer Schönheit, Verwickeltheit, Zweckmäßigkeit zu bewun-

12 So etwa Gordon Stein (Hg.), *The encyclopedia of unbelief*, Buffalo 1985, Stichwort »Miracles«.

dern. Das Staunen ist nicht nur für Platon und Aristoteles der Anfang der Philosophie und der Wissenschaft, sondern auch für den Naturalisten eine wertvolle und typisch menschliche Fähigkeit. Wolfgang Wickler stellt deshalb Karl Bühlers *Aha-Erlebnis* zu Recht das *Nanu-Erlebnis* an die Seite.[13] Naturerklärung schließt Naturerleben, Rationalität schließt Emotionalität keineswegs aus.

j) Es gibt keine außersinnliche Wahrnehmung.

Wohl kann es vieles geben, was wir noch nicht entdeckt haben. Auch weitere, bisher unbekannte Informationskanäle sind denkbar. Dann gibt es dazu aber auch Sinnesorgane und Meßinstrumente (die man ebenfalls erst noch entdecken bzw. erfinden und bauen muß). Doch gibt es *keinen Informationsübertrag ohne Energieübertrag*, und man kann sogar angeben, welche Mindestenergie man braucht, um in unserem Universum ein Bit Information zu übertragen.[14]

Den meisten Behauptungen der Parapsychologie steht der Naturalist also äußerst skeptisch gegenüber. Soweit die einschlägigen Phänomene (die dann als Hellsehen, Telepathie, Präkognition, Spuk, Telekinese oder Paraphysik gedeutet werden) überhaupt gut belegt sind, wird der Naturalist nach physischen, also materiell-energetischen Kräften, Wechselwirkungen, Feldern, Informationskanälen suchen. Gut belegte Para-Phänomene scheint es bisher nicht zu geben, auch wenn uns noch viele Beobachtungen Rätsel aufgeben mögen.

Angesichts ungewöhnlicher und unerklärter Phänomene hält der Naturalist es allemal für besser, zunächst einmal und recht hartnäckig *bekannte* Naturgesetze in Anspruch zu nehmen. Sollte er damit gleichwohl scheitern, so ist er durchaus bereit, auch Lücken und Irrtümer in unserem Naturwissen in Betracht zu ziehen und nach besseren Erklärungen, auch nach *neuen* Naturgesetzen zu suchen. Wissenschaftliche Revolutionen zeichnen sich ja gerade dadurch aus, daß selbst Kernaussagen unserer

13 Wolfgang Wickler in: Franz Kreuzer (Hg.), *Nichts ist schon dagewesen*, München 1984, S. 177.

14 Vgl. Hans Sachsse, *Einführung in die Kybernetik*, Kap. 2.4; Hamburg 1974, S. 62.

Theorien in Frage gestellt werden. Den Rückgriff auf Transzendenz, Außerweltliches, Unnatürliches, Esoterisches hält der Naturalist dagegen für eine intellektuelle Bankrotterklärung. Sicher können und müssen wir nicht alles erklären; aber *wenn* wir erklären wollen, *dann* fordert der Naturalist nachdrücklich die Beschränkung auf natürliche, reale, materiell-energetische Strukturen. Ein überzeugender Nachweis außersinnlicher Phänomene würde allerdings auch den Naturalisten zum Umdenken zwingen.

k) Auch das Verstehen der Natur führt nicht über die Natur hinaus.

Verstehen gelingt nur mit Hilfe unseres Gehirns, also eines natürlichen Organs. Daß solches Verstehen gelingen *müsse*, ist keineswegs gesichert; schließlich ist das menschliche Gehirn zunächst nur ein Überlebensorgan und braucht als solches für die Erkenntnis der Welt nicht unbedingt zu taugen. Aber daß Verstehen *nicht* gelingen *könne*, ist ebenfalls nicht gezeigt worden. Evolutiv erprobt wurde das Gehirn zwar nur in unserer kognitiven Nische, dem Mesokosmos; doch haben wir diesen Mesokosmos mit Hilfe der Sprache längst verlassen und unterliegen damit nur noch wenigen prinzipiellen Beschränkungen.

Eine naturalistische Deutung menschlichen Verstehens setzt allerdings eine naturalistische Lösung des Leib-Seele-Problems voraus. Eine solche Lösung, die alle Seiten befriedigen würde, gibt es bisher nicht. Problematisch sind insbesondere Konzepte wie Bedeutung, Intentionalität, qualitative Empfindungen (»Qualia«).[15] In dieser Frage ist der Naturalismus bislang noch *Programm*.

15 Zur Diskussion vgl. etwa Peter F. Strawson, *Scepticism and Naturalism: Some Varieties*, London 1985; David Papineau, *Philosophical Naturalism*, Oxford 1993; Geert Keil, *Kritik des Naturalismus*, Berlin 1993.

l) Es gibt eine Einheit der Natur, die sich in einer Einheit der Wissenschaft spiegeln könnte.

Die Begriffe ›Einheit der Natur‹ und ›Einheit der Wissenschaft‹ sind ihrerseits einer Explikation bedürftig, aber auch durchaus fähig.[16]

Von der Idee einer *Einheit der Natur* haben wir schon bei einigen der bisherigen Thesen Gebrauch gemacht, etwa beim Primat des Materiell-Energetischen (d), beim Zusammenhangscharakter der Welt (g), bei der Ablehnung transzendenter Instanzen (h). Carl Friedrich von Weizsäcker, der allerdings – wie Kant – nur partiell Naturalist ist, charakterisiert seine Vorstellung von der Einheit der Natur durch fünf Vermutungen:[17]

- Einheit der Gesetze: Für die gesamte Natur gilt eine einzige fundamentale Theorie (für von Weizsäcker die Quantentheorie).
- Einheitlichkeit der Objekte: Alle natürlichen Objekte sind aus Elementarbausteinen aufgebaut, die in nur wenige Klassen fallen (vgl. d, f).
- Allheit der Objekte: Die Welt als Ganzes kann man als ein einziges Objekt ansehen.
- Einheit der Erfahrung: Alle Erfahrungen lassen sich widerspruchsfrei in eine einheitliche Raumzeit einbetten.
- Einheit von Mensch und Natur: Auch der Mensch als erkennendes Subjekt ist Teil der Natur in genetischer Kontinuität mit den Tieren, damit letztlich auch mit den unbelebten Systemen (vgl. e, g, k).

Offenbar macht von Weizsäcker gar nicht erst den Versuch, Einheit der Natur und Einheit der Wissenschaft zu trennen. Das ist bedauerlich; schließlich lassen sie sich ohne weiteres unterscheiden. So ist durchaus denkbar, daß sich die Idee einer Einheit der Natur als erfolgreich erweist, wir eine Einheit der Wissenschaft aber aus eher pragmatischen Gründen doch nicht erreichen.

Für den Naturalisten ist die Idee von der Einheit der Natur richtungweisend. Sie kann jedoch in unterschiedlicher Weise ausgefüllt werden. Eine »endgültige« Formulierung dieser Idee gibt es wohl noch nicht.

16 Zu diesen Begriffen vgl. etwa Vollmer, Anm. 9, vor allem S. 181-184.

17 Carl Friedrich von Weizsäcker, *Die Einheit der Natur*, München 1971, S. 466-470 (mit Verweisen auf andere Textstellen).

4. Was ist für den Naturalismus unabdingbar?

Alle diese Thesen sind als *Arbeitshypothesen* zu verstehen, die ihrerseits kritisierbar und korrigierbar sind. Einige von ihnen sind wenigstens indirekt überprüfbar. These d) etwa wäre widerlegt, wenn sich Kräfte ohne materiell-energetischen Träger nachweisen ließen, wenn es Lebenserscheinungen ohne materielle Grundlage gäbe oder psychische Vorgänge ohne neuronales (oder ein anderes vergleichbar kompliziertes materiell-energetisches) Substrat. Die Nichtexistenz solcher Träger kann zwar nicht bewiesen, aber doch hochplausibel gemacht werden. Für einen Standpunktwechsel sind also vor allem Erfolge und Mißerfolge der Naturforschung ausschlaggebend. Tatsächlich wäre man früher wohl geneigt gewesen, den Naturalismus durch ein strenges Kontinuitätspostulat zu charakterisieren, etwa durch das Leibnizsche *Natura non facit saltus*. Angesichts der modernen Physik hat sich dieses Postulat jedoch als unhaltbar erwiesen. (Es war also immerhin indirekt prüfbar, nämlich am Erfolg grundlegender physikalischer Theorien und ihrer Interpretationen.)

Der Naturalist ist also bereit, seine Postulate zu überdenken und nötigenfalls zu ändern oder zu ergänzen. Methodisch steht er damit dem kritischen Rationalismus nahe. (Das bedeutet jedoch nicht, daß auch umgekehrt alle kritischen Rationalisten Naturalisten wären oder sein müßten; Popper selbst zum Beispiel ist – wie seine Dreiweltenlehre besonders deutlich zeigt – kein Naturalist.)

Natürlich kann der Naturalist nicht von jeder seiner Thesen beliebig weit abrücken. Wie jedes Weltbild enthält auch das naturalistische unabdingbare Elemente: Man kann sie nicht aufgeben, ohne den Naturalismus insgesamt preiszugeben. Dies ist kein Dogmatismus, sondern eine Frage der Begriffshygiene: Natürlich kann man die naturalistische Position bei Bedarf, auf eigenen oder fremden Wunsch oder auch ganz ohne Motiv *verlassen*; aber man wird nicht jede beliebige Position ›Naturalismus‹ *nennen*.
Als programmatische Forderungen sind wohl unabdingbar:
- Nur so viel Metaphysik wie nötig (a)!
- Ein Mindestrealismus, nach dem es eine Welt ohne Menschen geben kann (schwache Version von b).
- Primat unbelebter Materie-Energie (d);

- Aufbau realer Systeme aus einfacheren Teilen (e);
- keine erfahrungstranszendenten Instanzen (h);
- deshalb keine Wunder (i);
- auch die geistigen Leistungen des Menschen führen nicht über die Natur hinaus (k).

Wie sich gezeigt hat, ist der Naturalismus in vielen Punkten noch *Programm*. Das Vertrauen, das Naturalisten in dieses Programm legen, stützt sich weniger auf Beweise – die es kaum gibt – als auf Ökonomieprinzipien, auf die forschungsleitende Rolle naturalistischer Thesen und auf bisherige Erfolge. Diese Stützen sind so elementar, daß der Antinaturalist es nicht leicht hat, sie ihrer stützenden Kraft zu berauben. Gleichzeitig zeigen sie, wie gegen den Naturalismus argumentiert werden kann: Man lehnt Ökonomieprinzipien (mit guten Gründen) ab; man zeigt, daß – mindestens gelegentlich – antinaturalistische Voraussetzungen heuristisch fruchtbarer sind als naturalistische; man läßt tatsächlichen oder erwartbaren Erfolg nicht als Argument gelten oder bestreitet wirksam den Erfolg des naturalistischen Ansatzes. Ob antinaturalistische Argumente sich nach dieser Einteilung sinnvoll systematisieren lassen, wäre zu prüfen; eine solche Prüfung kann hier freilich nicht mehr erfolgen.

Dirk Koppelberg

Was ist Naturalismus in der gegenwärtigen Philosophie?

0. Einleitung

Vor fünfundsiebzig Jahren erschien ein bemerkenswertes und heute fast vergessenes Buch von Roy Wood Sellars unter dem Titel *Evolutionary Naturalism*, in dessen Vorwort es heißt:

> To paraphrase a saying which gained considerable notoriety a decade ago in the field of politics, we are all naturalists now. But, even so, this common naturalism is of a very vague and general sort, capable of covering an immense diversity of opinion. It is an admission of a direction more than a clearly formulated belief. It is less a philosophical system than a recognition of the impressive implications of the physical and the biological sciences. And, not to be outdone, psychology has swelled the chorus by pointing out the organic roots of behavior and of consciousness.
> But just because an *adequate naturalism* has never been formulated and defended, we find that many who are naturalistic in their general outlook are yet sharp in their criticism of naturalism as a philosophy. Why is there this apparent contradiction? Why is there this conservative withholding of allegiance to naturalism on the part of the majority of philosophers? Why is naturalism insistently defined in so narrow a way that it becomes a thing of straw easily torn to pieces?[1]

Die von Roy Wood Sellars beschriebene Situation hat sich insbesondere in Deutschland bis heute kaum geändert. Seine Fragen sind nach wie vor aktuell und wichtig. In diesem Aufsatz will ich versuchen, sie zu beantworten. Mir geht es jedoch nicht nur um eine Diagnose weit verbreiteter antinaturalistischer Einstellungen, sondern es kommt mir ebensosehr darauf an, einer Vermengung grundlegend verschiedener Varianten des gegenwärtigen Naturalismus vorzubeugen, die einem nicht unbeträchtlichen Teil pauschaler und undifferenzierter Naturalismuskritik zugrunde liegt. Ich werde dafür argumentieren, daß die

1 Roy Wood Sellars, *Evolutionary Naturalism*, New York 1969 (Erstpublikation 1922), S. i.

Diskussion über *den* Naturalismus dem Mythos des bestimmten Artikels anheimfällt. Eine wichtige Aufgabe besteht in der Unterscheidung und Bewertung verschiedener naturalistischer Motive, Strategien und Ziele in verschiedenen philosophischen Teildisziplinen. Schließlich werde ich die Art des Naturalismus vorstellen, die ich für besonders aussichtsreich halte und die mir insbesondere für eine fruchtbare Entwicklung in der Erkenntnistheorie vielversprechend zu sein scheint. Aus diesen einleitenden Bemerkungen ergibt sich die dreiteilige Gliederung des Aufsatzes: Im ersten Teil werde ich zeigen, was Naturalismus nicht ist. Im zweiten Teil werde ich drei Hauptvarianten des Naturalismus vorstellen und diskutieren. Im dritten Teil werde ich die Frage beantworten, was Naturalismus sein sollte.

1. Was Naturalismus nicht ist

Meine erste These ist, daß viele Philosophen deshalb gegen den Naturalismus sind, weil sie ihn fälschlicherweise mit anderen Positionen identifizieren, die von ihm getrennt werden sollten.[2] Ein erster verbreiteter Fehler ist die häufig implizite Gleichsetzung von Naturalismus und Empirismus. Der bekannteste gegenwärtige Naturalist ist W. V. Quine. Quine ist bekanntlich auch Empirist. Er vertritt den Standpunkt, daß eine überzeugende Version des Empirismus naturalistisch ist. Diese Auffassung könnte dazu geführt haben, daß viele Philosophen glauben, Na-

2 Normalerweise wird der Naturalismus nicht mit dem wissenschaftlichen Realismus identifiziert. Ich kann hier nicht auf die komplizierte und weitverzweigte Diskussion in der Wissenschaftstheorie eingehen. Sowohl Realisten wie auch Antirealisten beziehen sich zur Verteidigung ihrer jeweiligen Positionen auf den Naturalismus. Für einen Überblick vgl. Alex Rosenberg, »A Field Guide to Recent Species of Naturalism«, in: *The British Journal for the Philosophy of Science* 47 (1996), S. 1-29. Die vielleicht interessantesten Kontrahenten in dieser Debatte sind Philip Kitcher und Larry Laudan; vgl. Philip Kitcher, *The Advancement of Science*, New York 1993, und Larry Laudan, *Beyond Positivism and Relativism*, Boulder 1996. Ein wichtiger früher Aufsatz ist Richard Boyd, »Scientific Realism and Naturalistic Epistemology«, in: Peter D. Asquith und Ronald N. Giere (Hg.), *PSA 1980*, Bd. 2, East Lansing 1981, S. 613-662.

turalismus sei nichts anderes als eine Form von radikalisiertem Empirismus. Ein solcher Glaube ist falsch.

Für Quine läßt sich der Naturalismus durch eine negative und durch eine positive Behauptung charakterisieren: 1. Es gibt keine erste Philosophie in dem Sinne, daß es einen außernaturwissenschaftlichen Standpunkt zur Rechtfertigung der Naturwissenschaft gäbe. 2. Anstelle einer ersten Philosophie ist es die Aufgabe der Naturwissenschaft zu bestimmen, was es gibt, und zu erklären, wie wir wissen können, was es gibt.[3] Quines bevorzugte Erkenntnistheorie ist empiristisch, die von ihm hypothetisch akzeptierte Ontologie ist diejenige der gegenwärtigen Naturwissenschaft. Sein Naturalismus ist dafür verantwortlich, daß sich Ontologie und Erkenntnistheorie wechselseitig einschließen.[4] Quine glaubt, daß der Empirismus die Naturwissenschaft

3 Zu einer hilfreichen übersichtlichen Darstellung von Quines Ansichten über den Naturalismus und die Naturalisierung der Erkenntnistheorie vgl. Roger Gibson, »Quine and Davidson: Two Naturalized Epistemologists«, in: Gerhard Preyer, Frank Siebelt und Alexander Ulfig (Hg.), *Language, Mind and Epistemology, On Donald Davidson's Philosophy*, Dordrecht 1994, S. 79-95, und Roger Gibson, »Quine on the Naturalizing of Epistemology«, in: Paolo Leonardi und Marco Santambrogio (Hg.), *On Quine*, Cambridge 1995, S. 89-103; zu einer systematischen und historischen Diskussion vgl. Dirk Koppelberg, »Why and How to Naturalize Epistemology«, in: Robert B. Barrett und Roger F. Gibson (Hg.), *Perspectives on Quine*, Oxford 1990, S. 200-211. *Locus classicus* ist natürlich W. V. Quine, »Epistemology Naturalized«, in: *Ontological Relativity and Other Essays*, New York und London 1969, S. 69-90.

4 »The old epistemology aspired to contain, in a sense, natural science; it would construct it somehow from sense data. Epistemology in its new setting, conversely, is contained in natural science, as a chapter of psychology. But the old containment remains valid too, in its way. We are studying how the human subject of our study posits bodies and projects his physics from his data, and we appreciate that our position in the world is just like his. Our very epistemological enterprise, therefore, and the psychology wherein it is a component chapter, and the whole of natural science wherein psychology is a component book – all this is our own construction or projection from stimulations like those we were meting out to our epistemological subject. There is thus reciprocal containment, though containment in different senses: epistemology in natural science and natural science in epistemology.« Ebd., S. 83.

enthält und die Naturwissenschaft den Empirismus. Was soll das heißen? Laut Quine enthält die Naturwissenschaft den Empirismus in dem Sinne, daß letzterer eine Entdeckung und Konsequenz der ersteren ist. Für ihn ist es die Naturwissenschaft selbst, die herausgefunden hat, daß die einzigen Belege für unser empirisches Wissen die Belege unserer Sinne sind.

Diese Behauptung scheint mir sowohl klärungsbedürftig wie auch begründungspflichtig zu sein. Welche *Naturwissenschaft* hat herausgefunden, daß unsere einzigen Belege diejenigen unserer Sinne sind? Und *wie* könnte eine Naturwissenschaft begründen, daß unsere Sinnesbelege unsere *einzigen* Belege sind? Diese letzte Behauptung ist einer von Quines zwei berühmten Grundsätzen des Empirismus, die für ihn unerschütterlich bleiben.[5] Er ist die Grundlage für seine Überzeugung, daß der Empirismus die Naturwissenschaft enthält. Leider findet sich bei Quine für diesen Standpunkt keine überzeugende Rechtfertigung. Vielmehr scheint mir seine Konzeption von Sinnesbelegen ihrerseits explikationsbedürftig zu sein. Demgegenüber hat Quine erst kürzlich hervorgehoben, daß der Begriff der Belege innerhalb seiner Theorie nicht expliziert wird und keine Rolle spielt.[6] Ich glaube nicht, daß durch diese Auskunft eine wirklich zufriedenstellende Klärung erreicht ist.[7] Wie dem auch sei, aufgrund seines durchgängigen Fallibilismus kann Quine die Möglichkeit nicht ausschließen, daß als Belege anderes und mehr in Frage kommt als allein das, was uns durch unsere Sinne zugänglich ist.[8] Wird

5 Ebd., S. 75. Heute scheint Quine im Sinne seines Naturalismus von der Unerschütterlichkeit abgerückt zu sein; vgl. Fn. 8. Der zweite empiristische Grundsatz besagt, daß die Bedeutung von Wörtern letztlich auf die Belege unserer Sinne zurückgeführt werden muß.

6 Vgl. W. V. Quine, »Comment on Davidson«, in: Robert Barrett und Roger Gibson (Hg.), *Perspectives on Quine*, Oxford 1990, S. 80.

7 Ich begründe dies ausführlich in Dirk Koppelberg, »Foundationalism and Coherentism Reconsidered«, in: *Erkenntnis* 49 (1998), S. 255-283.

8 Geert Keil hat gefragt, ob ich der Auffassung bin, daß Quines Fallibilismus ein Argument dafür sein sollte, daß es möglicherweise auch andere als sinnliche Belege gibt. Mir geht es hier in erster Linie darum, daß Quine dies *selbst* so sieht: »Even telepathy and clairvoyance are scientific options, however moribund. It would take some extraordinary evidence to enliven them, but, if that were to happen then empiricism itself – the crowning norm, we saw, of naturalized epistemology – would go by the board. For remember that that norm, and naturalized

dies zugestanden, ist der Empirismus nicht mehr als *lediglich eine Option* für eine Form von naturalistischer Erkenntnistheorie. Daraus folgt, daß der Naturalismus nicht mit dem Empirismus gleichgesetzt werden sollte.

Daß der Naturalismus nicht mit dem Empirismus zu identifizieren ist, wird noch deutlicher, wenn man nicht Quines Version, sondern traditionellere Konzeptionen in Augenschein nimmt. Einem Naturalisten fällt dabei auf, wie viele apriorische Elemente der traditionelle Empirismus enthält. Sehr häufig argumentieren Empiristen gerade nicht empirisch, sondern ihre Argumente beruhen im Gegenteil auf einer ersten Philosophie, die zumindest eine Rationalitätstheorie, eine Sprachphilosophie und eine psychologische Theorie des Menschen einschließt, die diesen als eine Aufnahmekammer von Sinneserfahrungen zusammen mit einer verallgemeinerten Logikmaschine verstehen lassen.[9] Der traditionelle Empirismus und auch einige Versionen des Logischen Empirismus[10] entpuppen sich als erstaunlich unempfänglich gegenüber den empirischen Befunden über die Natur des Menschen und der Welt, in der wir leben. Ihre erste Philosophie und ihre Metaphilosophie sind logisch und erkenntnistheoretisch vorrangig gegenüber allem, was empirische Wissenschaften über uns und unseren Platz in der Welt herausfinden mögen. Es versteht sich von selbst, daß ein Naturalist solch eine metaphilosophische Einstellung und ihre Konsequenzen nicht teilen wird. Eine Identifikation des Naturalismus mit dem Empirismus kommt somit nicht in Frage.

epistemology itself, are integral to science, and science is fallible and corrigible.« In: *Pursuit of Truth*, Cambridge, Mass. 1990, S. 20 f. Es wird deutlich, daß beim späten Quine der Grundsatz oder – wie es jetzt auch zuweilen heißt – die Norm des Empirismus, nur sinnliche Belege zuzulassen, selbst als hypothetisch verstanden wird und dem Naturalismus untergeordnet ist. Auch Quine selbst unterscheidet somit deutlich zwischen Empirismus und Naturalismus und würde im Konflikt eher ersteren als letzteren aufgeben.

9 Vgl. C. A. Hooker, »Philosophy and Meta-Philosophy of Science: Empiricism, Popperianism and Realism«, in: *A Realistic Theory of Science*, Albany 1987, S. 74.

10 Otto Neurath ist hier natürlich eine Ausnahme. Nicht nur gegen Schlick, sondern auch gegen Carnap bemühte er sich stets um eine naturalistisch akzeptable Form von Empirismus. Quine ist ihm dabei in beträchtlichem Ausmaß gefolgt.

Zweitens sollte der Naturalismus auch nicht mit dem Physikalismus identifiziert werden, selbst wenn genau das viele Philosophen explizit tun.[11] Dabei ist es unglücklicherweise oft alles andere als klar, was unter ›Physikalismus‹ verstanden wird.[12] Die vielfältigen Verwendungsweisen des Begriffs gehen auf den Wiener Kreis zurück. Dort war es insbesondere Neurath, der den Physikalismus als eine wissenschaftlich akzeptable Form des traditionellen Materialismus verteidigte. Bekanntlich glaubten die frühen Logischen Empiristen traditionelle ontologische Probleme dadurch überwinden zu können, indem sie die Sprachformen analysierten, in denen diese Probleme formuliert waren. Es war wiederum Neurath, der seinen Vorschlag zur Verwendung einer physikalistischen Sprache mit seinem Ziel der Einheitswissenschaft verband:

> Wichtig ist, daß alle Aussagen Bestimmungen in bezug auf räumlich-zeitliche Ordnung enthalten, die Ordnung, welche wir aus der Physik kennen. Dieser Standpunkt soll daher [...] der Standpunkt des *›Physikalismus‹* heißen. Die Einheitswissenschaft umfaßt nur physikalistische Formulierungen. Das Schicksal der Physik im engeren Sinne wird so das Schicksal aller Wissenschaften [...] Für den ›Physikalismus‹ ist wesentlich, daß *eine* Art der *Ordnung* allen Gesetzen zugrunde liegt, ob es sich nun um geologische, chemische oder soziologische Gesetze handelt.[13]

11 Quine tut dies neuerdings explizit nicht: »Naturalismus wird natürlicherweise mit Physikalismus oder Materialismus assoziiert. Ich setze diese Dinge nicht gleich [...]. Ich vertrete den Physikalismus als eine wissenschaftliche Position, aber wissenschaftliche Gründe könnten mich dereinst davon abbringen, ohne mich vom Naturalismus abzubringen.« (Siehe Quines Beitrag in diesem Band, S. 121).

12 Im folgenden mache ich Gebrauch von einigen Überlegungen aus Dirk Koppelberg, »Neurath, Quine und Physikalismus«, in: Paul Kruntorad, Rudolf Haller und Willy Hochkeppel (Hg.), *Jour fixe der Vernunft – Der Wiener Kreis und die Folgen*, Wien 1991, S. 217-230, und Dirk Koppelberg, »Naturalismus, Pragmatismus, Pluralismus. Grundströmungen in der analytischen Erkenntnis- und Wissenschaftstheorie seit W. V. Quine«, in: Herbert Stachowiak (Hg.), *Pragmatik, Band V, Pragmatische Tendenzen in der Wissenschaftstheorie*, Hamburg 1995, S. 144-178.

13 Otto Neurath, »Physikalismus«, in: Rudolf Haller und Heiner Rutte (Hg.), *Otto Neurath – Gesammelte philosophische und methodologische Schriften, Band 1*, Wien 1981, S. 419.

Wenn ich recht sehe, kommen in Neuraths Äußerungen drei unterscheidbare Versionen von Physikalismus vor. Ich nenne die erste sprachlichen Physikalismus oder die These zur Einheit der wissenschaftlichen Sprache. Nach Herbert Feigl ist dies nichts anderes als eine logisch revidierte und verbesserte Formulierung der grundlegenden These des Empirismus.[14] Da ich bereits dafür argumentiert habe, daß der Naturalismus nicht mit dem Empirismus identifiziert werden sollte, versteht es sich von selbst, daß er auch nicht mit dessen logisch verbesserter Grundthese gleichgesetzt werden sollte.

Die zweite Form ist der explanatorische Physikalismus, demgemäß alle Phänomene durch die Physik angemessen erklärt werden können. Diese These läuft darauf hinaus, daß alle wissenschaftlichen Gesetze zumindest potentiell aus den Gesetzen der Physik ableitbar sind. Bei all dem, was wir über Biologie, Psychologie und die Sozialwissenschaften wissen, scheint es jedoch mehr als fraglich, ob alle Einzelwissenschaften sich letztlich auf die Physik reduzieren lassen. So sehe ich auch keinen Grund, den Naturalismus auf eine spekulative methodologische Anforderung zu verpflichten, die durch die bisherigen intertheoretischen Relationen zwischen den Wissenschaften eher in Frage gestellt als bestätigt worden ist.

Die dritte Version ist der ontologische Physikalismus, und ich bin nicht sicher, ob dieser wirklich in Neuraths Dictum enthalten ist. Es hängt davon ab, wie er genau zu verstehen ist. Der ontologische Physikalismus ist deshalb so schwer zu bewerten, weil seine Proponenten manchmal mit ihren Ansprüchen zwischen einer minimalen nicht-reduktiven Form und einer maximalen Version mit weitreichenden Implikationen hin- und herpendeln. Was ich damit meine, wird deutlicher, wenn ich zuerst eine minimale Version in Quines Worten vorstelle:

It is not a reductionist doctrine of the sort sometimes imagined. It is not a utopian dream of our being able to specify all mental events in physiological or microbiological terms. It is not a claim that such correlations even exist, in general, to be discovered; the groupings of events in mentalistic terms need not stand in any systematic relation to biological group-

14 Vgl. Herbert Feigl, »Unity of Science and Unitary Science«, in: Herbert Feigl und May Brodbeck (Hg.), *Readings in the Philosophy of Science*, New York 1953, S. 382.

ings. What it does say about the life of the mind is that there is no mental difference without a physical difference. Most of us nowadays are so ready to agree to this principle that we fail to sense its magnitude. It is a way of saying that the fundamental objects are the physical objects. It accords physics its rightful place as the basic natural science without venturing any dubious hopes of reduction of other disciplines.[15]

Es ist offensichtlich, daß diese Auffassung weder mit dem sprachlichen Physikalismus vereinbar noch auf den explanatorischen Physikalismus verpflichtet ist. Sie wird häufig zur Formulierung der Ansicht benutzt, daß die Ontologie der Physik uns eine vollständige Darstellung all dessen gibt, was existiert. Nicht selten wird behauptet, daß die Physik als grundlegende Naturwissenschaft uns mit einem vollständigen Katalog des ontologischen Inventars der Welt versorgt. Doch aus der Tatsache, daß die Physik die basale Naturwissenschaft ist, kann man nicht den Schluß ziehen, daß sie uns eine komplette Beschreibung all dessen liefert, was es gibt.[16] Wenn wir über das Inventar der Welt informiert werden wollen, sollten wir alle erfolgreichen wissenschaftlichen Theorien in Betracht ziehen. Die Ansicht, daß uns allein die grundlegende Naturwissenschaft darüber aufklärt, was es gibt, spiegelt nur ein physikalistisches Vorurteil wider, das sich durch die Wissenschaften selbst nicht stützen läßt. Es gibt somit auch keinen Grund, warum ein Naturalist es akzeptieren sollte.[17]

Drittens sollte der Naturalismus nicht mit einem Szientismus identifiziert werden, selbst wenn dies einige Naturalisten tun. Auch hier hängt natürlich alles davon ab, wie Szientismus verstanden wird. Ich sehe zwei Hauptvarianten, die eng miteinander verbunden sind. Wenn Philosophen über Szientismus reden, gebrauchen sie den Begriff häufig zur Bezeichnung der dogmatischen Auffassung, daß nur die Naturwissenschaften uns genui-

15 W. V. Quine, »Facts of the Matter«, in: Robert W. Shahan und Chris Swoyer (Hg.), *Essays on the Philosophy of W. V. Quine*, Norman 1979, S. 163.

16 Bei seinen beiden einflußreichen Thesen zur Nichtexistenz psychologischer und semantischer Tatsachen scheint Quine genau dies zu tun. Für eine Diskussion vgl. Dirk Koppelberg, »Skepticism about Semantic Facts«, in: Paolo Leonardi und Marco Santambrogio (Hg.), *On Quine*, Cambridge 1995, S. 336-346.

17 In diesem Punkt stimme ich mit Hilary Kornblith, »Naturalism: Both Metaphysical and Epistemological«, in: *Midwest Studies in Philosophy* 19 (1994), S. 39-52 überein.

nes Wissen vermitteln. Vermutlich liegt einer solchen Auffassung die Überzeugung von einer wohldefinierten und klar angebbaren naturwissenschaftlichen Methode zugrunde, die für den epistemischen Erfolg der Naturwissenschaften verantwortlich ist. Diese sogenannte naturwissenschaftliche Methode ist dann auch die Basis für die zweite weitverbreitete Form von Szientismus. Sie beruht auf der Ansicht, daß allein die naturwissenschaftliche Methode den wahren kognitiven Charakter unserer Forschungen sicherstelle. Ein unvoreingenommener Naturalist betrachtet diese vorausgesetzte monolithische naturwissenschaftliche Methode als ein weiteres Beispiel für den Mythos des bestimmten Artikels. Was wir aus der Geschichte und Entwicklung der verschiedenen Wissenschaften wissen, spricht kaum dafür, daß es sich bei der sogenannten naturwissenschaftlichen Methode um so etwas wie eine natürliche Art handelt. Wenn dem so ist, ist die Berufung auf *die* naturwissenschaftliche Methode als Garant des epistemischen Privilegs der Naturwissenschaften nur ein weiteres Beispiel für ein Stück fragwürdiger aprioristischer Philosophie, die durch die tatsächliche Wissenschaftsentwicklung nicht bestätigt wird. Anstelle dogmatischer szientistischer Glaubenssätze sprechen sich Naturalisten für die empirische Untersuchung der Stärken und Schwächen all unserer verschiedenen kognitiven Ressourcen und Methoden aus.

Viertens legen diese letzten Bemerkungen es nahe, den Naturalismus nicht mit einem Antimentalismus oder insbesondere Antiintentionalismus zu identifizieren, auch wenn einige Philosophen gar versuchen, eine derartige Identifikation zu einem zentralen Definitionsbestandteil von ›Naturalismus‹ zu machen. Solch ein Vorschlag ist inakzeptabel. Warum sollte man davon ausgehen, daß mentale Phänomene so lange ontologisch suspekt sind, bis sie ihre Unbedenklichkeit bewiesen haben? Was sind die Gründe für das erkenntnistheoretische Mißtrauen gegenüber intentionalen Begriffen angesichts ihrer unverzichtbaren Leistungen in überwiegend erfolgreichen Erklärungen und Voraussagen? Mit Hilfe von intentionalen Begriffen formulieren wir wichtige Verallgemeinerungen, die in nichtintentionalem Vokabular zumindest bislang nicht ausdrückbar sind.[18] Und es ist

18 Für eine anschauliche und eindrucksvolle Darstellung, wie unsere Welt aussehen würde, wenn wir gegenüber mentalen Phänomenen

kaum vorstellbar, wie intentionale Begriffe aus der Sozialpsychologie oder der Entwicklungspsychologie zu eliminieren sind, ohne dadurch zugleich auch auf die Themen und Fragestellungen dieser Disziplinen zu verzichten. Die Nichteliminierbarkeit mentaler oder – spezieller – intentionaler Begriffe aus vielen wissenschaftlichen Theorien sind gute Gründe für die Auffassung, daß es sich bei ihnen um genuin referierende Ausdrücke handelt. Welche weiteren Belege braucht ein Naturalist für den Standpunkt, daß es intentionale Zustände wirklich gibt?[19] Was er bestimmt nicht braucht und auch nicht akzeptiert, sind apriorische Auflagen zur Theoriebildung für mentale Phänomene.

Wie aber ist es dann möglich, daß einige Philosophen den Standpunkt vertreten, ein Naturalismus sei unvereinbar mit Mentalismus und Intentionalismus? Nach der bisherigen Diskussion dessen, was Naturalismus nicht ist, liegt die Antwort auf der Hand. Der Fehler liegt einerseits in einer Verwechslung von Naturalismus mit einer bestimmten Form von ontologischem Physikalismus, andererseits ist er einer unhaltbaren Identifikation von Naturalismus und Szientismus geschuldet. Wenn eingesehen wird, daß der Naturalismus sich nicht durch apriorische ontologische oder methodologische Auflagen zur rechten Art der Theoriebildung auszeichnet, sollte man allen Vorschlägen mit Skepsis begegnen, die eine Variante des ontologischen Physikalismus oder eine Form von dogmatischem Szientismus zu Definitionsmerkmalen des Naturalismus machen wollen.

Bis jetzt habe ich deutlich zu machen versucht, was Naturalismus nicht ist. Er ist keine radikale Form von Empirismus, auch wenn einige Empiristen zugleich Naturalisten sind. Er ist nicht mit dem Physikalismus zu identifizieren, auch wenn einige

blind wären, vgl. Simon Baron-Cohen, *Mindblindness, An Essay on Autism and Theory of Mind*, Cambridge, Mass. 1995.

19 Vgl. in diesem Zusammenhang auch den Standpunkt Donald Davidsons in »Indeterminism and Antirealism«, in: Christopher B. Kulp (Hg.), *Realism/Antirealism and Epistemology*, Lanham 1997, S. 112: »The fact that the mental vocabulary is not fit for inclusion in sciences like physics or physiology cannot in itself be taken as impugning the reality of the states, events, and objects it is used to describe. A perfected physics must comprehend every object and event, but this is an ontological and nomological requirement that defines the aim of physics; it says nothing about the interests that may demand other ways of characterizing things.«

Formen von Physikalismus mit einigen Spielarten des Naturalismus vereinbar sind. Er ist nicht unter den Szientismus zu subsumieren, auch wenn die Wissenschaften in fast allen Formen von Naturalismus eine wichtige Rolle spielen. Und schließlich ist Naturalismus nicht auf einen Antimentalismus oder Antiintentionalismus festgelegt, selbst wenn dies manche Naturalisten und einige ihrer Kritiker so sehen. Im Anschluß an all diese Abgrenzungen drängt sich jetzt die Frage auf, ob der Naturalismus überhaupt noch von jemandem in Abrede gestellt wird, denn natürlich sollte er nicht so expliziert werden, daß aus ihm eine triviale These wird, mit der jedermann einverstanden ist. Um herauszufinden, wer ihm nicht zustimmt, müssen wir zuerst darüber Klarheit erzielen, was Naturalismus ist und was Naturalisten wollen. Im zweiten Teil meines Aufsatzes werde ich zeigen, daß es eine ganze Reihe von verschiedenen Zielen, Ansprüchen und Strategien gibt, die gemeinhin unter dem Etikett des Naturalismus zusammengefaßt werden. Vielleicht ist ›Naturalismus‹ am ehesten als ein Familienähnlichkeitsbegriff zu verstehen, und wie in vielen Familien, so gibt es auch hier recht unterschiedliche Mitglieder, die ich jetzt vorstellen werde.

2. Drei Spielarten des Naturalismus

Meine zweite These ist, daß es drei einflußreiche Spielarten des Naturalismus gibt: den metaphysischen Naturalismus, den analytischen Naturalismus und den methodologischen Naturalismus. Ich beschreibe sie nacheinander und beleuchte ihre Konsequenzen. Dem heutzutage weit verbreiteten analytischen Naturalismus stehe ich eher skeptisch gegenüber, wohingegen mir der methodologische Naturalismus vielversprechender erscheint und in einer spezifischen Variante von mir selbst verfolgt wird. Um den theoretischen Wert meiner Unterscheidungen zu illustrieren, gebe ich eine Diagnose zu Stephen Stichs *prima facie* ambivalenter Haltung zum Naturalismus.

Die erste Spielart des Naturalismus, die ich vorstellen möchte, ist die metaphysische.[20] Manche Philosophen nennen sie auch

20 Bei meiner Beschreibung des metaphysischen und analytischen Naturalismus beziehe ich mich auf Jeffrey C. King, »Can Propositions be Naturalistically Acceptable?«, in: *Midwest Studies in Philosophy* 19

ontologischen Naturalismus. Im folgenden unterscheide ich nicht zwischen diesen beiden Bezeichnungen. Ich werde mich hier nicht mit dem traditionellen metaphysischen Naturalismus beschäftigen, der sich durch apriorische Setzungen von sogenannten natürlichen Entitäten auszeichnet. Seine grundlegende Schwierigkeit, wie sowohl zu entscheiden als auch zu rechtfertigen ist, welche Entitäten zu Recht als natürlich gelten können, ist meines Erachtens nie zufriedenstellend gelöst worden. Der Ausgangspunkt des gegenwärtigen ontologischen Naturalismus ist Wilfrid Sellars' berühmtes Dictum: »[...] in the dimension of describing and explaining the world, science is the measure of all things, of what is that it is, and of what is not that it is not.«[21] Für Naturalisten sind metaphysische Einsichten nicht jenseits der Wissenschaften, sondern *in* ihnen zu suchen und dort auch zu finden. Deshalb tritt der ontologische Naturalismus dafür ein, die metaphysischen Verpflichtungen wissenschaftlicher Theorien zu analysieren und deren ontologische Konsequenzen klar herauszustellen. Meistens sind es allerdings nicht wissenschaftliche Theorien im allgemeinen, sondern es ist eine Auswahl erfolgreicher und gut bestätigter naturwissenschaftlicher Theorien, die eine gewisse Anzahl ontologisch privilegierter Entitäten liefern. Zusätzlich zu diesen werden häufig weitere Einzeldinge, Eigenschaften und Relationen zugelassen, falls sichergestellt werden kann, daß sie in einer akzeptablen Beziehung zu der Klasse privilegierter Entitäten stehen. Alle Theorien, die darüber hinaus weitere Einzeldinge, Eigenschaften und Relationen aufweisen, sind nicht-naturalistisch und somit abzulehnen.

Unterschiedliche Versionen des metaphysischen Naturalismus können in zweifacher Hinsicht voneinander abweichen. Zum einen können sie sich durch die Auswahl zugelassener Naturwissenschaften unterscheiden, welche die Ausgangsmenge der privilegierten Einzeldinge, Eigenschaften und Relationen liefern. Wir haben schon gesehen, daß einige Philosophen nur die Entitäten der Physik für ontologisch respektabel halten. Der ontologische

(1994), S. 53-75. Die wichtigsten Unterschiede zwischen uns liegen in meiner Charakterisierung des analytischen Naturalismus und insbesondere in meiner Beschreibung und Bewertung des methodologischen Naturalismus.

21 Wilfrid Sellars, »Empiricism and the Philosophy of Mind«, in: *Science, Perception and Reality*, Atascadero 1991, S. 173.

Naturalismus fällt dann mit dem ontologischen Physikalismus zusammen. Natürlich stellt dieser Fall aber nur eine Möglichkeit dar; andere Versionen des ontologischen Naturalismus sind liberaler und berücksichtigen auch Entitäten anderer Naturwissenschaften. Zum anderen können sich Darstellungen des ontologischen Naturalismus dadurch unterscheiden, auf welche Art und Weise sie die zusätzlichen Entitäten zu der privilegierten Ausgangsmenge in Beziehung setzen. Auch hier gibt es wieder verschiedene Möglichkeiten. Der strengste Fall erlaubt nur Identitätsbeziehungen, liberalere Auffassungen akzeptieren auch kausale oder gar superveniente Relationen. Um eine bestimmte Form von ontologischem Naturalismus zu verteidigen, ist nachzuweisen, warum lediglich die privilegierte Ausgangsmenge und die mit ihr durch spezifische Relationen verbundenen Entitäten existieren.

In diesem Zusammenhang ist zu betonen, daß es in vielen Fällen nicht auf der Hand liegt, ob eine bestimmte philosophische Auffassung mit einer bestimmten Form von ontologischem Naturalismus vereinbar ist. Häufig ist es nämlich nicht leicht festzustellen, ob in der zur Diskussion stehenden Auffassung Einzeldinge, Eigenschaften und Relationen vorkommen, die über die jeweils naturalistisch akzeptierten hinausgehen oder nicht. Metaphysische Naturalisten betrachten deshalb die fraglichen philosophischen Auffassungen so lange mit Argwohn, bis sie ihre naturalistische Akzeptabilität tatsächlich nachgewiesen haben. Und genau diese Anforderung zum Nachweis naturalistischer Respektabilität führt zur zweiten Spielart des Naturalismus.

Diese Version soll hier als analytischer oder auch begrifflicher Naturalismus bezeichnet werden.[22] Sie behauptet, daß eine philosophische Auffassung nur dann naturalistisch ist, wenn ihre Schlüsselbegriffe durch naturalistisch akzeptable Begriffe analysiert werden können. Prominente Beispiele solcher zu analysierender Schlüsselbegriffe aus unterschiedlichen philosophischen Disziplinen sind »Intentionalität«, »Bedeutung«, »Referenz«, »Wissen«, aber auch ästhetische oder ethische Prädikate wie »schön« oder »moralisch gut«. Wie im Fall des metaphysischen Naturalismus sind auch die Varianten des analytischen Na-

22 Neben ›analytischem‹ oder ›begrifflichem Naturalismus‹ finden sich in der Literatur auch die Benennungen ›sprachlicher‹ und ›semantischer Naturalismus‹.

turalismus in zweifacher Hinsicht zu unterscheiden. Ihre spezifischen Versionen hängen zum einen von der Wahl der privilegierten Begriffe ab und zum anderen von der jeweiligen Auffassung darüber, was unter einer Analyse der Schlüsselbegriffe genauer zu verstehen ist. So mag ein strenger Standpunkt für die Auswahl der privilegierten Begriffe nur diejenigen der Physik zulassen. Andere hingegen mögen auch Begriffe der Biologie, der Psychologie und vielleicht gar der Sozialwissenschaften als zulässig betrachten. Im Hinblick auf die Art der Analyse favorisieren viele analytische Naturalisten eine Begriffsanalyse, die die Formulierung von notwendigen und hinreichenden Bedingungen von Begriffen aus der privilegierten Ausgangsmenge anstrebt. Ein bekanntes Beispiel ist Jerry Fodors Anforderung an die naturalistischen Bedingungen für mentale Repräsentation: »[...] what we want at a minimum is something of the form *›R represents S‹ is true iff* C where the vocabulary in which condition C is couched contains neither intentional nor semantic expressions.«[23] Natürlich kann es nicht ausgeschlossen werden, daß sich einige naturalistische Philosophen auch mit schwächeren Anforderungen zufriedengeben oder aber bestimmte Voraussetzungen für diese Art naturalistischer Lösung angreifen.[24]

23 Jerry Fodor, »Semantics, Wisconsin Style«, in: *A Theory of Content and Other Essays*, Cambridge, Mass. 1990, S. 32.

24 Fodor selbst fordert in manchen Arbeiten nicht mehr eine Formulierung von notwendigen *und* hinreichenden Bedingungen, sondern gibt sich bereits mit der Angabe von hinreichenden Bedingungen zufrieden. Ansgar Beckermann hält das ganze Problem für falsch gestellt; vgl. dazu seinen Aufsatz »Das Problem der Intentionalität – Naturalistische Lösung oder meßtheoretische Auflösung«, in: *Ethik und Sozialwissenschaften* 3 (1992), S. 433-447. Das tiefere methodologische Problem, auf das ich hier nicht ausführlich eingehen kann, betrifft die generelle Einstellung von Naturalisten zur traditionellen Begriffsanalyse. Ist diese mit naturalistischen Haltungen gänzlich unvereinbar, oder erfordern naturalistische Positionen eine Modifikation oder Revision unseres Verständnisses, was es heißt, einen Begriff zu analysieren? Die Frage wird unter Naturalisten kontrovers diskutiert. Zu unterschiedlichen Auffassungen – am Beispiel des Wissensbegriffs – vgl. Ansgar Beckermann, »Wie ich die Dinge sehe – Sechs Thesen zur Vereinfachung der Debatte um die naturalistische Erkenntnistheorie. Kommentar zu Dirk Koppelberg«, in: Hans Jörg Sandkühler (Hg.), *Philosophie und Wissenschaften: Formen und Prozesse ihrer Interak-*

Ich denke, es wird klar, daß der analytische Naturalismus keine eigenständige Form des Naturalismus ist, sondern vielmehr eine methodische Vorgehensweise, mit deren Hilfe gezeigt werden soll, ob eine bestimmte philosophische Auffassung den Anforderungen einer bestimmten Version des metaphysischen Naturalismus genügt. Analytische Naturalisten formulieren in traditioneller Weise philosophische Kriterien zur Bewertung der metaphysisch-naturalistischen Akzeptabilität einer philosophischen Auffassung; sie unterscheiden sich untereinander dadurch, welche Ansprüche jeweils an diese Kriterien gestellt werden. Auf diesen Punkt werde ich zurückkommen, wenn ich Stichs scheinbar ambivalente Haltung gegenüber dem Naturalismus diskutiere.

Verglichen mit metaphysischem und analytischem Naturalismus sieht die dritte und letzte Spielart des Naturalismus, die ich diskutiere, ganz anders aus. Ich nenne sie methodologischen Naturalismus.[25] Quine hat dessen Grundzüge in nur wenigen prägnanten Sätzen zum Ausdruck gebracht:

I see philosophy not as an *a priori* propaedeutic or groundwork for science, but as continuous with science. I see philosophy and science as in the same boat – a boat which, to revert to Neurath's figure as I so often do, we can rebuild only at sea while staying afloat in it. All scientific findings, all scientific conjectures that are at present plausible, are therefore in my view as welcome for use in philosophy as elsewhere.[26]

Im Anschluß an Quines Sicht des Zusammenhangs von Philosophie und empirischen Wissenschaften[27] charakterisiere ich den methodologischen Naturalismus durch drei Thesen. Erstens

tion, Frankfurt am Main 1997, S. 239, und Dirk Koppelberg, »Warum ich die Dinge anders sehe. Replik auf Ansgar Beckermann«, ebd., S. 250.

25 Den folgenden Abschnitt habe ich nur wenig verändert aus Dirk Koppelberg, »Erkenntnistheorie und Wissenschaft – Naturalistische Positionen«, in: Hans Jörg Sandkühler (Hg.), *Philosophie und Wissenschaften: Formen und Prozesse ihrer Interaktion*, Frankfurt am Main 1997, S. 219-236 übernommen.

26 W. V. Quine, »Natural Kinds«, in: *Ontological Relativity and other Essays*, New York und London 1969, S. 126 f.

27 Oft hat es den Anschein, als ob Quine nur den Naturwissenschaften einen Einfluß auf die Philosophie zugestehe. Meine Beschreibung des methodologischen Naturalismus berücksichtigt prinzipiell alle empirischen Wissenschaften.

durch die *Antifundierungsthese*:[28] Es ist nicht Aufgabe der Philosophie, die Wissenschaften zu fundieren oder zu begründen. Zweitens durch die *Kontinuitätsthese*: Philosophie hat keinen epistemisch privilegierten Stand gegenüber den Wissenschaften, vielmehr gibt es zwischen ihr und den Wissenschaften eine bestimmte Art von Kontinuität. Drittens durch die *Wissenschaftlichkeitsthese*: Die Verwendung von wissenschaftlichen Untersuchungen und Ergebnissen ist für die Philosophie einschlägig und unverzichtbar. Diese drei Thesen sind natürlich nicht mehr als ein erster Schritt zu einer befriedigenden Darstellung des methodologischen Naturalismus; um weiterzukommen, sind die Verbindungen zwischen ihnen genauer herauszuarbeiten. Zweifellos ist dabei die Kontinuitätsthese die wichtigste, da sie es ist, die die beiden anderen Thesen stützt. Wenn der Philosophie kein epistemisch privilegierter Status unter den Wissenschaften zukommt und sie statt dessen in einem noch genauer zu bestimmenden Kontinuum zu ihnen steht, kann von ihr nicht erwartet werden, daß sie eine apriorische Begründung der Wissenschaften liefert. Und wenn es eine bestimmte Art von Kontinuität zwischen der Philosophie und den Wissenschaften gibt, dann ist der Gebrauch von wissenschaftlichen Untersuchungen und Resultaten für die Philosophie sowohl unproblematisch als auch unverzichtbar.

Die Kontinuitätsthese ist der Kern des methodologischen Naturalismus. Deshalb ist es wichtig, sie genauer unter die Lupe zu nehmen. Wenn man dies tut, kann man verschiedene Versionen der Kontinuitätsthese unterscheiden. Im folgenden werde ich diese Unterschiede am Beispiel der Erkenntnistheorie näher erläutern. Dazu gebe ich eine Liste von sieben traditionellen Bestimmungen dieser Disziplin an, die von verschiedenen methodologischen Naturalisten sehr unterschiedlich bewertet wird.[29]

1. Methodischer Ausgangspunkt der Erkenntnistheorie ist eine kritische Untersuchung unserer alltäglichen epistemischen Begriffe und Vorstellungen.

28 Meine *Antifundierungsthese* sollte schon deshalb nicht mit *antifundamentalistischen* Thesen verwechselt werden, weil sich einige Versionen des erkenntnistheoretischen Fundamentalismus als naturalistisch verstehen.

29 Eine verwandte Liste findet sich bei James Maffie, »Naturalism, Scientism and the Independence of Epistemology«, in: *Erkenntnis* 43

2. Erkenntnistheorie verwendet Begriffe und Normen und formuliert Prinzipien und Ziele, die nicht vollständig in den Wissenschaften enthalten sind.
3. Erkenntnistheorie zeichnet sich gegenüber den Wissenschaften durch genuin philosophische Methoden und Belege aus.
4. Erkenntnistheorie verwendet Normen und Maßstäbe, die gegenüber denen der Wissenschaften logisch und epistemisch unabhängig und vorrangig sind.
5. Erkenntnistheorie macht keinerlei Gebrauch von Entdeckungen oder Ergebnissen der Wissenschaften.
6. Erkenntnistheorie liefert Ergebnisse, die epistemisch grundlegender sind als jene der Wissenschaften.
7. Erkenntnistheorie selbst ist gegenüber den Wissenschaften logisch und epistemisch unabhängig und vorrangig.

Diejenigen Naturalisten, die alle sieben Punkte verwerfen, sind Anhänger einer radikalen Kontinuitätsthese. Naturalisten, die einen oder mehrere der ersten drei Punkte vertreten, wohingegen sie die folgenden vier Punkte ablehnen, sind einer gemäßigten Kontinuitätsthese verpflichtet. Ich selbst verteidige die ersten beiden Behauptungen und lehne den Rest ab. Diese Form der Kontinuitätsthese nenne ich Kooperationsthese. Ihre Metaphilosophie bezeichne ich als kooperativen Naturalismus. Ich glaube, daß diese Form des Naturalismus die aussichtsreichste Variante des methodologischen Naturalismus ist. An anderer Stelle habe ich sie sowohl gegen die traditionell-analytische Philosophie als auch gegen radikalere Formen des Naturalismus verteidigt.[30] Im

(1995), S. 1-27. Zwischen uns gibt es wichtige Unterschiede im Hinblick auf Details und Konsequenzen unserer jeweiligen Diskussionen.

30 Vgl. dazu Koppelberg, »Erkenntnistheorie und Wissenschaft – Naturalistische Positionen«, in: Hans Jörg Sandkühler (Hg.), *Philosophie und Wissenschaften,* a. a. O.; Koppelberg, »Warum ich die Dinge anders sehe – Eine Replik auf Ansgar Beckermann«, ebd., S. 247-255; Koppelberg, »A Reply to Professor Nannini's Comment«, ebd. S. 263-266; Koppelberg, »Warum ich die naturalistische Kooperationsthese vertrete. Eine Replik auf Thomas E. Uebel«, ebd. S. 271-275; Koppelberg, »Ein Kommentar zu Thomas Bartelborths Kritik naturalistischer Erkenntnistheorien«, ebd. S. 297-308. Detailliert entwickle und verteidige ich den kooperativen Naturalismus in meiner geplanten Monographie *Kooperative Erkenntnistheorie*.

folgenden werde ich begründen, warum ich die Kooperationsthese im Vergleich zu einer leicht stärkeren Inkorporationsthese und einer leicht schwächeren Kooptionsthese vorziehe.[31]

Die Kooperationsthese vertritt die Merkmale (1) und (2) und verwirft (3). Die Kooptionsthese vertritt die Merkmale (1), (2) und (3). Die Inkorporationsthese vertritt nur Merkmal (1) und lehnt (2) und (3) ab. Um zu verstehen, warum ich die Kooperationsthese verteidige, ist es wichtig, sich darüber klarzuwerden, worauf (2) und (3) hinauslaufen und wodurch sie sich voneinander unterscheiden. Der entscheidende Punkt von Merkmal (2) liegt darin, erkenntnistheoretische Begriffe, Normen, Prinzipien und Ziele *nicht* mit (natur)wissenschaftlichen Begriffen, Normen, Prinzipien und Zielen zu identifizieren. Die Position, von der ich mich hier abgrenze, hat Quine auf den Punkt gebracht: »Epistemology ... is only science self-applied.«[32] Nach dieser Auffassung geht die Erkenntnistheorie der Naturwissenschaft nicht voran, und sie geht auch nicht über sie hinaus; sie ist nichts anderes als die konsequente Anwendung der deduktiv-nomologischen Vorgehensweise auf die Naturwissenschaft selbst.

Aus drei Gründen teile ich diesen Standpunkt nicht: Erstens beschäftigt sich Erkenntnistheorie nicht nur mit der Analyse von Naturwissenschaft. Auch andere Wissenschaften und nicht zuletzt unsere alltäglichen Überzeugungen sind Gegenstand erkenntnistheoretischer Untersuchungen und Kritik. Zweitens ist die epistemische Bewertung und Verbesserung dieser Überzeugungen nicht *nur* das Geschäft der Naturwissenschaften und anderer empirischer Wissenschaften, selbst wenn wir aus ihnen unverzichtbare Auflagen für psychisch und sozial realisierbare Vorschläge gewinnen. Die Aufstellung und Verteidigung unserer epistemischen Bewertungsmaßstäbe ist von unseren epistemischen Zielen abhängig, und diese Ziele selbst können wir nicht allein aus dem Studium der Wissenschaften gewinnen. Drittens

31 Die Bezeichnungen »Kooptionsthese« und »Inkorporationsthese« hat Uebel im »Kommentar zu Dirk Koppelberg«, in: Hans Jörg Sandkühler (Hg.), *Philosophie und Wissenschaften*, a. a. O., S. 267-269 eingeführt. Der folgende Abschnitt ist eine Überarbeitung meiner Antwort auf Uebels Kommentar.

32 W. V. Quine, »Reply to Smart«, in: Donald Davidson & Jaakko Hintikka (Hg.), *Words and Objections. Essays on the Work of W. V. Quine*, Dordrecht 1969, S. 293.

ist selbst die erkenntnistheoretische Bewertung und Kritik der Naturwissenschaften und anderer Wissenschaften auch dann keine rein innerwissenschaftliche Angelegenheit, wenn es keinen archimedischen Punkt zu ihrer Rechtfertigung gibt. Daß es keine externe Perspektive zur Bewertung unserer kognitiven Bemühungen gibt, bedeutet nicht, daß sich alle epistemischen Belange nur innerhalb der Naturwissenschaften diskutieren und entscheiden lassen. In Neuraths Boot sind nicht nur alle empirischen Wissenschaften, sondern auch unsere Alltagsüberzeugungen mitsamt ihren revidierbaren normativen Auffassungen untergebracht. Dies sind die Gründe, warum ich Merkmal (2) verteidige.

Daß erkenntnistheoretische Maßstäbe nicht schlichtweg mit naturwissenschaftlichen Normen und Zielen zu identifizieren sind, bedeutet jedoch nicht, daß sich die Erkenntnistheorie durch genuin philosophische Methoden oder Belege auszeichnet, wie dies in Merkmal (3) formuliert wird. Unter genuin philosophischen Belegen verstehe ich die weit verbreitete Inanspruchnahme von gewöhnlichen epistemischen Intuitionen als ausschlaggebende Instanz in erkenntnistheoretischen Streitfällen; unter genuin philosophischer Methode verstehe ich die traditionelle Begriffsanalyse, die diese Intuitionen nicht nur als *eine* Klasse von empirischen Daten berücksichtigt, sondern sie vielmehr als Garanten für die Angemessenheit ihrer Ergebnisse betrachtet. Ich verteidige Merkmal (2) deshalb, weil ich zwar keinen prinzipiellen, dennoch aber wichtige graduelle Unterschiede zwischen Erkenntnistheorien und wissenschaftlichen Theorien sehe. Dies bedeutet nicht, daß ich der Erkenntnistheorie eine epistemisch privilegierte Position im Hinblick auf ihre Methoden oder ihre Belege einräume. Ich denke, aus alldem geht hervor, daß es vernünftig ist, (2) zu vertreten und (3) abzulehnen. Genau dies beinhaltet die Kooperationsthese, die nicht nur jede prinzipielle Trennung zwischen der Erkenntnistheorie und der für sie relevanten Wissenschaften verwirft, sondern darüber hinaus deren Ergebnisse zur Lösung philosophischer Probleme ernst nimmt und auch tatsächlich verwendet.

Ich vermute, mit diesem Ergebnis würde auch Stephen Stich übereinstimmen. Dennoch ist dessen Haltung zum Naturalismus alles andere als klar und eindeutig. Auf der einen Seite hat Stich drei verschiedene Projekte zur Naturalisierung der Erkenntnistheorie diskutiert.[33] Innerhalb dieser Diskussion hat er zwei ziemlich verschiedene Strategien zur Naturalisierung unterschieden, die eine gewisse Ähnlichkeit zu meiner Unterscheidung zwischen radikalen und gemäßigten Formen des Naturalismus aufweisen. Stich nennt die eine von ihnen starken Naturalismus und die andere schwachen Naturalismus und charakterisiert sie wie folgt:

What the answers share is the central idea that empirical science has an important role to play in epistemology – that epistemological questions can be investigated and resolved using the methods of the natural or social sciences. The issue over which Strong Naturalism and Weak Naturalism divide is the *extent* to which science can resolve epistemological questions. Strong Naturalism maintains that *all* legitimate epistemological questions are scientific questions, and thus that epistemology can be reduced to or replaced by science. Weak Naturalism, by contrast, claims only that *some* epistemological questions can be resolved by science. According to Weak Naturalism there are some legitimate epistemological questions that are *not* scientific questions and cannot be resolved by scientific research. The sort of epistemological pragmatism that I'll be advocating ... is a version of Weak Naturalism.[34]

Nach diesen programmatischen Bemerkungen umreißt Stich einige vielversprechende Zukunftsprojekte für seinen naturalistischen Pragmatismus. Dabei besteht sein Hauptziel in der Verbesserung unserer kognitiven Problemlösungsstrategien. Für meine Zwecke ist es an dieser Stelle nicht wichtig, die Details seiner Projekte genauer zu analysieren; es genügt mir hier festzustellen, daß Stich aufgrund seines Programms ein methodologischer Naturalist in meinem Sinne ist.

Doch nun kommen wir zur überraschenden anderen Seite. In einer neueren Arbeit diagnostiziert Stich wichtige Ähnlichkeiten zwischen der gegenwärtigen Literatur zum Naturalismus, insbesondere derjenigen, die sich mit der Naturalisierung von Intentionalität befaßt, und früheren positivistischen Arbeiten, die sich bemühten, Kriterien kognitiver Signifikanz zu formulieren.[35] Es ist aufschlußreich, daß Stich bei seinem Vergleich ausdrücklich

33 Vgl. Stephen Stich, »Naturalizing Epistemology: Quine, Simon and the Prospects for Pragmatism«, in: Christopher Hookway und Donald Peterson (Hg.), *Philosophy and Cognitive Science*, Cambridge 1993, S. 1-17.

34 Ebd., S 2.

35 Siehe seinen Beitrag in diesem Band, S. 105.

auf die Literatur Bezug nimmt, die sich der Naturalisierung des Intentionalen widmet. Dafür gibt es gute Gründe. Wenn er behauptet, daß es vielleicht ebensowenig ein zu verteidigendes Kriterium gebe, mit dessen Hilfe den Anforderungen einer naturalistischen Ontologie Genüge getan werden könne, wie es ein allgemein verteidigbares Kriterium kognitiver Signifikanz gebe, so kritisiert Stich dadurch nicht den Naturalismus im allgemeinen, sondern vielmehr die Vorgehensweise des analytischen Naturalismus, welche die eine oder andere Form von ontologischem Naturalismus sicherstellen soll.[36] Dabei identifiziert Stich den ontologischen Naturalismus explizit mit einer Form des Physikalismus. Dies wird ganz deutlich, wenn er behauptet, daß nach naturalistischer Auffassung alle Schlüsselbegriffe der Sozialwissenschaften in einer spezifischen Beziehung zu den privilegierten Begriffen der Physik stehen müssen. Ich habe bereits dafür argumentiert, daß eine solch spezielle Anforderung nicht zu einem Definitionsmerkmal des Naturalismus schlechthin gemacht werden sollte; sie stellt nicht mehr als eine spezifische Variante eines fragwürdigen analytischen Naturalismus dar, der in seinem methodischen Vorgehen ganz der traditionell-analytischen Philosophie verhaftet bleibt.

Was läßt sich alldem entnehmen? Auch wenn es vielleicht auf den ersten Blick so scheinen mag, ist es kein Widerspruch, wenn Stich den methodologischen Naturalismus in der Erkenntnistheorie verteidigt und den analytischen Naturalismus im Hinblick auf Intentionalität kritisiert, weil letzterer Methoden und Überzeugungen beinhaltet, die einem methodologischen Naturalismus suspekt sind. Von dessen Standpunkt betrachtet, stellt der analytische Naturalismus eine unnaturalistische Strategie dar, weil er statt empirischer Untersuchungen apriorische Auflagen favorisiert. Es ist deshalb nur schwer nachvollziehbar, daß es Philosophen gibt, die eine solch unnaturalistische Strategie, bestehend aus apriorischer Begriffsanalyse verbunden mit apriorischer Setzung einer physikalistischen Ontologie, zum allgemeinen Definitionsmerkmal des Naturalismus machen wollen. Ein solches Vorgehen ist ein einschlägiges Beispiel für die zu Beginn des Aufsatzes angeführte Feststellung Roy Wood Sellars', daß der Naturalismus so eng definiert wird, daß das Ergebnis ein

36 Ebd., S. 106 f.

Strohmann wird, den man dann um so leichter zerreißen kann. In diesem Fall ist der Naturalismus jedoch nicht nur zu eng definiert; er ist schlicht und einfach schlecht definiert. Eine solche Definition sollte deshalb nicht akzeptiert werden, wenn es um eine adäquate Charakterisierung des Naturalismus geht.

3. Schluß: Was Naturalismus sein sollte

Meine dritte These besteht lediglich aus einer zweiteiligen Zusammenfassung: (I) Nach einem kritischen Vergleich der drei Spielarten des Naturalismus stellt sich die methodologische Version als das interessanteste Forschungsprogramm heraus. (II) Der kooperative Naturalismus ist ihre aussichtsreichste Variante; seine Methodologie fördert vernünftige und durchführbare Naturalisierungsprojekte in verschiedenen philosophischen Teildisziplinen.

Ich werde hier nichts mehr zur Verteidigung der Teilthese (I) anführen. In meiner Diskussion von Stichs unterschiedlicher Einschätzung des Naturalismus dürfte deutlich geworden sein, wo meine Bedenken gegenüber einem metaphysischen und analytischen Naturalismus liegen, insbesondere wenn sich diese auf eine traditionelle Form von Begriffsanalyse verpflichten. Es dürfte hoffentlich zumindest ebenso klargeworden sein, warum ich für einen methodologischen Naturalismus eintrete, insbesondere dann, wenn er die Form eines kooperativen Naturalismus annimmt.

Zu Beginn zitierte ich Sellars' Klage über den Mißstand, daß bis heute ein adäquater Naturalismus nicht formuliert worden ist. Ich hoffe, daß ich zumindest erste Schritte zu einer solchen Formulierung unternommen habe. Schließen möchte ich mit einem Beispiel, das diese Schritte anhand eines konkreten Problems noch einmal verdeutlicht und dadurch auch zur Stützung der Teilthese (II) beiträgt. Die einschlägige Disziplin ist diesmal nicht die Erkenntnistheorie, sondern die intentionale Psychologie.

Bekanntlich gibt es seit einiger Zeit viel philosophischen Wirbel um den methodologischen und erkenntnistheoretischen Status der Alltagspsychologie, die sich dadurch auszeichnet, daß wir in ihr unsere Handlungen durch die wechselseitige Zuschreibung von mentalen, insbesondere intentionalen, Zuständen erklären und voraussagen. Einige Philosophen behaupten, daß diese Alltagspsychologie eine Theorie ist; andere behaupten, daß sie das nicht ist. Die Philosophen, die dafür eintreten, daß sie eine Theorie ist, streiten sich darüber, ob es sich bei ihr um eine gute oder um eine schlechte Theorie handelt. Die Philosophen, die bestreiten, daß es sich um eine Theorie handelt, betrachten die Alltagspsychologie statt dessen als eine besondere Art von Simulationsfähigkeit oder aber als eine Form praktischen Diskurses. Und schließlich gibt es noch Philosophen, die meinen, daß es sich bei der Alltagspsychologie zwar um eine Theorie handle, jedoch nicht um eine rudimentäre empirische Theorie, sondern um eine Art hermeneutischen Verfahrens, um einen Interpretationskalkül mit mehr oder weniger starken Rationalitätsannahmen. Inzwischen gibt es zwischen all diesen Positionen eine kaum noch überschaubare weitverzweigte und komplizierte philosophische Diskussion.

Während der letzten zehn Jahre interessierten sich auch zunehmend Psychologen für die Frage, wie es zu erklären ist, daß wir die Fähigkeit haben, anderen und uns mentale und insbesondere intentionale Zustände zuzuschreiben. So gibt es inzwischen eine faszinierende empirische Forschungsrichtung, die bestimmte Formen des Autismus mit dem Fehlen dieser Zuschreibungsfähigkeiten in einen systematischen Zusammenhang zu bringen sucht. Mittlerweile existieren empirische Befunde, die für die heiß debattierten philosophischen Fragen der Selbst- und Fremdzuschreibung propositionaler Einstellungen von vielleicht entscheidender Wichtigkeit sind.[37]

Die sogenannte Theorie-Theorie sagt voraus, daß es keinerlei Unterschiede in der Beherrschung von Selbst- und Fremdzuschreibungen geben sollte. Dagegen prognostizieren die Simulationstheorien von Goldman und Harris, daß eine Kompetenz zur Selbstzuschreibung vor einer Kompetenz in Fremdzuschreibung erreicht wird. Schließlich sagt Gordons Variante der Simulationstheorie voraus, daß eine Kompetenz zur Selbstzuschreibung erst nach einer Kompetenz zur Fremdzuschreibung

37 Die folgenden Daten finden sich in Peter Carruthers, »Simulation and Self-Knowledge: A Defence of Theory-Theory«, in: Peter Carruthers und Peter K. Smith (Hg.), *Theories of Theories of Mind*, Cambridge 1996, S. 36 f.

festzustellen ist. Nach Auswertung der verfügbaren empirischen Erhebungen scheinen diese die Prognosen der Theorie-Theorie zu bestätigen. Natürlich ist die empirische Erforschung der Selbst- und Fremdzuschreibung von mentalen Zuständen keine leichte Aufgabe. Vielleicht werden neue Experimente oder eine methodologische Kritik experimenteller Vorgehensweisen die empirischen Belege zugunsten der Theorie-Theorie erschüttern oder revidieren. Doch hier geht es mir nicht um eine Verteidigung dieser Theorie oder einer speziellen Variante von ihr. Mir geht es vielmehr anhand dieses Beispiels um die Illustration der These, daß empirische Forschung einschlägig für die Lösung genuin philosophischer Fragen ist, weil genau dies eine Kernbehauptung des kooperativen Naturalismus darstellt. Diese Art, die intentionale Psychologie zu naturalisieren, scheint mir viel aussichtsreicher und im Sinne eines tatsächlich praktikablen methodologischen Naturalismus überzeugender zu sein als die hochfliegenden und letztlich unnaturalistischen Ambitionen eines analytischen Naturalismus.

Seit der Veröffentlichung von Quines Klassiker »Epistemology Naturalized« sind viele dem Naturalismus nahestehende Philosophen damit beschäftigt, Argumente für die Naturalisierung der Philosophie vorzubringen. Was ich für zumindest ebenso wichtig halte, ist die propagierte Naturalisierung in den verschiedenen Teildisziplinen der Philosophie in angemessener Weise durchzuführen und die dabei erzielten Ergebnisse zur interdisziplinären Diskussion zu stellen.[38]

38 Für kritische Kommentare zu einer früheren Fassung dieser Arbeit danke ich Ansgar Beckermann, Dirk Hartmann, Geert Keil, Andreas Kemmerling, Frank Mau, Herbert Schnädelbach und Steve Stich.

Stephen Stich[1]
Puritanischer Naturalismus

1. Die Katastrophentheorie

Intentionaler Irrealismus ist die Doktrin, daß Bedeutung ein Mythos ist oder, etwas genauer, daß nichts in der Welt intentionale Eigenschaften hat – daß also intentionale Prädikate auf nichts zutreffen. Wenn der intentionale Irrealismus recht hat, stimmt es nicht, daß

(1) »Schnee ist weiß« bedeutet, daß Schnee weiß ist,
oder daß

(2) George Bush oft daran denkt, wie er die nächste Wahl gewinnt,
oder daß

(3) Lincoln die Sklaven befreien wollte
oder daß

(4) der Gedanke an den Wahlsieg George Bush manchmal zum Lächeln bringt
oder daß

(5) Lincolns Wunsch, die Sklaven zu befreien, seine Unterzeichnung der Proklamation zur Befreiung der Sklaven verursachte.

Es liegt auf der Hand, daß der intentionale Irrealismus einige bestürzende Konsequenzen hat. Wenn er wahr ist, ist ein erheblicher Teil dessen, was in unseren Lehrbüchern steht, was wir unsere Kinder lehren und was wir zueinander sagen, falsch. Es wäre dann in der Tat so, wie Fodor mit nur wenig Übertreibung beschrieben hat:

> [I]f it isn't literally true that my wanting is causally responsible for my reaching, and my itching is causally responsible for my scratching, and my believing is causally responsible for my saying ..., if none of that is literally true, then practically everything I believe about anything is false and it's the end of the world.[2]

1 Die Abschnitte 1 und 2 sind in Koautorschaft mit Stephen Laurence entstanden.

2 Jerry A. Fodor, *A Theory of Content and Other Essays*, Cambridge, Mass. 1990, S. 156.

Wir bezweifeln eher, daß dies das Ende der Welt wäre. Fodor trifft die Sache vielleicht eher mit der Behauptung, daß, wenn der intentionale Irrealismus recht hat und »commonsense intentional psychology really were to collapse, that would be, beyond comparison, the greatest intellectual catastrophe in the history of our species. [...] The collapse of the supernatural didn't compare«.[3]

Nun gut, wir sind uns einig, daß der intentionale Irrealismus eine ziemlich radikale Doktrin ist. Doch warum um alles in der Welt sollte man sich über ihn den Kopf zerbrechen? Warum erscheint er irgend jemandem auch nur annähernd plausibel? Fodor meint, daß die »deepest motivation for intentional irrealism« in dem Verdacht stehe, »that the intentional can't be naturalized«:

> The deepest motivation for intentional irrealism derives not from such relatively technical worries about individualism and holism as we've been considering, but rather from a certain ontological intuition: that there is no place for intentional categories in a physicalistic view of the world; that the intentional can't be naturalized.[4]

Als ein Stückchen Soziologie betrachtet ist das vermutlich richtig. In den letzten Jahren haben viele Philosophen die Entwicklung einer »naturalistischen« Auffassung intentionaler Kategorien auf der Prioritätenliste weit nach oben gesetzt.[5] Zudem herrscht in einem großen Teil dieser Literatur ein unverkennbar eindringlicher Ton: Das Intentionale zu naturalisieren ist nicht bloß ein interessantes Projekt, es ist von größter Bedeutung. *Furchtbares* wird geschehen, wenn das Projekt fehlschlägt. Und für viele Autoren ist diese furchtbare Konsequenz wohl der intentionale Irrealismus.[6] Aber diese soziologische Tatsache wirft eine philosophische Frage auf. *Warum* sollte der Irrealismus

3 Fodor, *Psychosemantics*, Cambridge, Mass. 1987, S. xii.

4 Ebd., S. 97.

5 Beispielsweise Ned Block, Michael Devitt, Fred Dretske, Hartry Field, Jerry Fodor, Brian Loar, William Lycan, Ruth G. Millikan, David Papineau, Stephen Schiffer und Robert Stalnaker.

6 Bei Schiffer findet diese Einstellung einen besonders deutlichen Ausdruck. Seiner Auffassung nach ist die Frage, wie das Semantische und das Psychologische mit dem Physischen zusammenhängen, »an urgent question«, weil »we should not be prepared to maintain that there *are*

(oder etwas vergleichbar Beunruhigendes) folgen, wenn das Intentionale nicht naturalisiert werden kann? Worin besteht die Verbindung zwischen der Existenz oder Nichtexistenz einer naturalistischen Theorie intentionaler Kategorien und der Wahrheit oder Falschheit von Sätzen wie (1)-(5)? Dies sind die Fragen, die uns umtreiben.

Um sie zu beantworten, muß man natürlich angeben, worin die »Naturalisierung« des Intentionalen besteht. Und wir werden sehen, daß an Antworten darauf kein Mangel herrscht. Aber nicht jede Antwort ist brauchbar. Eine befriedigende Erläuterung, worin die Naturalisierung des Intentionalen besteht – eine Erläuterung, welche die nach Fodor »deepest motivation for intentional irrealism« verständlich macht –, wird zwei Auflagen Rechnung tragen müssen. Erstens müßte sie ein Argument von der Prämisse, daß intentionale Begriffe nicht naturalisiert werden können, zu der Konklusion stützen, daß der intentionale Irrealismus oder eine andere tief beunruhigende Doktrin wahr ist. Zweitens muß ein Grund für die Annahme geliefert werden, daß das Intentionale in der Tat nicht naturalisierbar ist, wenn »naturalisieren« dem Vorschlag entsprechend ausbuchstabiert wird. Denn selbst wenn Nichtnaturalisierbarkeit den Irrealismus impliziert, ist das sicher kein Grund zur Besorgnis, sofern es weder plausibel noch durch ein überzeugendes Argument dargetan ist, daß das Intentionale nicht naturalisiert werden kann.

Während es einige Erläuterungen der Naturalisierung des In-

semantical or psychological facts unless we are prepared to maintain that such facts are completely determined by, are nothing over and above, physical facts« (Stephen Schiffer, »Intention Based Semantics«, in: *Notre Dame Journal of Formal Logic* 23 (1982), S. 119-156, hier: S. 119).

Fodor zufolge rührt das Problem gar an die Lebensader der gegenwärtigen Forschungspraxis. Wenn das Intentionale nämlich nicht naturalisierbar ist, dürften viele Leute, die im Gebiet der Kognitionswissenschaften arbeiten, keine öffentlichen Forschungsgelder mehr bekommen: »If it turns out that the physicalization – naturalization – of intentional science [...] is impossible, [...] then it seems to me that what you ought to do is do your science in some other way. [...] If you really can't give an account of the role of the intentional in the physical world [...] [then] by Christ [...] we should stop spending the taxpayer's money« (Fodor, »Roundtable Discussion«, in: P. Hanson [Hg.], *Information, Language, and Cognition*, Vancouver 1990, S. 202 f.).

tentionalen gibt, die eine der beiden Auflagen erfüllen, gibt es unserer Überzeugung nach keine, die *beide* erfüllt. [...]

Wenn wir damit recht haben, ist der eindringliche Ton, der einen großen Teil der neueren Literatur durchdringt, fehl am Platze. Natürlich kann es vollkommen vernünftig sein, sich irgendeine Strategie der Naturalisierung des Intentionalen zu eigen zu machen und dann die Möglichkeiten ihrer Durchführung auszuloten. Eine erfolgreiche Naturalisierung mag eine beeindruckende und wertvolle Leistung sein. Doch wenn sich herausstellen sollte, daß das Intentionale nicht naturalisierbar ist, *werden keine furchtbaren Konsequenzen eintreten.* Wir werden nicht die Geschichte neu schreiben müssen, wir brauchen die intentionale Psychologie nicht aufzugeben noch unsere Beschreibungen und Erklärungen menschlichen Verhaltens zu ändern. Es wird nicht das Ende der Welt sein, noch nicht einmal der Anfang vom Ende.

Bevor wir uns Theorien der Naturalisierung zuwenden, sei noch etwas über einige weitere alarmierende Folgen gesagt, die ein Mißlingen der Naturalisierung angeblich hätte. Bei Fodor und anderen herrscht die Befürchtung vor, die im Mittelpunkt dieses Abschnitts steht: Wenn das Intentionale nicht naturalisiert werden kann, trägt der intentionale Irrealismus den Sieg nach Hause. Doch häufig wird das Eintreten anderer Katastrophen vermutet. Zum Beispiel heißt es, daß intentionale Zustände sich als kausal unwirksam herausstellen würden. So befürchtet Fodor in der oben zitierten Passage das Ende der Welt für den Fall, daß es nicht wörtlich wahr ist, daß sein Wünschen kausal verantwortlich für sein Reden ist. Bei Fred Dretske wird die Befürchtung, daß intentionale Zustände kausal unwirksam sein könnten, oft als Motiv für die Suche nach einer Naturalisierung dieser Zustände angeführt. Tatsächlich legt Dretske manchmal nahe, daß wir intentionale Zustände überhaupt aus unserer Ontologie streichen sollten, wenn sie kausal unwirksam sind: »If beliefs and desires are not causally relevant to behavior, I, for one, fail to see why it would be worth having them. [...] If reasons aren't causes, one of the chief – indeed (for certain people) the *only* – motive for inducing them in one's inventory of the mind, vanishes.«[7] Eine

7 Fred I. Dretske, »Reasons and Causes«, in: *Philosophical Perspectives* 3 (1989), S. 1-15, hier: S. 1.

weitere, ganz andere Befürchtung lautet, daß intentionale Psychologie keine seriöse *Wissenschaft* wäre, wenn die Naturalisierung mißlingt, weil es dann keine *Gesetze* gäbe, in denen intentionale Begriffe oder Eigenschaften figurierten. Uns treiben diese Befürchtungen nicht stärker um als der intentionale Irrealismus. Wir argumentieren nämlich dafür, daß nach jeder nur entfernt plausiblen Interpretation der Behauptung der Nichtnaturalisierbarkeit keine dieser schlimmen Konsequenzen eintreten wird.

2. Naturalisierung und Begriffsanalyse

Vor langer Zeit war etwas, was man *Begriffsanalyse* nannte, der letzte Schrei in der Philosophie. Die Zeitschriften waren voll von Versuchen, notwendige und hinreichende Bedingungen für die Anwendung eines Ausdrucks oder Begriffs anzugeben. Und wenn ein Philosoph eine solche »Analyse« veröffentlicht hatte, pflegte meistens ein anderer Philosoph eine hypothetische Situation zu beschreiben, in der wir intuitiv das Analysans für zutreffend halten würden und das Analysandum nicht, oder umgekehrt. Für Philosophen, die sich an diese vergangenen Zeiten erinnern (nur einer von uns beiden tut es), erzeugt ein Großteil der Literatur über die Naturalisierung des Intentionalen einen starken Eindruck von *déjà vu*. Man betrachte beispielsweise das folgende Zitat:

> The worry about representation is above all that the semantic (and/or the intentional) will prove permanently recalcitrant to integration in the natural order [...]. What is required to relieve the worry is therefore, at a minimum, the framing of *naturalistic* conditions for representation. That is, what we want at a minimum is something of the form ›*R represents S*‹ *is true iff* C where the vocabulary in which condition C is couched contains neither intentional nor semantic expressions.[8]

Natürlich reicht ein Interesse am Aufstellen notwendiger und hinreichender Bedingungen für sich genommen noch nicht aus, einen Philosophen der Beteiligung an begrifflicher Analyse zu überführen. Denn typischerweise wird ein Begriffsanalytiker nicht mit beliebigen Bedingungen zufrieden sein, die zufälliger-

8 Fodor, »Semantics, Wisconsin Style«, in: *Synthese* 59 (1984), S. 231-250, hier: S. 232.

weise mit dem analysierten Prädikat koextensiv sind. Wenn eine vorgeschlagene Analyse akzeptabel sein soll, muß die Koextension nicht bloß in allen faktischen Fällen bestehen, sondern auch in allen konstruierten oder hypothetischen. Das Bikonditional, das die Analyse angibt, hat nicht nur wahr zu sein, sondern *notwendig* wahr. Außerdem soll die behauptete Koextension in allen möglichen Welten überprüfbar sein, indem wir unsere sprachlichen Intuitionen befragen und entscheiden, was wir in hypothetischen Fällen sagen würden. Offenbar ist dieses Verfahren am sinnvollsten unter der Annahme, daß die Koextension sich von den Bedeutungen der Begriffe herleitet, die unseren Prädikaten zugrunde liegen: Das Analysans (die rechte Seite des Bikonditionals) legt die Bedeutung des durch das Analysandum ausgedrückten Begriffs frei.

Könnte es sein, daß Fodor und andere in ihrer Besorgnis über die Nichtnaturalisierbarkeit des Intentionalen tatsächlich darüber besorgt sind, daß die Bedeutung intentionaler Prädikate oder Begriffe nicht durch eine Menge notwendiger und hinreichender Bedingungen angegeben werden könnte, die nicht wiederum intentionale Ausdrücke enthalten? Wir sind uns hier keinesfalls sicher. Tatsächlich haben wir den Verdacht, daß diese Philosophen *keine* klare Vorstellung davon haben, worauf das »Naturalisieren« hinausläuft, und daß ihre Befürchtungen hauptsächlich auf diese Unklarheit zurückgehen. Wenn es aber nicht ausgemacht ist, daß diese Philosophen wirklich eine Begriffsanalyse wollen, dann wird das so aufgefaßte »Naturalisieren« klarerweise die erste unserer beiden Auflagen nicht erfüllen.

Tatsächlich liegt eine gewisse Ironie darin, daß Fodor oft von der Nichtanalysierbarkeit unserer intentionalen Begriffe durch nichtintentionale Ausdrücke alarmiert scheint. Denn unter den zeitgenössischen Philosophen hat niemand hartnäckiger als Fodor darauf bestanden, daß wir nicht erwarten sollten, *überhaupt* Analysen für unsere Ausdrücke oder Begriffe zu finden. Wenn ihn diese Stimmung überkommt, sagt er Dinge wie diese:

It seems to me to be among the most important findings of philosophical and psychological research over the last several hundred years (say, since Locke first made the reductionist program explicit) that attempts at conceptual analysis practically always fail.
Consider, for example, the failure of the reductionist program within the study of language. [...] What I'll call the *Definition Hypothesis* [is the

claim that] (a, weak version) [...] many de facto lexical concepts are definable; and (b, strong version) that they are definable in a vocabulary of sensory-terms-plus-logical-syntax.
It's simply notorious that the stronger version of this claim has proved to be untenable. [...] But what's equally true, and considerably more striking, is that the evidence seems to bear against the definition hypothesis even in the weak version; if there are no plausible cases of definition in a sensory vocabulary, there are also remarkably few plausible examples of definition in a *non*-sensory vocabulary, one indication of which is the striking paucity of working examples in the standard literature. There is ›bachelor‹, which is supposed to mean ›unmarried man‹; [...] there are jargon terms, which are explicitly and stipulatively defined; [...] there is a handful of terms which belong to real, honest-to-God axiomatic systems; [...] and then there are the other half million or so items that the OED lists. About these last apparently nothing much can be done.[9]

Fodors Beurteilung der Erfolgsbilanz der Begriffsanalyse läßt sich unserer Meinung nach nicht ernsthaft bestreiten. Obwohl über die Jahrhunderte viele kluge Leute große Anstrengungen in dieser Richtung unternommen haben, verfügen wir immer noch nicht über plausible Definitionen von ›Wissen‹, ›Ursache‹, ›Gesetz‹ oder ›Freiheit‹, oder von einem der anderen Ausdrücke, die in philosophischen Diskussionen eine große Rolle spielen. Zudem ist es, wie Fodor weiter anführt, nicht einfacher, Definitionen für profanere Ausdrücke wie ›Farbe‹ oder ›Eltern‹ oder ›Schwein‹ anzugeben. Je mehr man sich mit dem Projekt beschäftigt, ausnahmslose, intuitiv annehmbare notwendige und hinreichende Bedingungen anzugeben, desto eher ist man geneigt, Fodors Folgerung zuzustimmen: »When it comes to definitions, the examples almost always don't work.«[10]

Was sollen wir von dieser Situation halten? Nun, natürlich könnte Begriffsanalyse einfach *schwierig* sein, und wir mögen, wenn wir am Ball bleiben, am Ende doch eine beträchtliche Anzahl intuitiv annehmbarer Definitionen finden. Doch es ist ebensogut möglich, daß wir nie Erfolg haben werden – daß das Definieren ganz gewöhnlicher Prädikate schlicht ein undurchführbares Projekt ist.

Wenn das Projekt undurchführbar *ist*, wird dies beträchtliche Auswirkungen auf diejenigen Teilgebiete von Philosophie und

9 Fodor, *Representations*, Cambridge, Mass. 1981, S. 283 f.
10 Fodor, ebd., S. 288.

Psychologie haben, in denen man sich mit der Struktur unserer Begriffe beschäftigt. Es gibt eine ehrwürdige Tradition in diesen Gebieten, der zufolge die Begriffe oder mentalen Strukturen, die dem Gebrauch der meisten Prädikate zugrunde liegen, tatsächlich mental repräsentierte Definitionen sind – Mengen notwendiger und hinreichender Bedingungen. Bei der Entscheidung, ob ein Ausdruck auf einen gegebenen Fall zutrifft oder nicht – so diese »klassische Auffassung« –, beurteilen wir bewußt oder (typischerweise) unbewußt, ob der fragliche Fall die Bedingungen der Definition erfüllt. Wenn es sich herausstellt, daß es für die meisten Ausdrücke einfach keine Definitionen gibt, hat die klassische Auffassung der Struktur und des Gebrauchs von Begriffen offenkundig ausgedient.[11]

In den letzten Jahren hat man die Probleme der klassischen Auffassung immer deutlicher erkannt, und es ist eine Reihe interessanter Alternativen vorgeschlagen worden. Die wohl bekanntesten davon sind die ›prototypische‹ und die ›exemplarische‹ Auffassung der Begriffe, die Eleanor Rosch und ihre Mitarbeiter entwickelt haben. Der Prototypentheorie zufolge sind Begriffe gewichtete Listen derjenigen Merkmale, die für die typischsten Vertreter der Kategorie, die der Begriff benennt, charakteristisch sind. Solche Listen werden in der Regel viele Merkmale enthalten, die für die Zugehörigkeit zu der Kategorie nicht notwendig sind. Nach der Exemplar-Auffassung sind Begriffe in Wirklichkeit detaillierte mentale Beschreibungen einzelner Vertreter der Kategorie. So könnte beispielsweise der Begriff, der unserem Gebrauch des Wortes ›Hund‹ zugrunde liegt, detaillierte Beschreibungen von Lassie und Rin Tin Tin enthalten. Bei der Entscheidung, ob etwas als ein Hund zu kategorisieren ist, bewertet man dieser Theorie zufolge die Ähnlichkeit zwischen dem fraglichen Gegenstand und den verschiedenen im semantischen Gedächtnis gespeicherten Exemplaren.[12] Fodor hat eine ganz andere Alternative zur klassischen Begriffsauffassung vorgeschlagen. Ihm zufolge haben die meisten der unseren Einwort-Prädikaten zugrunde liegenden Begriffe überhaupt keine Struktur – oder jedenfalls keine, die für ihre semantischen Eigenschaften

11 Eine gute Diskussion der klassischen Auffassung findet sich bei Edward E. Smith und Douglas L. Medin, *Categories and Concepts*, Cambridge, Mass. 1981, Kap. 3.

12 Vgl. ebd., Kap. 4-6.

relevant wäre. Wenn es sich so verhält, ist natürlich schwer zu sehen, wie diese Begriffe erlernbar wären. Fodor stört das nicht, da er sie alle für angeboren hält.[13]

Hier ist nicht der Ort, die Details dieser »nichtklassischen« Begriffstheorien auszuführen oder ihre Vorzüge und Mängel zu diskutieren. Wir haben sie nur als Beleg dafür angeführt, daß eine Reihe interessanter Begriffstheorien auf dem Markt sind, die sich mit dem Befund vereinbaren lassen (und ihn vielleicht sogar erklären), daß es für die meisten unserer Begriffe keine intuitiv akzeptablen Definitionen geben dürfte. Es besteht also kein Anlaß zur Beunruhigung, wenn es solche Definitionen tatsächlich nicht gibt. Die angemessene Reaktion ist vielmehr, sich an die Arbeit zu machen, um herauszufinden, welche der verschiedenen nichtklassischen Theorien korrekt ist. Es wäre aberwitzig, aus der Nichtdefinierbarkeit der meisten unserer Begriffe zu folgern, daß die Ausdrücke, die diesen Begriffen entsprechen, auf nichts zutreffen. Der Schluß von *Das Prädikat ›... ist ein Rind‹ ist nicht definierbar* auf *So etwas wie Rinder gibt es nicht* ist schlicht pervers. Besorgnisse über bovinen Irrealismus sind eine nicht einmal entfernt angemessene Reaktion auf das Scheitern der klassischen Begriffsauffassung. Und genau dasselbe kann man natürlich über intentionale Prädikate sagen. Es mag gute Gründe für die Befürchtung geben, daß der intentionale Irrealismus wahr sein könnte, doch die Tatsache, daß ›*R repräsentiert C*‹ nicht definierbar ist, gehört sicher nicht dazu.[14]

Was ist mit den anderen beiden Befürchtungen, die wir am Ende des ersten Abschnitts skizziert haben? Folgt aus der Nichtdefinierbarkeit intentionaler Ausdrücke, daß intentionale Zustände kausal unwirksam sind oder daß es keine Gesetze gibt, in

13 Vgl. Fodor, *Representations*, a. a. O., S. 257-316.

14 In der oben zitierten Passage besteht Fodor darauf, daß »what we want at a minimum is something of the form ›*R represents S*‹ *is true iff C* ...«. In neueren Aufsätzen ist Fodor hingegen mit deutlich weniger zufrieden. In der folgenden Passage beharrt er beispielsweise nicht mehr auf notwendigen und hinreichenden Bedingungen, sondern begnügt sich mit bloß hinreichenden Bedingungen: »I want a *naturalized* theory of meaning; a theory that articulates, in nonsemantic and nonintentional terms, sufficient conditions for one bit of the world to be *about* (to express, represent, or be true of) another bit« (Fodor, *Psychosemantics*, a. a. O., S. 98). [...]

denen intentionale Eigenschaften eine Rolle spielen? Wir meinen, daß die Antwort in beiden Fällen ein klares *Nein* ist. Zur Verdeutlichung betrachte man einige Analogien. Wenn die klassische Begriffsauffassung falsch ist, lassen sich keine notwendigen und hinreichenden Bedingungen für Prädikate wie ›x schoß auf y‹ oder ›z starb‹ angeben. Doch daraus folgt bestimmt nicht, daß es nicht wörtlich wahr wäre, daß der von John Wilkes Booth abgegebene Schuß den Tod von Lincoln verursacht hat. Natürlich wären, wenn die klassische Auffassung falsch ist, auch Ausdrücke wie ›Kraft‹, ›Masse‹ und ›Gravitation‹ nicht definierbar. Doch wiederum wäre die Folgerung bestenfalls ein schlechter Scherz, daß es keine Gesetze gibt, in denen diese Ausdrücke vorkommen. Wenn die klassische Begriffsauffassung zusammenbricht, wird sie nicht die ganze Physik mit sich reißen. Bei intentionalen Ausdrücken liegt der Fall offensichtlich völlig parallel. Wenn es sich herausstellt, daß man sie nicht analysieren oder definieren kann, begründete dies nicht im mindesten die Folgerung, daß intentionale Zustände kausal entmächtigt oder nicht nomologisch einbettbar wären. Falls also die »Naturalisierung des Intentionalen« eine klassische Analyse intentionaler Begriffe erfordert, dann gibt es in unseren Augen keinen Grund zu der Annahme, daß aus der Nichtnaturalisierbarkeit des Intentionalen irgend etwas Beunruhigendes folgen würde. [...]

3. Der Logische Positivismus und die Tradition des philosophischen Puritanismus

Für viele große Philosophen der Moderne war es ein zentrales Ziel, in intellektuellen Dingen das Gute vom Schlechten zu scheiden, indem sie Kriterien aufstellten, die das Gute erfüllen müßte. Bei Descartes und Hume wurden die Kriterien in epistemischen Begriffen angegeben. Und es ist berüchtigt, welche reichlich drakonischen Maßnahmen Hume für den Umgang mit Doktrinen empfiehlt, die den Kriterien nicht genügen:

> Sehen wir, von diesen Prinzipien durchdrungen, die Bibliotheken durch, welche Verwüstungen müssen wir da nicht anrichten? Greifen wir irgend einen Band heraus, [...], so sollten wir fragen: *Enthält er irgend einen abstrakten Gedankengang über Größe oder Zahl? Nein. Enthält er ir-*

gend einen auf Erfahrung gestützten Gedankengang über Tatsachen und Dasein? Nein. Nun, so werft ihn ins Feuer, denn er kann nichts als Blendwerk und Täuschung enthalten.[15]

In den mittleren Dekaden des zwanzigsten Jahrhunderts, als die Sprache im Denken vieler Philosophen eine immer größere Rolle spielte, nahm das Projekt der Scheidung des Guten vom Schlechten einen ›linguistic turn‹. Die Logischen Positivisten versuchten, Sinnkriterien zu formulieren (Kriterien des »kognitiven« oder »empirischen« Sinns), und die Sätze, die den Standards nicht genügten, wurden als »sinnlos« oder »unsinnig« verdammt. Solche Projekte begannen normalerweise mit der Angabe einer privilegierten Klasse von Sätzen, deren empirischer Sinn außer Frage stand, obwohl es nicht wenige Diskussionen darum gab, welchen Sätzen diese Ehre verliehen werden sollte. Für die Enthaltsamsten waren nur Sätze erlaubt, die über Sinnesdaten berichteten. Liberalere Theoretiker schlossen »Beobachtungssätze über physikalische Gegenstände« mit ein. Nachdem diese privilegierte Klasse angegeben worden war, bestand die zweite Phase des Projekts darin, zu erklären, wie weitere Sätze in die Klasse der sinnvollen Sätze aufgenommen werden könnten. Dies geschah in der Regel durch die Angabe einer Legitimierungsrelation, in der diese Sätze zu den privilegierten Sätzen stehen mußten. Aber dies erwies sich als keine leichte Aufgabe. Von einigen der vorgeschlagenen Relationen wurde rasch gezeigt, daß sie zu permissiv waren – sie ließen alle Aussagesätze hinein, inklusive des allergrößten Unsinns. Andere Relationen erwiesen sich als zu restriktiv, da sie erhebliche Teile unserer besten und angesehensten wissenschaftlichen Theorien ausschlossen. Diese Vorschläge schütteten das Kind mit dem Bade aus. Letzten Endes ging das Projekt der Positivisten an der Menge der Fehlschläge zugrunde. Mit der Zeit kamen die Philosophen zu der Überzeugung, daß man Sinn von Unsinn nicht dadurch scheiden kann, daß man eine bestimmte Relation R findet, so daß ein Satz S genau dann empirisch sinnvoll ist, wenn S in der Beziehung R zu Beobachtungssätzen über physikalische Objekte steht.[16]

15 David Hume, *Eine Untersuchung über den menschlichen Verstand* (*An Enquiry Concerning Human Understanding*, 1748), Hamburg 1993, XII. Abschnitt, 3. Teil, S. 193.

16 Für zwei exzellente Übersichten über diese Literatur siehe Carl Gu-

Der Versuch einer Grenzziehung zwischen empirisch sinnvollen und empirisch sinnlosen Sätzen war kein rein theoretisches Unterfangen. Viele der Philosophen, die sich um die Aufstellung eines empiristischen Sinnkriteriums bemühten, wollten es auch anwenden. Für die Logischen Positivisten wie für Descartes und Hume vor ihnen befand sich die intellektuelle Welt in einem traurigen Zustand. Unsinnige Theorien, alte wie neue, gab es wie Sand am Meer. Wäre erst einmal ein klares Sinnkriterium formuliert und verteidigt, dann wäre es nicht mehr notwendig, eine detaillierte Kritik am Theismus, Marxismus oder Heideggerschem Existentialismus auszuarbeiten. Man könnte einfach zeigen, daß die Sätze in diesen Theorien dem Sinnkriterium nicht genügten und daher weder wahr noch falsch sein können. Man bräuchte sich nicht auf eine Debatte über die Plausibilität der Argumente für diese Theorien einzulassen. Was den Positivismus so spannend und umstritten machte, war nicht zuletzt die Flut an polemischen Essays, die verschiedene grobgestrickte Versionen des Kriteriums anwendeten, um zu zeigen, daß es sich bei dieser altehrwürdigen Doktrin oder jener modischen Theorie um Unsinn handle.

Natürlich blieben diese Kritiken nicht ohne Antwort. Einige der Entgegnungen lehnten die ganze Idee ab, Sätze an einem empiristischen Sinnkriterium zu messen. In anderen Fällen jedoch akzeptierten die Verteidiger die Herausforderung und versuchten zu zeigen, daß die eine oder andere Satzklasse den Test bestand. Es war jedoch oft schwer zu beurteilen, ob diese Bemühungen erfolgreich waren oder nicht, da es keine Übereinstimmung über die korrekte Formulierung des empiristischen Sinnkriteriums gab. Eine Kategorie von Sätzen, die in dieser Literatur oft diskutiert wurde, waren solche, die das »mentalistische« Vokabular der Alltagspsychologie benutzten. Obwohl einige prominente Behavioristen behauptet hatten, daß der mentalistische Diskurs sich auf einer Ebene mit Magie und Voodoo befinde,[17]

stav Hempel, *Aspects of Scientific Explanation*, New York 1965, und Israel Scheffler, *The Anatomy of Inquiry*, New York 1963, Pt. 2.

17 Siehe John B. Watson, *Behaviorism*, Chicago 1930, S. 2-5; sowie B. F. Skinner, *About Behaviorism*, New York 1974, S. 114 f. Watson, einer der Begründer des Behaviorismus in der Psychologie, denunziert dort die in gewöhnlichen alltagspsychologischen Erklärungen erwähnten mentalen Zustände, wie Wünsche und Überzeugungen, als »medieval

waren wenige Positivisten bereit, unseren gesamten mentalistischen Diskurs als sinnlos abzutun. So wurde viel Mühe darauf verwendet, alltagspsychologische Termini in einer Weise zu definieren, die nach dem sich entwickelnden positivistischen Standard akzeptabel war.[18]

Es war durchaus vernünftig, diese polemischen Debatten über die Implikationen des positivistischen Sinnkriteriums zu führen, während das Kriterium selbst noch in Entwicklung begriffen und unvollkommen war. Man muß seine Werkzeuge nicht vervollkommnen, bevor man beginnt, sie zu benutzen. Aber nachdem die Philosophen einmal zu der Überzeugung gelangt waren, daß sich kein akzeptables Kriterium finden läßt, konnte man die Polemik nicht aufrechterhalten, und die Debatten über den empirischen Sinn psychologischer, theologischer oder metaphysischer Sätze verschwanden langsam aus der Literatur.

Hier mag der geeignete Platz sein, um eine persönliche Bemerkung einzustreuen. Seit meinen Studienjahren habe ich eine tiefe Bewunderung für viele der zentralen Figuren in der Bewegung des Logischen Positivismus bewahrt. Obgleich ich für ihre philosophischen Ziele keine Sympathie mehr habe, finde ich ihre Klarheit und intellektuelle Redlichkeit beispielhaft. Es verdient bleibende Anerkennung, daß sie nicht bereit waren, sich mit einer vagen Skizze der angeblichen Grenze zwischen dem Sinnvollen und dem Sinnlosen zufriedenzugeben. Sie mochten auch nicht bei der Behauptung stehenbleiben, daß es *irgendeine* Relation geben müsse, in der alle sinnvollen Sätze zu Beobachtungssätzen über physikalische Gegenstände stünden. Vielmehr bemühten sie sich, diese Relation auch wirklich anzugeben. Und sobald ein Kandidat für diese Relation vorgeschlagen worden war, waren sie ihre eigenen schärfsten und hartnäckigsten Kritiker. Ohne

conceptions« und »heritages of a timid savage past«, die aus demselben Stoff gemacht seien wie »superstition«, »magic« und »voodoo«. Skinner, der vielleicht berühmteste Behaviorist, teilt uns auf jenen Seiten mit, daß »mental life« eine »invention« sei und daß »mental or cognitive explanations are not explanations at all«.

18 Siehe zum Beispiel Rudolf Carnap, »Psychologie in physikalischer Sprache«, in: *Erkenntnis* 3 (1932/1933), S. 107-142; und Carl Gustav Hempel, »The Logical Analysis of Psychology« (1935), wiederabgedruckt in: Ned Block (Hg.), *Readings in Philosophy and Psychology*, Bd. 1, Cambridge, Mass. 1980, S. 14-23.

dieses anhaltende Bemühen, die Grenze zwischen sinnvollen und sinnlosen Sätzen so klar wie möglich zu formulieren, hätte es sicher viel länger zu der Erkenntnis gebraucht, daß das ganze Projekt fehlgeleitet war.

4. Naturalismus und Positivismus

Ich bin der Auffassung, daß es zwischen der neueren Literatur zum Naturalismus – insbesondere des Teils der Literatur, der sich Gedanken um die »Naturalisierung des Intentionalen« macht – und der früheren, im vorangegangenen Abschnitt skizzierten positivistischen Literatur bedeutende Ähnlichkeiten gibt. Beide gehören in dieselbe Tradition des von Davidson und Rorty geschmähten philosophischen Puritanismus,[19] jener Tradition, die es als die Aufgabe der Philosophie ansieht, Standards zu formulieren, denen andere Disziplinen genügen müssen, um als respektabel gelten zu dürfen. Aber die Ähnlichkeiten gehen meines Erachtens noch viel tiefer. Das positivistische und das naturalistische Projekt sind sich in ihrer Struktur ziemlich gleich, und wenn man dies einmal erkannt hat, sind die Mängel des naturalistischen Projekts einfacher zu bemerken. Im folgenden gebe ich einen unvollständigen Überblick über die Ähnlichkeiten zwischen den beiden, zusammen mit ein paar beachtenswerten Unähnlichkeiten.

(a) Der puritanische Naturalismus, wie Laurence und ich ihn kritisiert haben, beginnt mit einer festen, obwohl zugegebenermaßen vagen Überzeugung, daß auf der fundamentalen Ebene unsere Welt eine physische Welt ist und daß alle Bewohner unserer Welt, alle Dinge, die real existieren, ›nichts als‹ physische Dinge sind. Wenn dies richtig ist, dann sollte unsere wissenschaftliche Ontologie, ja unsere gesamte Ontologie auf physi-

19 »Epistemological considerations [...] led [...] [Russell and Carnap and Quine] at various times and in various ways, to various forms of operationalism, verificationism, behaviourism, conventionalism, and reductionism. Each of these was an expression of an underlying ›philosophical puritanism‹ [the term is Davidson's] which held that anything incapable of being ›logically constructed‹ out of certainties [...] was suspicious.« (Richard Rorty, *Philosophy and the Mirror of Nature*, Princeton, N. J. 1979, S. 259)

sche Dinge beschränkt werden. Alle Theorien, deren ontologische Verpflichtungen über Physisches hinausgehen, sollten verworfen werden. Obwohl diese erste Formulierung eines Naturalismus weit davon entfernt ist, präzise zu sein, gibt es allgemeine Übereinstimmung darüber, daß Götter und Dämonen und übernatürliche Kräfte durch dieses Kriterium ausgeschlossen werden und daß wir froh sein können, sie los zu sein. Redliche Denker möchten ihre Ontologie davon freihalten. In analoger Weise begann der Positivismus mit der festen Überzeugung, daß ein Satz durch Erfahrung verifizierbar sein muß, wenn er sinnvoll sein soll, obwohl alles andere als klar war, wie die Idee der ›Verifizierbarkeit durch Erfahrung‹ verstanden werden sollte. Trotz der Vagheit war man sich darüber einig, daß mancher ausgemachte Unsinn jenseits der Grenze zu liegen kommen würde und daß es gut war, ihn los zu sein. Wer würde bezweifeln, daß das berüchtigte »Das Nichts nichtet« nicht verifizierbarer Unsinn ist?

(b) Nach meinem Eindruck sind weder diejenigen, die das naturalistische Kriterium verwenden wollen, um intentionale Entitäten aus unserer Ontologie zu verbannen, noch diejenigen, die dem Intentionalen naturalistische Unbedenklichkeit bescheinigen wollen, in der Klärung des von ihnen verwendeten Kriteriums so sorgfältig wie die Positivisten. Wenn dies richtig ist, dann besteht darin eine Disanalogie zwischen den beiden Projekten, und meiner Ansicht nach eine unglückliche. Auf jeden Fall aber schlagen diejenigen, die detaillierter zu sagen versuchen, was das naturalistische Kriterium verlangt, gewöhnlich eine zweischrittige Strategie vor. Als erstes muß irgendeine grundlegende Menge von physischen Eigenschaften (oder Prädikaten) angegeben werden, obwohl es hier ebenfalls beträchtlichen Streit darüber geben kann, welche dies sind. Zweitens muß der Sinn erläutert werden, in welchem Planeten, Schweine oder Präsidentschaftswahlen ›nichts als‹ physische Dinge sind. Meistens versucht man dies darüber zu erreichen, daß man eine Legitimierungsrelation R angibt, wobei eine Eigenschaft (oder ein Prädikat) genau dann naturalistisch akzeptabel ist (›nichts außer‹ Physischem zuschreibbar ist), wenn sie in der R-Beziehung zu den elementaren physischen Eigenschaften steht. Hier ist die Ähnlichkeit mit dem positivistischen Projekt offensichtlich.

(c) Auch ohne eine klare und überzeugende Angabe des Unterschiedes zwischen naturalistisch akzeptablen und inakzeptablen

Eigenschaften drängen einige Autoren darauf, diesen für polemische Zwecke zu verwenden. Und wie schon beim positivistischen Kriterium ist der Status der Alltagspsychologie einer der Hauptstreitpunkte. Einige Philosophen haben versucht, den Naturalismus (oder ›Physikalismus‹, wie er manchmal genannt wird) für abfällige Kommentare über Theorien zu benutzen, deren Ontologie intentionale Zustände beinhaltet. Viele andere Philosophen haben die Bedrohung ernst genommen und als Antwort darauf zu zeigen versucht, daß intentionale Eigenschaften tatsächlich naturalistisch respektabel seien. Aber da es keine klare oder weithin akzeptierte Ausarbeitung der Anforderungen gibt, denen eine Eigenschaft für das Bestehen des naturalistischen Tests genügen muß, ist es nicht leicht zu beurteilen, wie erfolgreich sie darin waren.

5. Puritanischer Naturalismus versus offener Pluralismus

Der größte Teil des von Laurence und mir geschriebenen Kapitels war möglichen Interpretationen des naturalistischen Kriteriums gewidmet, und wir haben dort dafür argumentiert, daß es nach diesen Interpretationen die gewünschte polemische Rolle nicht spielen könne. In den meisten Fällen[20] lautete der Einwand, daß der Vorschlag zu restriktiv war; jede Menge Kinder wurden mit dem Bade ausgeschüttet. Mit der Darstellung und Kritik dieser Interpretationsvorschläge versuchten wir für den Naturalismus das zu tun, was die Positivisten auf solch bewundernswürdig gewissenhafte Weise für sich selbst getan haben: Wir wollten so klar wie möglich sagen, worauf das naturalistische Kriterium hinausläuft. Ohne eine einigermaßen genaue und explizite Angabe des naturalistischen Maßstabs werden die Debatten um die Naturalisierbarkeit des Intentionalen zwangsläufig genauso unscharf und ergebnislos bleiben wie einst die Diskussionen über den empirischen Sinn mentalistischer Sätze.

Es war sehr erfreulich, daß eine Reihe von Philosophen in ihren

20 Stich bezieht sich hier auf weitere Versionen des naturalistischen Kriteriums, denen zufolge intentionale Prädikate (a) natürliche Arten bezeichnen oder (b) auf physikalische Prädikate supervenieren müßten (vgl. *Deconstructing the Mind*, S. 174-191) [Anm. d. Übers.].

Antworten auf uns eingeräumt haben, daß unsere Bemühungen zumindest teilweise erfolgreich waren. Wie immer ist Kim Sterelny ganz offen: »I have been half-aware of the vagueness of the notion of naturalising [...], this paper made me see that it is even vaguer than I thought.«[21] Ich begrüße diese Reaktion natürlich und ermutige Sterelny und Co., sich an der Verbesserung dieser Situation zu versuchen, indem sie klarer und zufriedenstellender formulieren, was es braucht, um den Anforderungen einer naturalistischen Ontologie zu genügen. Aber wie der Leser wahrscheinlich bereits vermutet, verfolge ich dabei insgeheim einen Plan. Obwohl ich sie ermutige, eine klare und plausible Formulierung des naturalistischen Kriteriums zu entwickeln, erwarte ich eigentlich nicht, daß sie Erfolg haben werden. Denn nach meiner Überzeugung gibt es *kein* haltbares naturalistisches Kriterium, ebensowenig wie es ein haltbares empiristisches Sinnkriterium gibt. Leider dürfte die eine Behauptung so wenig beweisbar sein wie die andere. Aber gerade hier kommen mir Sterelny und Co. zupaß. Denn wenn man sie dazu bringen könnte, mit dem gleichen Engagement wie einst die Positivisten Kriterien vorzuschlagen und zu kritisieren, dann wette ich darauf, daß der puritanische Naturalismus am Ende dasselbe Schicksal erleiden wird wie der Positivismus: Er wird an der Menge der Fehlschläge zugrunde gehen.

Ich habe die Erfahrung gemacht, daß viele Philosophen mit Verwunderung auf meine Behauptung reagieren, daß es keine haltbare Version des naturalistischen Kriteriums geben mag. Sie stimmen mir zu, daß ein haltbares Kriterium schwer zu formulieren ist. Aber sie sind ebenso fest davon überzeugt, daß unsere Welt eine physische Welt ist und daß es »over and above physical facts«[22] keine Tatsachen gibt. Wie kann es also zugehen, daß es kein Kriterium gibt? Diese Verwunderung ist natürlich kein Argument. Sie ist eher der Ausdruck einer bestimmten, vagen, aber weit verbreiteten Konzeption oder eines ›Bildes‹ davon, in welcher Beziehung die Wissenschaften und die in ihnen verwendeten Prädikate und Eigenschaften zueinander stehen müssen. Ich kann die Verwunderung nur dadurch abschwächen, daß ich ein

21 Kim Sterelny, »Why Naturalise Representation?«, in: Karen Neander und Ian Ravenscroft (Hg.), *Prospects for Intentionality. Working Papers in Philosophy*, Bd. 2, Canberra 1993, S. 133.

22 Das Zitat stammt von Stephen Schiffer, siehe oben Fußnote 6.

anderes Bild zeichne – ein ebenso vages zwar, aber ein erheblich plausibleres. Nach dem offenen, pluralistischen Bild, für das ich eintrete, sollten wir nicht erwarten, daß wir das vom Naturalisten gesuchte Kriterium finden können.

Mein Ansatzpunkt ist, daß die den besten unserer physikalischen und biologischen Wissenschaften eigene Ontologie – die Palette von Dingen, über die sie sprechen – erstaunlich divers ist. Es gibt Quarks, Raubtiere, Buckminster-Fullerene, chaotische Attraktoren, gekrümmte Raumzeit-Regionen, Arten, ›täuschende Gene‹, LISP-Compiler, chaotische Systeme, und Massenspektrometer. Und das ist offensichtlich erst die Spitze des Eisbergs. Wenn wir außerdem die Ontologie der Sozialwissenschaften hinzunehmen, erscheint die Liste noch heterogener. Es gibt Kriege, Phoneme, Seuchen, Nomina, Rituale und Hyperinflationsphasen. Nach der Ansicht des Naturalisten müßten alle diese Dinge (oder zumindest alle wirklich respektablen) in einer bestimmten Relation zu physikalischen Eigenschaften stehen. Dies halte ich für eine außerordentlich unplausible These.

Ich behaupte nicht, daß bestimmte Dinge (oder die Prädikate oder Eigenschaften, anhand deren sie herausgegriffen werden) in der Ontologie der zeitgenössischen Wissenschaften in *gar keiner* Relation zu physikalischen Eigenschaften stehen. Relationen kosten nichts, alles ist mit allem auf unendlich viele Weisen verbunden. Ich behaupte vielmehr, daß es *die eine*, *bestimmte* Relation nicht gibt, in der alle und nur die Eigenschaften, die in den respektablen Wissenschaften verwendet werden, zu physikalischen Eigenschaften stehen. Zwischen physikalischen Eigenschaften und etwa der Eigenschaft, ein Buckminster-Fulleren zu sein, gibt es sicherlich viele interessante Beziehungen, aber nur einige dieser Beziehungen bestehen auch zu der Eigenschaft, ein ›täuschendes Gen‹ zu sein, und von diesen wiederum nur einige zu der Eigenschaft, ein chaotischer Attraktor zu sein. Puritanische Naturalisten würden natürlich zustimmen, daß es in diesen Fällen viele interessante Beziehungen gibt. Aber sie würden ebenso darauf insistieren, daß in jedem dieser Fälle mindestens eine entscheidende Legitimierungsrelation besteht, welche im Fall derjenigen Eigenschaften fehlt, die aus der respektablen Wissenschaft verbannt gehören. Wie ich bereits zugegeben habe, kann ich nicht beweisen, daß sie damit im Unrecht sind. Mein Punkt ist lediglich, daß sie im Unrecht sein *könnten*. Es ist nichts

Seltsames oder Mystisches an einem pluralistischeren Bild der Wissenschaften, in dem die von verschiedenen Wissenschaften angeführten Eigenschaften auf viele verschiedene Weisen in Beziehung zu physikalischen Eigenschaften stehen. Ich bin sogar der Ansicht, daß die Beweislast bei den Naturalisten liegt, da sie eine derart starke und (meiner Ansicht nach) unplausible These vertreten. Bevor sie uns nicht sagen, um was für eine Relation es sich handelt, oder ernsthaft dafür argumentieren, daß es eine geben muß, ist die plausibelste Ansicht meines Erachtens nicht bloß, daß sie damit im Unrecht sein mögen, sondern daß sie es sind.

An diesem Punkt könnte ein Naturalist protestieren, daß ich den Naturalismus wenig wohlwollend rekonstruiere. Vielleicht gibt es nicht die *eine* Beziehung, in der alle naturalistisch koscheren Eigenschaften zu physischen Eigenschaften stehen müssen. Vielleicht sind es zwei oder drei oder ein Dutzend. Das mag es für die Naturalisten etwas schwieriger machen, die Klasse der naturalistisch akzeptablen Eigenschaften zu bestimmen, aber dies gefährde die naturalistische Auffassung nicht ernsthaft. Denn wenn man erst die ganze Liste der möglichen Beziehungen zwischen physischen und naturalistisch akzeptablen Eigenschaften ausbuchstabiert hätte, dann könnte man sie in Form einer Disjunktion als das naturalistische Kriterium der Akzeptabilität verwenden: Eine Eigenschaft ist genau dann naturalistisch akzeptabel, wenn sie mit physischen Eigenschaften durch die Beziehung R_1, R_2, ... oder R_n verbunden ist. Darauf antworte ich, daß der Naturalist wiederum mißversteht, wie Wissenschaft funktioniert. Es benennen ja nicht nur verschiedene Wissenschaften Eigenschaften, die auf verschiedene Weisen mit physischen Eigenschaften verbunden sind, sondern es stellen sich im Laufe des wissenschaftlichen Fortschritts auch *neue* Eigenschaften als nützlich heraus, und einige von diesen sind auf eine bedeutsame *neue* Weise mit physischen Eigenschaften verbunden. So vermute ich, daß zum Beispiel die Eigenschaft, eine die inklusive Fitneß erhöhende Mutation zu sein, auf eine bedeutsame Weise mit physischen Eigenschaften verbunden ist, die in der Wissenschaft vor Hamilton keinen Präzedenzfall hatte. Das gleiche könnte man über die Eigenschaft, ein LISP-Compiler zu sein, und die Wissenschaft vor Babbage oder die Eigenschaft, ein chaotischer Attraktor zu sein, und die Wissenschaft vor Smale sagen. Wenn dies richtig ist, wird auch das Zusammenschustern einer langen Disjunktion von Legitimierungsrelationen den Naturalisten nicht die geforderte Relation liefern. Denn nach meinem Bild kommen im Laufe des wissenschaftlichen Fortschritts immer neue Eigenschaften mit interessanten, neuen Beziehungen zu physischen Eigenschaften hinzu. Diese Beziehungen lassen sich nicht im voraus spezifizieren. Es gibt auch keinen Grund zu der Annahme, daß diese Liste nicht unbegrenzt weiterwachsen könnte.

Eine gründliche Untermauerung dieser Ansicht über den wissenschaftlichen Fortschritt würde eine Menge detaillierter wissenschaftshistorischer Arbeit erfordern. Ich will gar nicht vorgeben, daß ich damit aufwarten kann. Aber natürlich muß ich mein Bild nicht bis ins Detail verteidigen, um zu behaupten, daß sich das naturalistische Projekt gut als undurchführbar herausstellen kann. Denn mein Bild ist zumindest ein mögliches, und nach meinem Ermessen erheblich plausibler als das, welches der Naturalist voraussetzt. Die Annahme, daß es eine feste Beziehung geben *muß*, in der alle wissenschaftlich legitimen Eigenschaften zu physischen Eigenschaften stehen, ist ebensowenig begründet wie die, daß es eine feste Relation geben muß, in der alle empirisch sinnvollen Sätze zu Sätzen über physikalische Gegenstände oder zu Berichten über Sinnesdaten stehen.

Nach dem von mir skizzierten Bild spannt der Naturalist den Karren vor das Pferd. Was bestimmte Eigenschaften (oder Prädikate, wer das vorzieht) »legitimiert« und andere wissenschaftlich suspekt macht, ist die Verwendung der einen, nicht aber der anderen, in erfolgreichen wissenschaftlichen Theorien. »[S]pirits, telepathy, astrology and so on«[23] sind nicht deswegen problematisch, weil sie nicht in einer geeigneten Relation zu physischen Eigenschaften stehen und also nicht »naturalisiert« werden können, sondern vielmehr, weil sie in keiner erfolgreichen Wissenschaft eine Rolle spielen. Ich behaupte nicht, eine ausgearbeitete Antwort darauf zu besitzen, was es zu einer erfolgreichen Wissenschaft braucht. Ich habe sogar den Verdacht, daß auch dies ein pluralistisches, offenes und evolvierendes Konzept ist. Aber in

23 Die Liste ist dem Artikel von John Bigelow, »On Defining Naturalism«, in: Neander und Ravenscroft (Hg.), *Prospects for Intentionality*, a. a. O., entnommen.

meinen Augen ist die Verwendung einer Eigenschaft in einer erfolgreichen Wissenschaft alles, dessen es zu ihrer wissenschaftlichen Legitimation bedarf. Nach meiner Ansicht steht die Entscheidung über die Frage noch aus, ob mit intentionalen Kategorien erfolgreiche Wissenschaft betrieben werden kann. Aber diese Frage werden die mit dem Aufstellen von Theorien und dem Datenerheben befaßten Forscher entscheiden und nicht die Philosophen puritanischer Glaubensrichtung. Wenn man mit den intentionalen Kategorien gute Wissenschaft machen kann, dann ist dies alles, was sie zu ihrer Legitimation brauchen. Und wenn ein »Naturalisierungs«-Ansatz in erfolgreicher Wissenschaft verwendete intentionale Eigenschaften (oder andere Arten von Eigenschaften) ablehnt, dann ist es dieser Ansatz, der mangelhaft ist und nicht die intentionalen Eigenschaften.

Übersetzt von Marianne Schark und Geert Keil

W. V. O. Quine
Naturalismus – oder: Nicht über seine Verhältnisse leben

Namen für philosophische Positionen sind ein notwendiges Übel. Notwendig sind sie, insofern wir uns ab und zu auf eine Position oder Lehre beziehen müssen, die jeweils neu zu formulieren lästig wäre. Ein Übel sind sie, insofern man mit ihnen Denkschulen bezeichnet – von innen besehen Objekte der Loyalität, von außen Objekte der Diffamierung, und somit Hindernisse, von innen und von außen, auf dem Weg zur Wahrheit.

Indem ich diejenige philosophische Position kenntlich mache, die ich *Naturalismus* nenne, werde ich ausschließlich meine eigene Position beschreiben, ohne Rücksicht auf mögliche abweichende Verwendungen des Ausdrucks. In *Theorien und Dinge* charakterisierte ich den Naturalismus als »die Erkenntnis, daß die Realität im Rahmen der Wissenschaft selbst identifiziert und beschrieben werden muß, nicht in einer vorgängigen Philosophie«, sowie als »Verzicht auf das Ziel einer der Naturwissenschaft vorgängigen Ersten Philosophie«.[1] Diese Charakterisierungen schlagen den richtigen Ton an, aber in einer Diskussion würde es ihnen schlecht ergehen. Wieviel gehört denn zur »Wissenschaft selbst« und nicht zu »einer vorgängigen Philosophie«?

Zur Wissenschaft selbst zähle ich ohne Frage die Höhenflüge der Physik und der Kosmologie, ebenso die experimentelle Psychologie, die Geschichtswissenschaft und die Sozialwissenschaften. Auch die Mathematik, die angewandte jedenfalls, denn sie ist für die Naturwissenschaft unentbehrlich. Was also schließe ich als »vorgängige Philosophie« aus, und warum? Der Cartesianische Dualismus von Geist und Körper wird Metaphysik genannt, aber man könnte ihn ebensogut zur Wissenschaft rechnen, so falsch er ist. Descartes hatte sogar eine kausale Theorie der Interaktion zwischen Geist und Körper über die Zirbeldrüse. Wenn ich im Postulieren von *sensibilia*, Potentialitäten, Geistern oder

1 W. V. O. Quine, *Theorien und Dinge*, Frankfurt am Main 1985, S. 35 und 89.

eines Schöpfers einen indirekten Erklärungswert sähe, würde ich auch ihnen mit Freuden den gleichen wissenschaftlichen Rang einräumen wie Gegenständen, die die Wissenschaft erklärtermaßen postuliert, wie Quarks und Schwarze Löcher. Was also *habe* ich unter dem Namen einer vorgängigen Philosophie geächtet?

Es liegt nicht in meiner Absicht, Abgrenzungslinien zu ziehen. Der springende Punkt in meinen oben zitierten Charakterisierungen des Naturalismus ist der folgende: Alles, worauf wir eine Bestandsaufnahme und Beschreibung der Wirklichkeit vernünftigerweise stützen können, ist Prüfbarkeit ihrer beobachtbaren Konsequenzen auf die altehrwürdige hypothetisch-deduktive Art – mehr darüber unten. Der Naturalismus kann sich abfälliger Bemerkungen über unverantwortliche Metaphysik enthalten (und seien sie wohlverdient), erst recht solcher über die ›weichen‹ Wissenschaften oder die spekulativen Weiterungen der ›harten‹, es sei denn, für sie würde jeweils ein festeres Fundament reklamiert als die experimentelle Methode.

Die Entsagungsleistung des Naturalismus zeigt sich am deutlichsten und folgenreichsten in der naturalistischen Erkenntnistheorie. Verschiedene Erkenntnistheoretiker von Descartes bis Carnap haben die Naturwissenschaft in mentalen Entitäten zu fundieren gesucht, in der Abfolge roher Sinnesdaten. Als ob wir zunächst eine selbstgenügsame, infallible Sinnesdaten-Geschichte erzählen könnten, bar jeden Bezugs auf physische Gegenstände, um dann unsere Theorie über die Außenwelt irgendwie auf diese abgeschlossene Basis aufzubauen! Der naturalistische Erkenntnistheoretiker gibt diesen Traum einer vorgängigen Sinnesdatensprache mit dem Argument auf, daß das Postulieren physischer Gegenstände selbst unser unentbehrliches Werkzeug für das Ordnen und Erinnern dessen ist, was andernfalls, in den Worten von William James, eine »blooming, buzzing confusion« wäre.

Um zu erklären, wie jemand von einem äußeren Gegenstand oder Ereignis Kenntnis erhält, befaßt sich der naturalistische Erkenntnistheoretiker lieber mit dem Gegenstand oder Ereignis selbst sowie mit der kausalen Kette von Reizen, die von dort zu jemandes Gehirn verläuft. Im paradigmatischen Fall reflektiert der Gegenstand Lichtstrahlen zu jemandes Netzhaut, die ein Bündel von Nervenenden aktivieren, von denen jedes einen neuronalen Impuls an irgendein Hirnzentrum sendet. Infolge komplizierter Vorgänge im Gehirn sowie Nachahmung oder Unterweisung wird ein Kind am Ende einer solchen Kausalkette umgehend irgendeinen rudimentären Satz äußern oder ihm zustimmen. Solche Sätze nenne ich Beobachtungssätze. Beispiele sind »Es ist kalt«, »Es regnet«, »(Das ist) Milch« oder »(Das ist ein) Hund«.

Der experimentelle Psychologe greift für gewöhnlich an irgendeiner Stelle einer solchen Kausalkette ein Objekt oder ein Ereignis heraus, das fortan die Kette repräsentiert, und nennt es den Reiz. Normalerweise wählt er ein Ereignis, das er selbst produziert hat. Beim einen Experiment wird es ein Lichtblitz oder ein Summen in der Umgebung der Versuchsperson sein, beim nächsten ein Stoß an ihre Körperoberfläche oder eine Berührung mit einem Eiswürfel. In Anbetracht unseres allgemeineren, auf kein bestimmtes Experiment bezogenen Zwecks ist es für die Reizdefinition eine ökonomische Strategie, die Zäsur in der Kausalkette genau an der Körperoberfläche des Subjekts zu machen. Dabei geht nichts verloren, da ja allein der weitere inwendige Verlauf der Kausalkette die Kenntnis des Subjekts von der Außenwelt bestimmt.

Tatsächlich ist auch das, was die Körperoberfläche des Subjektes erreicht, nur dann relevant, wenn es zur Erregung von neuronalen Rezeptoren führt. Für unsere Zwecke können wir daher den Reiz, dem ein Subjekt bei einer bestimten Gelegenheit ausgesetzt ist, mit einer zeitlich geordneten Menge aller in dieser kurzen Phase aktivierten Sinnesrezeptoren identifizieren.

Man mag nach noch mehr Ökonomie streben, indem man den Einschnitt weiter innen ansetzt – irgendwo im Gehirn, denn selbst die in einem bestimmten Moment aktivierten Oberflächenrezeptoren haben mehrheitlich keinen wesentlichen Einfluß auf das Verhalten des Subjekts. Unser Wissen über diese tieferen Regionen ist allerdings noch zu skizzenhaft. Indem die Forschung immer weiter in diese Tiefen vordringt, läßt sie uns zudem erkennen, wie wenig die dort anzutreffende Komplexität und Heterogenität der sauberen, einfachen Ordnung auf der Oberfläche entspricht. Jeder Rezeptor kennt schließlich nur zwei wohlunterschiedene Zustände: aktiviert oder nicht.

Überdies können diejenigen Anteile eines Gesamtreizes, die keinen Unterschied für das Verhalten machen, im Laufe der Zeit ohnehin wegdefiniert werden, indem man die perzeptive Ähnlichkeit von Reizen heranzieht. Bei einem gegebenen Reiz ist die Aktivierung derjenigen Rezeptoren ausschlaggebend, die auch bei allen perzeptiv ähnlichen Reizen aktiviert werden. Perzeptive Ähnlichkeit selbst läßt sich für ein gegebenes Individuum durch Verstärkung und Auslöschung von Reaktionen bestimmen.

Für den gegenwärtigen Zweck faßt man wohl den Reiz, dem ein Subjekt bei einer bestimmten Gelegenheit ausgesetzt ist, am besten einfach als den neuronalen Gesamtinput in diesem Moment auf. Ich werde jedoch nicht vom Reiz sprechen, sondern nur vom neuronalen Input, da man für weitere Untersuchungen noch andere Reizbegriffe braucht, vor allem, wenn mehrere Subjekte dem gleichen Reiz ausgesetzt werden. Der neuronale Input ist etwas Privates, da jedes Subjekt seine eigenen Rezeptoren hat.

Perzeptive Ähnlichkeit ist demnach eine Beziehung zwischen den neuronalen Inputs eines Subjektes. Obschon überprüfbar, ist sie doch etwas Privates; die Inputs sind *seine*, und *ihm* erscheinen sie mehr oder weniger ähnlich. Perzeptive Ähnlichkeit ist die Grundlage allen Lernens, aller Ausbildung von Gewohnheiten und jeder Erwartung, die auf Induktionen aus vergangener Erfahrung beruht. Uns ist nämlich die Disposition angeboren, auf einander ähnliche Ereignisse einander ähnliche Folgen zu erwarten.

Beobachtungssätze und neuronale Inputs sind nicht eins zu eins miteinander verknüpft. Ein jeder aus einer Palette perzeptiv einigermaßen ähnlicher Inputs mag die Zustimmung des Subjekts zu jedem aus einer Palette semantisch verwandter Sätze veranlassen. Doch im Gegensatz zu den privaten neuronalen Inputs und deren perzeptiver Ähnlichkeit sind Beobachtungssätze und deren Semantik eine öffentliche Angelegenheit, da das Kind sie ja von seinen Eltern lernen muß. Sein Lernen ist also sowohl auf die öffentliche Währung der Beobachtungssätze angewiesen als auch darauf, daß eines jeden private Maßstäbe für perzeptive Ähnlichkeit von vornherein auf die der anderen abgestimmt sind. Diese Übereinstimmung ist eine formale, im folgenden Sinn: Wenn ein Beobachter die erste und die zweite von drei Situationen für weniger ähnlich hält als die erste und die dritte, wird ein anderer Beobachter zum gleichen Urteil neigen. Diese grobe Übereinstimmung ist in einem gemeinsamen Genpool verankert. In ihren Empfindungen könnten die Menschen immer noch voneinander abweichen, was immer das bedeuten mag.

Insoweit gibt es ein naturalistisches Analogon oder ein Gegenstück zur phänomenalistischen Sinnesdaten-Basis traditioneller Erkenntnistheorien. Doch das Gesagte erhebt auch Anspruch auf Plausibilität in der Psychologie, in der Genetik und sogar in der Vorgeschichte. Beobachtungssätze haben ihre Vorläufer in Vogelrufen und in den Warnschreien der Menschenaffen.

Von dieser naturalistischen Basis ausgehend, pflegt der Naturalist – in Parallele zum Vorschlag der herkömmlichen Erkenntnistheorie, die Wissenschaft auf einer Sinnesdaten-Basis aufzubauen –, eine psychologisch und historisch plausible Skizze davon zu entwerfen, wie jemand es bis zur Wissenschaft bringt, und vielleicht auch von der Evolution der Wissenschaft selbst über die Generationen, unter besonderer Berücksichtigung der Logik der Belege. Das meiste davon erspare ich dem Leser, denn ich habe es schon in *Wort und Gegenstand* ausgebreitet sowie – besser – in *Die Wurzeln der Referenz*, *Unterwegs zur Wahrheit* und anderswo. Ich möchte nur an einige Aspekte erinnern.

Einer davon ist Reifizierung, das heißt, das Postulieren von Gegenständen. Wenn Beobachtungssätze in voll entwickelter Rede vorkommen, enthalten sie gewöhnlich Wörter, die auf Gegenstände Bezug nehmen. Das Kind hingegen eignet sich einen solchen Satz zunächst als einen unstrukturierten Komplex an, der – wie der Warnruf des Affen – auf ein entsprechendes Spektrum neuronaler Gesamtinputs konditioniert ist. Und doch gibt es einen Vorboten der Reifizierung: Es springen uns – und anderen Tieren – angeborenerweise diejenigen Bestandteile eines neuronalen Inputs ins Auge, die körperartige Flecken im Sehfeld übermitteln. Donald Campbell nennt dies unsere angeborene Reifizierung von Körpern, aber ich fasse Reifizierung lieber als etwas Graduelles auf. Besondere Arten des Zusammensetzens von Beobachtungssätzen markieren weitere Schritte in der Reifizierung von Körpern, und das Pensum ist erst dann erledigt, wenn der Sprecher die Vergangenheitsform und das Futur beherrscht und weiß, daß ein zwischen zwei Beobachtungen aus den Augen verlorener Körper sich als identischer kontinuierlich durch den Raum bewegt. Erst dann versteht der Sprecher, daß ein Körper auch bei verändertem Aussehen von einer Beobachtung zur nächsten derselbe bleiben kann.

Auf dieser Stufe ist die Reifizierung von Körpern voll entwickelt. Die Reifizierung weniger auffälliger Objekte, insbesondere abstrakter Gegenstände wie Zahlen und Klassen, muß – und kann – noch genauer geklärt werden. Meines Erachtens besteht hier ein entscheidender Schritt in der Beherrschung des Relativsatzes und der Pronomen.

Diese aufblühende Sprache der Wissenschaft ist eine unmittelbare Erweiterung der stockenden Beobachtungssprache. Einige Segmente von Beobachtungssätzen werden zu Gegenstandsausdrücken. Umgekehrt kann es dazu kommen, daß Sätze, die erst später durch grammatische Zusammensetzung aus einem differenzierten Vokabular erworben werden, auch als Beobachtungssätze zählen. Beobachtungssätze definiere ich nämlich durch ebendiese beiden Bedingungen: erstens muß der Sprecher disponiert sein, dem Satz auf die entsprechende Beobachtung hin ohne Umschweife zuzustimmen (oder ihn abzulehnen), selbst wenn er gerade an etwas anderes denken mag, und zweitens muß sein Urteil unweigerlich die Zustimmung eines jeden Zeugen aus der jeweiligen Sprachgemeinschaft finden. Diese zweite Auflage, Intersubjektivität, ist nötig, damit das Kind Beobachtungssätze von seinen Eltern lernen kann; und diese Sätze, oder einige von ihnen, sind seine unentbehrlichen Werkzeuge für den Einstieg in die kognitive Sprache. Ebenso notwendig ist die Intersubjektivität der Beobachtungssätze am anderen Ende, zur Gewährleistung der Objektivität der Wissenschaft.

Es war nicht bloß für die Entstehung der Sprache der Wissenschaft notwendig, aufgrund von Beobachtungssätzen und wissenschaftlichen Sätzen über ein gemeinsames Vokabular zu verfügen, sondern auch für die empirische Überprüfung wissenschaftlicher Hypothesen. Die ursprünglichen Hypothesen sind das, was ich kategorische Beobachtungssätze nenne, welche aus Paaren von Beobachtungssätzen zusammengesetzt sind, wie »Wenn es schneit, ist es kalt«. Um solche Hypothesen experimentell zu überprüfen, suchen wir uns in eine Situation zu bringen, in der die erste Komponente, »Es schneit«, beobachtbar erfüllt ist, und prüfen dann das Erfülltsein der zweiten. Wenn sie erfüllt ist, bleibt der kategorische Satz bis auf weiteres bestehen. Wenn nicht, ist er ein für allemal widerlegt.

Dieses Verfahren sehe ich als Schlüssel für das empirische Testen auch elaborierterer Hypothesen. Wir fügen die fragliche Hypothese einer Menge schon akzeptierter Aussagen hinzu, so daß alle zusammen einen kategorischen Beobachtungssatz implizieren, den die bisherige Menge allein nicht implizierte. Dann überprüfen wir den kategorischen Beobachtungssatz.

Hier die logische Implikation ins Spiel zu bringen stellt kein Problem dar. Die grundlegenden logischen Gesetze werden beim Lernen der logischen Partikel internalisiert. Beispielsweise lernt das Kind durch Beobachtung und elterliche Korrektur, daß es ein Mißbrauch der Konjunktion »und« ist, eine »und«-Verbindung zu affirmieren und dann eines der Glieder zu verneinen. Das Kind hat auf diese Weise eine einfache logische Implikation internalisiert, daß nämlich eine »und«-Verbindung seine Komponenten impliziert, bei Strafe eines falschen Verständnisses eines Wortes. Entsprechendes gilt für andere grundlegende Implikationen, bis hin zur Beherrschung der Quantoren und der Identität.

Ein Wissenschaftler verfolgt natürlich nicht alle diese Implikationsschritte von der Hypothese bis zum kategorischen Beobachtungssatz zurück. Das würde ja bedeuten, daß er all die logisch erforderlichen Hilfsaussagen interpolieren muß, von denen die meisten so trivial oder ihm so vertraut sind, daß sie sich von selbst verstehen. Zudem drücken viele stillschweigende Prämissen in der Praxis nur statistische Trends oder Wahrscheinlichkeiten aus, was den Wissenschaftler nicht weiter kümmern wird, solange ihn nicht unerwartete Ergebnisse zu einer Neubewertung veranlassen.

Die Ableitung und Überprüfung kategorischer Beobachtungssätze ist nach wie vor das Herzstück der experimentellen Methode, der hypothetisch-deduktiven Methode und der, in Poppers Worten, Methode der Vermutung und Widerlegung. Sie macht deutlich, daß das Prognostizieren beobachtbarer Ereignisse der entscheidende Test für eine wissenschaftliche Theorie ist.

Ich spreche vom Überprüfen, nicht vom Zweck. Der Zweck der Wissenschaft hat eher mit intellektueller Neugier und mit Technologie zu tun. In unseren vorgeschichtlichen Anfängen *war* allerdings der Zweck des ersten Funkens Wissenschaft vermutlich Voraussage – soweit Zweck zu natürlicher Auslese und Überlebenswert entspiritualisiert werden kann. Dies führt uns auf unseren angeborenen Sinn oder unsere Standards für perzeptive Ähnlichkeit zurück und auf die angeborene Erwartung, daß Ähnliches ähnliche Folgen haben wird. Kurz gesagt, auf primitive Induktion.

Voraussage ist verbalisierte Erwartung. Bedingte Erwartung hat, wenn sie korrekt ist, einen Überlebenswert. Die natürliche Auslese hat dementsprechend solche angeborenen Ähnlichkeitsstandards begünstigt, die auf Züge unserer Umwelt abgestimmt sind. Die Naturwissenschaft ist letztlich hypertrophierte bedingte Erwartung.

Ich sagte, daß Vorhersage nicht der Hauptzweck der Wissenschaft ist, sondern nur der Prüfstein. Sie ist ein negativer Test, ein Test durch Widerlegung. Ich füge als weiteren Rückzieher hinzu, wider den Positivismus, daß ein Satz nicht einmal testbar sein muß, um als ein respektabler wissenschaftlicher Satz zu zählen. Ein Satz ist in meinem liberalen oder holistischen Sinn testbar, wenn er eine Menge bereits akzeptierter Sätze zu einem kategorischen Beobachtungssatz komplettiert, der nicht schon von den zuvor akzeptierten Sätzen impliziert wurde; doch ist eine Menge guter Wissenschaft selbst in diesem liberalen Sinne nicht testbar. Wir glauben vieles, weil es sich via Analogie gut einfügt oder weil es die ganze Anlage einfacher oder symmetrischer macht. Auch sind solche Annahmen keine bloßen Launen; ihre Proliferation erzeugt immer einmal wieder eine tatsächlich überprüfbare Hypothese. Dies dürfte sogar die Hauptquelle prüfbarer Hypothesen und des Fortschritts der Wissenschaft sein.

Die Naturalisierung der Erkenntnistheorie, wie ich sie skizziert habe, ist sowohl eine Beschränkung als auch eine Befreiung. Die alte Suche nach einem Fundament der Naturwissenschaft, das solider wäre als die Wissenschaft selbst, wird aufgegeben: das ist die Beschränkung. Das Befreiende ist der ungehinderte Zugang zu den Ressourcen der Naturwissenschaft, ohne Furcht vor Zirkularität. Der naturalistische Erkenntnistheoretiker gibt sich mit dem zufrieden, was er über die Strategie, die Logik und die Mechanik lernen kann, durch die unsere elaborierte Theorie der physischen Welt faktisch aus jenem amorphen neuronalen Input projiziert wird, oder projiziert werden könnte, oder sollte.

Ist so etwas noch Philosophie? Der Naturalismus hat eine heilsame Verwischung solcher Grenzen zur Folge. Naturalistische Philosophie befindet sich in Kontinuität zur Naturwissenschaft. Sie ist mit der Klärung, Organisierung und Vereinfachung der allgemeinsten und elementarsten Begriffe befaßt und mit der Analyse der wissenschaftlichen Methoden und des Belegmaterials im Begriffsrahmen der Wissenschaft selbst. Die Grenze zwischen naturalistischer Philosophie und dem Rest der Wissenschaft ist unscharf.

Naturalismus wird natürlicherweise mit Physikalismus oder Materialismus assoziiert. Ich setze diese Dinge nicht gleich, wie meine obige Bemerkung zum Cartesianischen Dualismus bezeugt. Ich vertrete den Physikalismus als eine wissenschaftliche Position, aber wissenschaftliche Gründe könnten mich dereinst davon abbringen, ohne mich vom Naturalismus abzubringen. Die heutige Quantenmechanik hat in ihrer neoklassischen oder Kopenhagener Interpretation einen entschieden mentalistischen Touch.

Mein Naturalismus hat sich nun offensichtlich auf die Behauptung reduziert, daß wir für unser Streben nach Wahrheiten über die Welt nichts Besseres haben als unser herkömmliches wissenschaftliches Vorgehen, die hypothetisch-deduktive Methode. Doch es drängt sich ein Gegenbeispiel auf: die Mathematiker. Die naheliegende Gegenrede lautet, daß mathematische Wahrheiten keine über die Welt sind. Allerdings behagt mir diese Gegenrede nicht. In meinen Augen *ist* angewandte Mathematik über die Welt.

Nehmen wir wieder den Fall, in dem wir eine wissenschaftliche Hypothese überprüfen, indem wir sie mit bereits akzeptierten Aussagen verbinden und einen kategorischen Beobachtungssatz ableiten. Höchstwahrscheinlich werden einige der bereits akzeptierten Sätze rein mathematische sein. Auf diese Weise erhält reine Mathematik ihre Anwendung. Welchen empirischen Gehalt die bereits akzeptierten Sätze auch immer beanspruchen können, insofern sie zur Implikation des kategorischen Beobachtungssatzes benötigt werden: Diesen Gehalt nehmen insbesondere die mathematischen Sätze auf.

Aus diesem Grunde tendiere ich dazu, die Grenzen zwischen Mathematik und Naturwissenschaft ebenso zu verwischen wie die zwischen Philosophie und Naturwissenschaft. Sollte jemand einwenden, daß bewiesene mathematische Wahrheiten dann nicht mehr revidierbar sind, so antworte ich, daß wir sie schützen, indem wir statt ihrer nichtmathematische Aussagen zurückziehen, wenn eine Aussagenmenge einen falschen kategorischen Beobachtungssatz impliziert hat. Wir tun das nicht ohne Gründe, doch genug davon.

Es bleiben die gewaltigen Auswüchse von Mathematik, für deren Anwendung keine Aussichten bestehen. Ich dulde diese mathematischen Sätze als Bestandteil unserer Gesamttheorie der Welt: sie sind in derselben Syntax und demselben Vokabular ausgedrückt wie die anwendbare Mathematik, und sie *ad hoc* durch Grenzverschiebungen innerhalb unserer Syntax als sinnlos auszuschließen wäre zumindest undankbar. So liegt es an uns, gegebenenfalls den Wahrheitswert auch dieser Sätze zu beurteilen. Oft geschieht dies mit Hilfe derselben Gesetze wie in der anwendbaren Mathematik. In den übrigen Fällen sollte man, so weit es irgend geht, aufgrund ökonomischer Erwägungen entscheiden, wie man es ja auch in der Naturwissenschaft macht, wenn man die einer experimentellen Überprüfung würdigen empirischen Hypothesen zu formulieren versucht.

Die traditionelle Erkenntnistheorie hatte zum Teil einen normativen Anspruch. Naturalistische Erkenntnistheorie wird hingegen von vielen als rein deskriptives Unternehmen betrachtet. Das sehe ich anders: So wie die traditionelle Erkenntnistheorie in ihren spekulativen Teilen zur Wissenschaft oder etwas sehr Ähnlichem naturalisiert wird, wird sie auf der normativen Seite in Richtung Technologie naturalisiert, zur Technologie der wissenschaftlichen Tätigkeit.

Als Norm der naturalisierten Erkenntnistheorie bietet sich namentlich das *Voraussagen einer Beobachtung* zur Überprüfung einer Hypothese an. In meinen Augen handelt es sich dabei um mehr als eine Norm: es ist der Kern des ganzen Unternehmens. Zwar ist nicht jede Wissenschaft der empirischen Überprüfung zugänglich, und die Tests sind um so spärlicher, je weicher die Wissenschaft ist. Doch *wenn* es zur Überprüfung kommt, besteht diese in der Voraussage von Beobachtungen. Im übrigen erhebt der Naturalismus keine besonderen Ansprüche auf dieses Prinzip, welches vielmehr das Herzstück des Empirismus ist.

Im engeren Sinne naturalistisch und technologisch sind Normen, die auf wissenschaftlichen Erkenntnissen beruhen. So ist es wissenschaftlich leidlich gesichert – vorbehaltlich zukünftiger Widerlegung, wie immer – daß Informationen über entfernte Ereignisse und über andere Menschen uns allein über Strahlen und Partikel erreichen, die auf unsere Sinnesrezeptoren auftreffen. Als normatives Korollar ergibt sich, daß wir vor Astrologen, Handlesern und anderen Wahrsagern auf der Hut sein sollten. Mißtraue übersinnlicher Wahrnehmung!

Ein größeres Aufgebot von Normen, so vage sie sein mögen, finden wir in der Heuristik der Hypothesenbildung: Wie denken wir uns Hypothesen aus, die der Überprüfung wert sind? Hier kommen Erwägungen über Konservativismus und Einfachheit ins Spiel sowie, technischer betrachtet, Wahrscheinlichkeitstheorie und Statistik. In der Praxis greifen diese technischen Dinge, wie bereits festgestellt, auch auf die hypothetisch-deduktive Methode über und komplizieren sie.

Eingangs habe ich gesagt, daß die Wirklichkeit dem Naturalismus zufolge im Rahmen der Wissenschaft selbst erkundet werden müsse und nicht durch eine vorgängige Philosophie. Dann habe ich, etwas wissenschaftsnäher, darüber spekuliert, wie sich das Erkennen von Gegenständen *als* Gegenständen nach und nach entwickelt, einhergehend mit dem Spracherwerb und unserer Aneignung der Wissenschaft. Diese Dinge erfordern nun einige allgemeinere philosophische Überlegungen.

Rufen wir uns zunächst in Erinnerung, daß die Verknüpfung der Beobachtungssätze mit einem neuronalen Input holophrastisch geschieht. Welche Gegenstände die einzelnen Wörter in anderen Kontexten bezeichnen mögen, ist für die Verknüpfung irrelevant. Auf der Hand liegt dies für Beobachtungssätze, die am Anfang des Spracherwerbs stehen; doch die Verknüpfung geschieht ebenso direkt und holophrastisch, wenn der Satz durch Zusammensetzung seiner Wörter erworben wurde und seine Unmittelbarkeit erst durch nachfolgende Gewöhnung erlangte.

Überdies spielen die Besonderheiten von Bezeichnung und Denotation nicht nur für die Verknüpfung von Beobachtungssätzen und neuronalem Input keine Rolle, sondern ebensowenig für die Implikation kategorischer Beobachtungssätze durch wissenschaftliche Theorie. Es handelt sich um eine logische Implikation, und die Logik schert sich, im Unterschied zur Mengenlehre und dem Rest der Mathematik, nicht um Objekteigenschaften jenseits von Gleichheit und Differenz. Wir müssen daher schließen, daß Gegenstände jedweder Art, soweit es um empirische Belege geht, lediglich als neutrale Knoten in der Struktur wissenschaftlicher Theorien fungieren. Wir können die Werte unserer Variablen, die Designate der Namen und die Denotate der Prädikate beliebig ändern, ohne die Belege zu beeinträchtigen, solange nur die neuen Gegenstände ausdrücklich eins zu eins mit den alten korreliert bleiben. Das ist die Unbestimmtheit des Bezugs, wie ich sie genannt habe.

Das mag sich auf den ersten Blick beunruhigend ausnehmen. Anscheinend bleibt uns keine Grundlage mehr für die Entscheidung, ob wir über vertraute Gegenstände sprechen oder über irgendwelche beliebigen Stellvertreter. Die Bestürzung legt sich aber, wenn wir ein oder zwei einfache Beispiele betrachten. Man denke etwa an einen Körper, wie er von der Wissenschaft in einem raumzeitlichen Rahmen aufgefaßt wird. Insofern man dasjenige geschlängelte Stück unserer vierdimensionalen Raumzeit exakt spezifiziert, das der Körper während seiner Karriere einnimmt, hat man ihn eindeutig fixiert. Wir können weitergehen und den Körper, sagen wir ein Backenhörnchen, mit seiner Portion Raumzeit *identifizieren*. Wir können dann sagen, daß diese Portion an ihrem vorderen, frühen Ende winzig ist und am Schluß größer. Dieser Zug ist künstlich, aber er trägt durchaus zur Ökonomie bei, wenn wir ohnehin schon mit der Raumzeit arbeiten. Subjektive Assoziationen wie Bräune, Weichheit, schnelles und sprunghaftes Bewegen etc. übertragen wir einfach. Zweifellos ändert sich hinsichtlich der Belege nichts. Wir mögen sogar sagen, daß ein Körper immer schon ebendies war: ein auf die richtige Weise gefülltes Stück Raumzeit, im Gegensatz zu leeren Stücken.

Als nächstes können wir Raum-Zeit-Regionen der Reihe nach mit den Mengen von Quadrupeln von Zahlen identifizieren, die die Regionen in einem beliebig angenommenen Koordinatensystem eindeutig beschreiben. Diesen abstrakten mathematischen Gegenständen können wir sensorische Assoziationen beilegen, und die wissenschaftlichen Belege werden nach wie vor nicht tangiert. Intuitiv gesprochen, ist eigentlich nichts passiert.

So können wir uns bei Körpern und anderen wahrnehmbaren Substanzen ganz gut mit der Unbestimmtheit des Bezugs abfinden, indem wir einfach die sensorischen Assoziationen der Beobachtungssätze von den alten Gegenständen auf ihre Stellvertreter übertragen.

Bei abstrakten Gegenständen wie Zahlen, denen sensorische Assoziationen ganz abgehen, ist uns die Unbestimmtheit des Bezugs schon vertraut. Man sieht sie bei Freges sogenanntem Caesar-Problem: Die Zahl fünf könnte Julius Caesar sein. Wir benutzen unbesorgt Zahlen, ohne uns darum zu scheren, ob man sie entsprechend den Konstruktionen Russells und Freges oder denen Ackermanns oder von Neumanns auffaßt. Schon Ramsey hat diesen Punkt vor langer Zeit unter Zuhilfenahme der Ramsey-Sätze, wie man sie daraufhin genannt hat, dramatisiert. Statt die abstrakten Gegenstände besonders einzuführen, wenn man bestimmte ihrer Eigenschaften in einem Argument benötigt, sagt ein Ramsey-Satz bloß, daß es Gegenstände mit diesen Eigenschaften *gibt*, und führt sie dann durch Variablen ohne weitere Identifizierung ein. Dieses Mittel funktioniert allerdings nur für abstrakte Gegenstände, die man hie und da ohne Rücksicht darauf zu Hilfe nimmt, ob sie von einem Kontext zum anderen dieselben Gegenstände bleiben.

In ihrer ganzen Allgemeinheit tritt die Unbestimmtheit des Bezuges, wie Davidson bemerkt hat, zutage, wenn man sich Tarskis klassischer Wahrheitsdefinition zuwendet. Wenn ein Satz sich gemäß dieser Definition als wahr herausstellt, wird er es auch bleiben, wenn man seinen Prädikaten eins zu eins neue Gegenstände zuordnet.

Diese Überlegungen zur Ontologie sind eine willkommene Erinnerung daran, daß die Daten der Wissenschaft am Ende auf unseren neuronalen Input beschränkt sind und daß schon der Begriff des Gegenstandes, konkret oder abstrakt, unser eigenes Werk ist, gemeinsam mit dem Rest der Naturwissenschaft und der Mathematik. Hierin besteht unser überaus erfinderischer Apparat zur Systematisierung, Voraussage und partiellen Kontrolle unseres Inputs, und wir können stolz auf ihn sein.

Diese konventionalistische Auffassung der Ontologie müßte jedem Pragmatisten zusagen, der, wie etwa Henri Lauener, eine Pluralität wissenschaftlicher Disziplinen annimmt, eine jede mit ihrer Arbeitsontologie, und ohne von einer übergreifenden, einheitsstiftenden Realität zu träumen.

Der Naturalismus als solcher ist gegenüber der Frage der Einheit der Wissenschaft neutral. Er sieht die Frage selbst als eine innerwissenschaftliche an, wiewohl als eine, die von den Kontrollpunkten der Beobachtung noch weiter entfernt ist als diejenigen Fragen der harten und der weichen Wissenschaften, die man gemeiniglich für die spekulativsten hält.

Gleichwohl kann der Naturalismus das Verlangen nach einer einheitlichen Allzweckontologie respektieren, das manche von uns verspüren. Dieses Verlangen, charakteristisch für ein wissenschaftliches Naturell, ist vom gleichen Schlag wie das Verlangen nach Einfachheit, von dem wissenschaftliche Hypothesen generell geprägt sind. Physikalismus ist dessen vertrauter Ausdruck, und der Physikalismus hatte sicherlich bedeutende Nebeneffekte für speziellere Hypothesenbildungen in verschiedenen Wissenschaftszweigen. Der Physikalismus favorisiert nämlich Hypothesen, die sich gut für eine Integration in die Physik selbst eignen. Dies ist ein prägnantes Beispiel für etwas, was ich oben erwähnt habe: Wissenschaftliche Hypothesen, die nicht selbst überprüfbar sind, helfen solche hervorzulocken, die es sind.

Auf jeden Fall haben wir in der Ontologie mehr Wahlmöglichkeiten, als wir immer dachten. Es zieht uns in Richtung Pragmatismus. Müssen wir also schließen, daß die Wirklichkeit sich unserer Kenntnis entzieht? Nein, das würde bedeuten, den Naturalismus aufzugeben. Der Begriff der Wirklichkeit ist vielmehr selbst ein Teil des Apparates; und Stöcke und Steine, Atome, Quarks, Zahlen und Klassen sind allesamt höchst reale Bewohner der höchst realen Welt, es sei denn, die Wissenschaft erweist einmal eine dieser Annahmen als falsch.

Wie verhält sich der Naturalismus zu Wahrheit und Falschheit selbst? Das Wahrheitsprädikat wirft in seiner alltäglichen Verwendung als Instrument dessen, was ich den semantischen Aufstieg genannt habe, kein Problem auf. In Tarskis disquotationaler Auffassung ist es gut untergebracht, solange das wahr oder falsch Genannte Sätze unserer eigenen Sprache sind; danach weiten wir das Prädikat auf Sätze anderer Sprachen aus, die wir als Übersetzungen von Wahrheiten unserer eigenen Sprache akzeptieren. Allerdings entstehen Paradoxien, wenn das Wahrheitsprädikat auf Sätze angewandt wird, die das Prädikat selbst oder verwandte enthalten; daher müssen wir eher eine Hierarchie von Wahrheitsprädikaten anerkennen, von denen sich jedes nur in solchen Sätzen korrekt verhält, die nicht das Prädikat selbst oder höherstufige enthalten. Wir erhalten eine Hierarchie von immer besseren Wahrheitsprädikaten, aber kein bestes. In der Praxis, außer in ebensolchen philosophischen Kontexten, ergeben sich selten Gelegenheiten, über die erste Stufe der Leiter hinauszuklettern. Wahrheit *jenseits* dieser Hierarchie, absolute Wahrheit, wäre in der Tat transzendent, und diese in wissenschaftliche Theorien über die Welt herunterzuholen erzeugt Paradoxien. Daher hat der Naturalismus keinen Platz für absolute Wahrheit.

Gleichwohl zerrt unser Wahrheitsbegriff in anderer Hinsicht an seiner naturalistischen Leine. Wir Naturalisten sagen, daß die Wissenschaft der Königsweg zur Wahrheit ist, aber nicht, daß alles, worüber Wissenschaftler einer Meinung sind, wahr ist. Auch sagen wir nicht, daß etwas Wahres falsch wurde, als Wissenschaftler ihre Meinung änderten. Statt dessen sagen wir, daß sie und wir etwas für wahr *hielten*, was falsch war. Wissenschaftler streben nach Wahrheit, aber sie verfügen nicht über sie. Wahrheit ist tatsächlich etwas Transzendentes, sie steht uns, in Kants treffenden Worten, als ein Ideal der reinen Vernunft vor Augen.

Peirce hat Wahrheit zu naturalisieren versucht, indem er sie mit dem Grenzwert identifiziert hat, dem der wissenschaftliche Fortschritt sich annähere. Dies beruht auf optimistischen Annahmen, doch wenn wir es als bloße Metapher rekonstruieren, drückt sich darin die wissenschaftliche Praxis des ständigen Wechselspiels von Vermutung und Widerlegung aus. Wahrheit als Ziel bleibt die etablierte Verwendung des Wortes, und ich kann dies als eine anschauliche Metapher für unsere ständige Anpassung unseres Weltbildes an unseren neuronalen Input akzeptieren. Metaphorik ist vielleicht aus naturalistischer Perspektive eine brauchbare Kategorie, in der wir transzendente Begriffe unterbringen können.

Übersetzt von Geert Keil

Ansgar Beckermann
Ein Argument für den Physikalismus

1

Es gibt nicht *das* Problem des Naturalismus, sondern – wie die Beiträge in diesem Band zeigen – eine ganze Familie von mehr oder weniger stark miteinander verbundenen Teilproblemen. In diesem Aufsatz soll es nur um eines dieser Teilprobleme gehen – das Problem des *ontologischen* Naturalismus. Oder, um es genauer zu sagen, um eine spezifische Variante dieses Teilproblems – das Problem des *ontologischen Physikalismus.* Die Grundthese des ontologischen Physikalismus lautet einfach:

(PH) Alles, was es gibt, ist physischer Natur.

Aber diese Formulierung ist in mehrfacher Hinsicht erläuterungsbedürftig. Was zum Beispiel soll hier ›Alles‹ heißen? Wenn wir uns auf einige grundlegende ontologische Unterscheidungen beschränken, heißt es sicher: alle Dinge, alle Eigenschaften und alle Ereignisse. Somit zerfällt die Grundthese des ontologischen Physikalismus in (mindestens) drei Teilthesen:

(PH1) Alle Dinge sind physische Dinge.
(PH2) Alle Eigenschaften sind physische Eigenschaften.
(PH3) Alle Ereignisse sind physische Ereignisse.

Im folgenden werde ich nur auf die ersten beiden Thesen eingehen – (a) weil ich denke, daß die dritte These aus den ersten beiden folgt, und (b) weil ich Zweifel daran habe, daß eine Position, die nur durch die Thesen (PH1) und (PH3) gekennzeichnet ist, eine hinreichend starke physikalistische Position darstellt.[1]

1 Wenn man eine in der Literatur häufig zu findende terminologische Unterscheidung aufnimmt, könnte man sagen, daß der *reduktive* Physikalist die Thesen (PH1) und (PH2) – und damit auch die These (PH3) – vertritt, während sich der *nicht-reduktive* Physikalist nur die Thesen (PH1) und (PH3) zu eigen macht. Daß ein so charakterisierter nicht-reduktiver Physikalismus keine ausreichend starke physikalisti-

Damit stellt sich als nächstes die Frage, was unter dem Adjektiv ›physisch‹ in den Thesen (PH1) und (PH2) zu verstehen ist. Was sind physische Dinge? Und was sind physische Eigenschaften?

Bleiben wir zunächst bei der ersten Frage. Klare Beispiele für physische Dinge sind: Protonen, Zuckermoleküle, Steine, Sterne, aber auch Wasserhähne, Besen und Plattenspieler. Nichtphysische Dinge sind dagegen: Gott, die Engel, Cartesische Seelen, der *élan vital*, aber auch Mengen, Zahlen und Propositionen. Gibt es ein klares Merkmal, das es gestattet, nichtphysische Dinge eindeutig von den physischen abzugrenzen?

Eine Antwort auf diese Frage zu geben ist in der Philosophie des öfteren versucht worden. Descartes etwa kennt zwei Arten von Substanzen (Dingen): physische Dinge (*res extensae*) und denkende Dinge (*res cogitantes*). Die einzige wesentliche Eigenschaft physischer Dinge ist ihre Ausdehnung (*extensio*); die einzige wesentliche Eigenschaft denkender Dinge ist das Denken oder Bewußtsein (*cogitatio*). Nach Descartes sind physische und denkende Dinge also säuberlich voneinander getrennt. Die ersteren befinden sich in Raum und Zeit und sind unfähig zu denken; die letzteren dagegen denken (ständig), haben aber weder einen Ort im Raum noch eine räumliche Ausdehnung.

Aus moderner Sicht ist diese Zweiteilung Descartes' jedoch unbefriedigend – unter anderem deshalb, weil in ihr kein Platz bleibt für abstrakte Dinge wie Mengen, Zahlen oder Propositionen. Wenn man in einem modernen Lexikon nachschlägt, welche Charakteristika diese dritte mögliche Art von Dingen auszeichnet, stößt man auf Listen wie diese: Abstrakte Dinge sind nicht wahrnehmbar, man kann nicht auf sie zeigen, sie haben keine (physischen) Ursachen und Wirkungen, und sie haben keinen Ort in Raum und Zeit.[2] Einige dieser Charakteristika treffen al-

sche Position darstellt, ergibt sich aus der Tatsache, daß auch Vertreter dieser Position sich nicht der Frage entziehen können, wie sie es mit der These (PH2) halten wollen. (Vgl. bes. Brian McLaughlin, »philosophy of mind«, in: Robert Audi (Hg.), *The Cambridge Dictionary of Philosophy*, Cambridge 1995, S. 603; sowie Ansgar Beckermann, *Analytische Einführung in die Philosophie des Geistes*, Berlin/New York 1998, Kapitel 6.) Im folgenden wird sich aber zeigen, daß jemand, der die These (PH2) ablehnt, nicht wirklich als Physikalist gelten kann.

2 A. D. Oliver, »abstract entities«, in: Honderich (Hg.), *The Oxford Companion to Philosophy*, Oxford 1995, S. 3. In diesem Zusammenhang ist es vielleicht sinnvoll, darauf hinzuweisen, daß Anti-Physikali-

lerdings nicht nur auf abstrakte Dinge zu. Welche Dinge wahrnehmbar sind und auf welche Dinge man zeigen kann, hängt nicht nur von ihrer Art, sondern – bei physischen Dingen – auch von unserem Wahrnehmungsapparat und deshalb unter anderem von der Dimension dieser Dinge ab. Auch Elektronen sind nicht wahrnehmbar; und auf ein Positron zu zeigen, dürfte ebenfalls recht schwer sein. Bleiben also nur die beiden Hauptcharakteristika nichtphysischer Dinge:

- Nichtphysische Dinge haben keinen Ort im Raum und keine Ausdehnung.
- Nichtphysische Dinge haben keine physischen Ursachen und Wirkungen.

Auch diese beiden Merkmale führen jedoch zu unbefriedigenden Ergebnissen:

- Wenn es zu den charakteristischen Merkmalen der nichtphysischen Dinge gehört, keine physischen Ursachen und Wirkungen zu haben, dann zählen Gott, Engel, Cartesische Seelen und der *élan vital* (so wie diese Dinge normalerweise verstanden werden) *nicht* zu den nichtphysischen Dingen.
- Wenn das entscheidende Merkmal des Nichtphysischen ist, keinen Ort im Raum zu haben, dann ist der *élan vital kein* nichtphysisches Ding.
- Und auch wenn beide Merkmale zusammen entscheidend sein sollen, wäre wiederum zumindest der *élan vital kein* nichtphysisches Ding. Außerdem kann man sich eine Menge anderer problematischer Fälle zumindest vorstellen: Astralleiber[3] oder Gespenster wie den Geist in Aladins Wunderlampe.[4]

sten offenbar ganz verschiedene Positionen einnehmen können: Sie können wie Descartes oder die Vitalisten die These vertreten, daß es neben den physischen auch nichtabstrakte nichtphysische Dinge gibt, die den Lauf der Welt mit beeinflussen. Sie können aber auch der Auffassung sein, daß es neben den physischen auch abstrakte Gegenstände gibt. Im Streit um den Physikalismus spielt die Existenz abstrakter Gegenstände erstaunlicherweise jedoch häufig keine besondere Rolle.

3 »Astralleib oder Ätherleib, in unterschiedlichen (religiösen, philosophischen u. a.) Weltdeutungssystemen die Gestalt der zu den Sternen entrückten Seelen; in der Anthroposophie der ätherisch gedachte Träger des Lebens *im* Körper des Menschen; im Okkultismus ein dem irdischen Leib innewohnender *übersinnlicher* Zweitkörper.« (Meyers Lexikonverlag – Hervorhebung vom Verf.)

4 Wenn Sätze sinnvoll sind wie »Nachdem seine Seele ihn verlassen hat-

Diese Probleme sprechen meines Erachtens dafür, als Antwort auf die Frage, was physische Dinge sind, eine radikalere Lösung ins Auge zu fassen – eine Lösung, die auf dem Grundsatz der antiken Atomisten beruht: »Letzten Endes gibt es nur Atome und das Leere.« Physisch ist alles, was materiell ist. Und materiell ist alles, was aus den kleinsten Bausteinen der Materie aufgebaut ist – den letzten Elementarteilchen. So verstanden gibt es zwei Arten von physischen Dingen: erstens die von der Physik postulierten Basisentitäten – die letzten Elementarteilchen – und zweitens alles, was aus diesen Elementarteilchen (und aus nichts sonst) aufgebaut ist: Atomkerne, Atome und Moleküle sowie alle Dinge, die nur aus Atomen und Molekülen bestehen (Regentropfen, Steine und Blumen, aber auch Transistoren, Autos und Computer). Mein Vorschlag ist also, die These (PH1) so zu verstehen:

(PH1′) Alle Dinge, die es gibt, sind Elementarteilchen oder Dinge, die vollständig aus Elementarteilchen aufgebaut sind.[5]

Damit kommen wir zur zweiten Frage: Was sind physische Eigenschaften? In seiner kurzen Charakterisierung des Physikalismus schreibt Wayne Davis:

Physicalism. The doctrine that everything is physical. [...] Physicalists hold that the real world contains nothing but matter and energy, and that objects have only physical properties, such as spatio-temporal position, mass, size, shape, motion, hardness, electrical charge, magnetism, and gravity.[6]

Sicher wird kaum jemand bestreiten, daß die von Davis angeführten Eigenschaften physische Eigenschaften sind; aber seine Liste

te, schwebte sie noch eine Zeitlang über seinem Körper«, müßten nach diesem Kriterium sogar Seelen aus dem Kreis der nichtphysischen Dinge ausgeschlossen werden. Aus dieser Überlegung ergibt sich, daß auch Kims Definition »Alles, was zumindest eine physische Eigenschaft hat, ist ein physisches Ding« das Problem nicht löst. Vgl. Jaegwon Kim, *Philosophy of Mind*, Boulder, Col. 1996, S. 11.

5 Zu dieser Formulierung vgl. Geoffrey Hellman und Frank Thompson, »Physicalism: Ontology, Determination, and Reduction«, in: *Journal of Philosophy* 72 (1975), S. 551-564.

6 Wayne A. Davis, »physicalism«, in: Ted Honderich (Hg.), *The Oxford Companion to Philosophy*, Oxford 1995, S. 679.

ist sicher nicht vollständig. Wenn Gravitation zu den physischen Eigenschaften gehört, dann auch die elektromagnetische, die schwache und die starke Wechselwirkung; wenn Härte dazugehört, dann auch Plastizität usw. Auch hier stellt sich also die Frage: Gibt es ein klares Kriterium, anhand dessen man physische von nichtphysischen Eigenschaften unterscheiden kann?

Bei der Beantwortung dieser Frage scheint es mir sinnvoll, die schon getroffene Unterscheidung zwischen Elementarteilchen auf der einen und aus diesen aufgebauten komplexen physischen Dingen auf der anderen Seite noch einmal aufzugreifen. Und zwar aus zwei Gründen. Erstens, weil komplexe physische Dinge Eigenschaften haben, die Elementarteilchen nicht haben können. (Zu diesen sogenannten systemischen Eigenschaften gehören zum Beispiel die Aggregatzustände. Kein Elementarteilchen – ja nicht einmal ein einzelnes Atom und Molekül – kann gasförmig, flüssig oder fest sein.) Und zweitens, weil es so aussieht, als sei die Anzahl der physischen Eigenschaften, die Elementarteilchen haben können, relativ überschaubar, während die Menge der physischen Eigenschaften komplexer Dinge unbestimmt ist. Die physischen Eigenschaften von Elementarteilchen lassen sich daher in Form einer Liste angeben, was bei den physischen Eigenschaften komplexer Dinge nicht möglich ist. Deshalb schlage ich vor, auf die Frage, was physische Eigenschaften sind, eine zweiteilige Antwort zu geben:

(PE) (a) Zu den physischen Eigenschaften gehören die Basiseigenschaften *raum-zeitlicher Ort*, *Masse*, *elektrische Ladung*[7] und alle Eigenschaften, die aus diesen abgeleitet werden können (*Geschwindigkeit*, *Beschleunigung, etc.*).

(b) Die Eigenschaften komplexer Dinge sind physische Eigenschaften, wenn sie auf die physischen Eigenschaften ihrer Teile und auf deren räumliche Anordnung reduziert werden können.

Auf der Grundlage dieser Definition und der vorangegangenen Überlegungen kann die These (PH2) so präzisiert werden:

7 Diese Liste ist nicht als vollständige Aufzählung gemeint; falls die Physik weitere Basiseigenschaften entdeckt, müßten diese ebenfalls in die Bedingung (PE) (a) aufgenommen werden.

(PH2′) (a) Elementarteilchen haben nur physische Basiseigenschaften.
(b) Alle Eigenschaften komplexer Dinge können auf die physischen Eigenschaften ihrer Teile und auf deren räumliche Anordnung reduziert werden.

2

Auch bei dieser Präzisierung bleibt jedoch noch eine Frage offen: Was heißt es, daß eine Eigenschaft *F* eines komplexen physikalischen Gegenstandes (eines Systems) auf die physischen Eigenschaften seiner Teile und auf deren räumliche Anordnung reduziert werden kann?[8]

Für viele Autoren gibt es auf diese Frage nur zwei mögliche Antworten: den Semantischen Physikalismus und die Identitätstheorie. Beiden Positionen zufolge ist die These (PH2′) (b) jedoch nicht haltbar. Und deshalb sind diese Autoren der Auffassung, daß (PH2′) (b) entweder falsch oder zumindest falsch formuliert ist. Dies ist jedoch nicht zwingend. Denn es gibt eine überzeugende Alternative zum Semantischen Physikalismus und zur Identitätstheorie – eine Alternative, die auf C. D. Broads Unterscheidung zwischen *mechanisch erklärbaren* und *emergenten* Eigenschaften zurückgeht.

Broad war dem ontologischen Physikalismus durchaus zugeneigt, auch wenn er nicht alle Thesen dieser Position teilte. Er war ein Anhänger der These (PH1), der zufolge alle Dinge, die es gibt, aus physischen Teilen und nur aus solchen Teilen bestehen. Und er war der Meinung, daß alle Systemeigenschaften eine physische Basis haben. Damit ist folgendes gemeint. Ein komplexes System *S*, das eine Eigenschaft *F* besitzt, besteht aufgrund der These (PH1) aus physischen Bestandteilen $C_1, \ldots, C_n$, die auf die Weise *R* räumlich angeordnet sind; dieses System besitzt also die Mikrostruktur $[C_1, \ldots, C_n; R]$. Broad war nun der Überzeugung, daß es unmöglich ist, daß sich zwei Systeme mit derselben Mikrostruktur in ihren Eigenschaften unterscheiden. Mit anderen Worten, Broad zufolge gilt der Grundsatz:

8 Zur folgenden Argumentation vgl. Ansgar Beckermann, »Eigenschafts-Physikalismus«, in: *Zeitschrift für philosophische Forschung* 50 (1996), S. 3-25.

(*) Wenn *ein* System mit der Mikrostruktur $[C_1, ..., C_n; R]$ die Eigenschaft F besitzt, dann gilt dies für alle Systeme mit dieser Mikrostruktur, das heißt, dann ist der Satz (i) »Für alle x: wenn x die Mikrostruktur $[C_1, ..., C_n; R]$ hat, dann hat x die Eigenschaft F« ein wahres Naturgesetz.[9]

Jede Mikrostruktur, die den Satz (i) erfüllt, kann man eine mikrostrukturelle Basis der Systemeigenschaft F nennen. Offenbar gibt es nach Broad für jede Systemeigenschaft F eine mikrostrukturelle Basis. Denn immer wenn ein System die Eigenschaft F hat, hat es eine bestimmte Mikrostruktur, und wegen des Grundsatzes (*) ist diese Mikrostruktur eine mikrostrukturelle Basis für F.

Die These, daß jede Systemeigenschaft eine mikrostrukturelle Basis besitzt, ist jedoch nicht identisch mit der These (PH2′) (b). Denn Broad zufolge muß man, wie schon gesagt, zwischen *mechanisch erklärbaren* und *emergenten* Systemeigenschaften unterscheiden. Diese beiden Begriffe definiert Broad in etwa so:[10]

(ME) Eine Eigenschaft F eines komplexen Systems mit der Mikrostruktur $[C_1, ..., C_n; R]$ ist genau dann *mechanisch erklärbar*, wenn
(a) der Satz »Für alle x: wenn x die Mikrostruktur $[C_1, ..., C_n; R]$ hat, dann hat x die Eigenschaft F« ein wahres Naturgesetz ist und wenn
(b) F (wenigstens im Prinzip) aus der vollständigen Kenntnis all der Eigenschaften deduziert werden kann, die die Komponenten $C_1, ..., C_n$ isoliert oder in anderen Anordnungen besitzen.

(E) Eine Eigenschaft F eines komplexen Systems mit der Mikrostruktur $[C_1, ..., C_n; R]$ ist genau dann *emergent*, wenn
(a) auf der einen Seite der Satz »Für alle x: wenn x die Mikrostruktur $[C_1, ..., C_n; R]$ hat, dann hat x die Eigenschaft F« ein wahres Naturgesetz ist,

9 Broad war also der Meinung, daß Systemeigenschaften stark über mikrostrukturellen Eigenschaften supervenieren. Allerdings gilt dies natürlich nur für nichtrelationale Systemeigenschaften.

10 Vgl. Charles D. Broad, *The Mind and Its Place in Nature*, London 1925, S. 61.

(b) wenn auf der anderen Seite *F* aber nicht einmal im Prinzip aus der vollständigen Kenntnis all der Eigenschaften deduziert werden kann, die die Komponenten $C_1, \ldots, C_n$ isoliert oder in anderen Anordnungen besitzen.

Allen Systemeigenschaften – den emergenten ebenso wie den mechanisch erklärbaren – ist nach Broad also gemeinsam, daß sie eine mikrostrukturelle Basis besitzen. Die emergenten unterscheiden sich von den mechanisch erklärbaren Systemeigenschaften jedoch dadurch, daß man die letzteren »(wenigstens im Prinzip) aus der vollständigen Kenntnis all der Eigenschaften deduzieren kann, die die Komponenten $C_1, \ldots, C_n$ isoliert oder in anderen Anordnungen besitzen«, während dies für die ersteren nicht gilt.

Es ist nicht ganz leicht zu verstehen, wie Broads komplizierte Formel »*F* kann (wenigstens im Prinzip) aus der vollständigen Kenntnis all der Eigenschaften deduziert werden, die die Komponenten $C_1, \ldots, C_n$ isoliert oder in anderen Anordnungen besitzen« genau zu verstehen ist. Mir scheint aber, daß er in etwa folgendes gemeint hat: *F* kann genau dann aus der vollständigen Kenntnis all der Eigenschaften deduziert werden, die die Komponenten $C_1, \ldots, C_n$ isoliert oder in anderen Anordnungen besitzen, wenn aus den *allgemeinen*, für Gegenstände mit den *fundamentalen* Eigenschaften der Komponenten $C_1, \ldots, C_n$ geltenden Naturgesetzen folgt, daß Systeme mit der Mikrostruktur $[C_1, \ldots, C_n; R]$ alle für die Systemeigenschaft *F* charakteristischen Merkmale besitzen.

Insgesamt denke ich daher, daß man die beiden Definitionen (ME) und (E) präziser so formulieren kann:

(ME′) Eine Eigenschaft *F* eines komplexen Systems mit der Mikrostruktur $[C_1, \ldots, C_n; R]$ ist genau dann *mechanisch erklärbar*, wenn

(a) der Satz »Für alle *x*: wenn *x* die Mikrostruktur $[C_1, \ldots, C_n; R]$ hat, dann hat *x* die Eigenschaft *F*« ein wahres Naturgesetz ist und wenn

(b) aus den *allgemeinen*, für Gegenstände mit den *fundamentalen* Eigenschaften der Komponenten $C_1, \ldots, C_n$ geltenden Naturgesetzen folgt, daß Systeme mit der

Mikrostruktur $[C_1, \ldots, C_n; R]$ alle für die Eigenschaft F charakteristischen Merkmale besitzen.

(E′) Eine Eigenschaft F eines komplexen Systems mit der Mikrostruktur $[C_1, \ldots, C_n; R]$ ist genau dann *emergent*, wenn
(a) auf der einen Seite der Satz »Für alle x: wenn x die Mikrostruktur $[C_1, \ldots, C_n; R]$ hat, dann hat x die Eigenschaft F« ein wahres Naturgesetz ist,
(b) wenn auf der anderen Seite aber *nicht* aus den *allgemeinen*, für Gegenstände mit den *fundamentalen* Eigenschaften der Komponenten $C_1, \ldots, C_n$ geltenden Naturgesetzen folgt, daß Systeme mit der Mikrostruktur $[C_1, \ldots, C_n; R]$ alle für die Eigenschaft F charakteristischen Merkmale besitzen.

Meiner Meinung nach ist die so präzisierte Unterscheidung zwischen emergenten und mechanisch erklärbaren Eigenschaften unter anderem deshalb von großer Bedeutung, weil in der Bedingung (b) der Definition (ME′) ein überzeugender und sehr allgemeiner *Realisierungs-* bzw. *Reduktionsbegriff* enthalten ist, den man so formulieren kann:

(R) Die Systemeigenschaft F eines komplexen Systems ist genau dann durch dessen Mikrostruktur $[C_1, \ldots, C_n; R]$ *realisiert* bzw. auf diese Mikrostruktur *reduzierbar*, wenn aus den *allgemeinen*, für Gegenstände mit den *fundamentalen* Eigenschaften der Komponenten $C_1, \ldots, C_n$ geltenden Naturgesetzen folgt, daß Systeme mit der Mikrostruktur $[C_1, \ldots, C_n; R]$ alle für die Systemeigenschaft F charakteristischen Merkmale besitzen.

Dieser auf Broad zurückgehende Reduktionsbegriff hat mindestens drei Vorzüge:

– Er setzt nicht voraus, daß sich Prädikate, die Systemeigenschaften ausdrücken, mit Hilfe von Ausdrücken definieren lassen, die sich auf Mikrostrukturen beziehen. Damit vermeidet er die Probleme des Semantischen Physikalismus.
– Er ist mit der Multirealisierbarkeit von Systemeigenschaften vereinbar, da ihm zufolge Eigenschaftsreduktionen auch ohne die Existenz von Brückengesetzen möglich sind. Damit vermeidet er die Probleme der Identitätstheorie.

– Er wird allen Intuitionen gerecht, die normalerweise mit der Idee von Eigenschaftsreduktionen verbunden sind.

Nehmen wir als Beispiele die Eigenschaften, flüssig bzw. durchsichtig zu sein – zwei Makroeigenschaften physischer Systeme, von denen wohl jeder annimmt, daß sie auf die Mikrostrukturen dieser Systeme reduzierbar sind. Warum ist das so? Bleiben wir zunächst bei der Eigenschaft, flüssig zu sein. Flüssigkeiten unterscheiden »sich von Gasen dadurch, daß ihr Volumen (weitgehend) druckunabhängig (inkompressibel) ist, von festen Körpern dadurch, daß ihre Form veränderlich ist und sich der Form des jeweiligen Gefäßes anpaßt«.[11] Dies liegt auf der einen Seite daran, daß bei Flüssigkeiten – anders als bei Gasen – die Molekel so dicht wie möglich ›gepackt‹ sind. Enger ›zusammenrücken‹ können sie nicht (oder nur bei sehr großem Kraftaufwand), weil die Abstoßungskräfte zwischen den Molekeln dies nicht zulassen. Auf der anderen Seite sind die Molekel in Flüssigkeiten aber gegeneinander verschiebbar, sie können sozusagen frei übereinanderrollen, während die Molekel fester Körper durch die Kräfte, die sie aufeinander ausüben, an ihren relativen Positionen festgezurrt sind. Die Molekel eines festen Körpers können sich daher nur im Verband bewegen. Der ganze Körper bewegt sich, die relative Position seiner Molekel bleibt dabei unverändert, und deshalb behält der Körper seine Form. Offenbar ist es keine Frage, daß sich die Kräfte, die Molekel unter bestimmten Bedingungen aufeinander ausüben, aus den allgemeinen für sie geltenden Naturgesetzen ergeben. Also ergibt sich aus diesen Naturgesetzen auch, ob ein Stoff unter diesen Bedingungen flüssig ist oder nicht. Er ist flüssig, wenn die anziehenden Kräfte groß genug sind, um die Molekel bis auf einen Mindestabstand zusammenrücken zu lassen, aber nicht groß genug, um sie an ihren relativen Positionen festzuzurren.

Bei der Eigenschaft, durchsichtig zu sein, liegen die Dinge ganz ähnlich. Eine Glasscheibe ist durchsichtig, da sie Licht (Photonen) des sichtbaren Spektrums gleichmäßig und fast vollständig durchläßt. Auch hier scheint klar, daß dies an der physikalischen Struktur der beteiligten Moleküle und an deren Anordnung liegt. Im Einzelfall mag es schwierig sein, zu zeigen, daß aus den allgemeinen Naturgesetzen folgt, daß Moleküle von einer bestimmten

11 Art. »Flüssigkeit«, Meyers Lexikonverlag.

physikalischen Beschaffenheit und in einer bestimmten räumlichen Anordnung (fast) keine Photonen absorbieren. Aber die meisten von uns würde es sicher sehr wundern, wenn es nicht so wäre. Außerdem hätte es schwerwiegende theoretische Folgen, wenn es sich anders verhielte. Auf diesen Folgen werde ich gleich zu sprechen kommen.

3

Bis jetzt haben wir uns hauptsächlich mit der Frage beschäftigt, wie die Teilthesen des ontologischen Physikalismus genau zu verstehen sind. In diesem Abschnitt soll nun das im Titel angekündigte Argument zur Sprache kommen, das für die Richtigkeit dieser Thesen spricht – das heißt genauer: für die Richtigkeit der These (PH2′) (b).

Dieses Argument geht von der Frage aus, was es eigentlich bedeuten würde, wenn diese These falsch wäre. Nach den bisherigen Überlegungen besagt die These (PH2′) (b), daß alle Systemeigenschaften auf die physikalischen Mikrostrukturen der betreffenden Systeme reduzierbar sind. Wenn diese These falsch wäre, würde das also heißen, daß zumindest einige Systemeigenschaften nicht auf diese Weise reduziert werden können – bzw. in der Terminologie Broads: daß zumindest einige Systemeigenschaften nicht mechanisch erklärbar, sondern emergent sind. Die Frage ist also: Was würde es bedeuten, wenn es emergente Systemeigenschaften gäbe? Was würde es zum Beispiel bedeuten, wenn die Eigenschaft, magnetisch zu sein, emergent wäre?

Vorab scheinen zwei Dinge klar zu sein. *Erstens*: Zu den charakteristischen Merkmalen der Eigenschaft, magnetisch zu sein, gehört, daß sich magnetische Dinge (bzw. Dinge in der Umgebung magnetischer Dinge) auf spezifische Weise verhalten:

- Magnetische Dinge ziehen Eisenfeilspäne in ihrer Umgebung an.
- Eine Kompaßnadel in der Nähe eines magnetischen Dings zeigt in dessen Richtung.
- Magnetische Dinge induzieren einen Strom in Kreisleitern, durch die sie geführt werden.
- Magnetische Dinge magnetisieren nichtmagnetische Eisenstücke in ihrer Umgebung. Etc.

Zweitens: Die spezifischen Verhaltensweisen, die für magnetische Dinge charakteristisch sind, betreffen nicht nur *makroskopische* Dinge, sondern auch deren *mikroskopische* Teile.

- Wenn sich eine Kompaßnadel in der Nähe eines magnetischen Dings in dessen Richtung dreht, dann deshalb, weil *alle Moleküle und Atome*, aus denen die Kompaßnadel besteht, entsprechende Bewegungen ausführen.
- Wenn in einer Spule, durch die ein magnetischer Gegenstand geführt wird, ein Strom fließt, dann deshalb, weil sich *die Elektronen* in dieser Spule auf spezifische Weise bewegen.

Magnetische Dinge bewirken makroskopische Verhaltensweisen also, indem sie ein entsprechendes Verhalten der mikroskopischen Teile der jeweiligen Gegenstände hervorrufen.

Was folgt aus diesen beiden Punkten, wenn wir annehmen, die Eigenschaft, magnetisch zu sein, sei emergent? Erstens natürlich, daß die Verhaltensweisen, die für magnetische Dinge charakteristisch sind, *nicht* auf die allgemeinen Naturgesetze zurückgeführt werden können, die für die physischen Teile dieser Dinge gelten. Mit anderen Worten: Wenn die Eigenschaft, magnetisch zu sein, emergent ist, ergibt sich weder die Tatsache, daß in einer Spule, durch die ein magnetischer Gegenstand *S* geführt wird, ein Strom fließt, noch die Tatsache, daß sich eine Kompaßnadel in die Richtung von *S* dreht, aus den Naturgesetzen, auf denen das Verhalten der physischen Komponenten von *S* im allgemeinen beruht.

Doch damit noch nicht genug. Da das Fließen des Stromes in der Spule auf der Bewegung bestimmter Elektronen beruht und da sich das Drehen der Kompaßnadel aus den Bewegungen der Atome und Moleküle ergibt, aus denen diese Nadel besteht, ergibt sich die weitere Konsequenz: Falls die Eigenschaft, magnetisch zu sein, emergent ist, ergeben sich nicht einmal die Bewegungen der Elektronen in der Spule bzw. die Bewegungen der Atome und Moleküle, aus denen die Kompaßnadel besteht, aus den für die physischen Komponenten von *S* geltenden Naturgesetzen.

Die äußerst unliebsame Konsequenz wäre also: Wenn die Eigenschaft, magnetisch zu sein, emergent wäre, wären die grundlegenden Gesetze der Elementarteilchenphysik auf beunruhigende Weise *unvollständig*. In jedem Fall, in dem die Bewegungen der Elektronen in einer Spule dadurch bewirkt werden, daß ein magnetischer Gegenstand durch diese Spule geführt wird, und in jedem Fall, in dem sich die Atome und Moleküle, aus denen eine Kompaßnadel besteht, deshalb in Bewegung setzen, weil sich diese Nadel auf einen in der Nähe befindlichen magnetischen Gegenstand hin ausrichtet, ließen sich diese Bewegungen *nicht* auf die grundlegenden Gesetze der Elementarteilchenphysik zurückführen. Da alle Bewegungsveränderungen letzten Endes durch entsprechende Kräfte hervorgerufen werden, kann man dies auch so ausdrücken: Wenn die Eigenschaft, magnetisch zu sein, emergent wäre, würde das Verhalten der Elektronen in einer Spule und das Verhalten der Atome und Moleküle einer Kompaßnadel zumindest in manchen Fällen durch Kräfte bestimmt, die sich nicht aus den grundlegenden Gesetzen der Elementarteilchenphysik ableiten lassen.

Und dieses Ergebnis läßt sich offenbar verallgemeinern: Jede emergente Eigenschaft *F*, die zumindest zum Teil dadurch charakterisiert ist, daß sich Gegenstände, die diese Eigenschaft besitzen, auf eine bestimmte Art und Weise verhalten bzw. daß Gegenstände mit dieser Eigenschaft das Verhalten anderer Gegenstände kausal beeinflussen, führt zu einer Lücke in der Elementarteilchenphysik. Denn daß *F* emergent ist, impliziert, daß das Verhalten der physischen Komponenten der Gegenstände, die *F* besitzen, bzw. der Gegenstände, die mit solchen Gegenständen interagieren, zumindest in manchen Fällen durch Kräfte bestimmt wird, die sich nicht aus den Gesetzen der Elementarteilchenphysik ergeben. Zumindest gilt dies dann, wenn das Oberflächenverhalten, das durch *F* verursacht wird, unmittelbar mit dem Verhalten der physischen Komponenten der beteiligten Gegenstände zusammenhängt. Falls es emergente Eigenschaften gibt, ist die Elementarteilchenphysik also unvollständig. In diesem Fall läßt sich nicht alles, was auf der Ebene der Elementarteilchen passiert, mit ihren Gesetzen erklären.

Allerdings gibt es vielleicht doch noch einen Weg, diese unliebsame Konsequenz zu vermeiden. Aufgrund der Broadschen Definitionen haben nämlich, wie wir schon gesehen haben, auch alle emergenten Eigenschaften eine mikrostrukturelle Basis. Das heißt, nach Broad gibt es für jede emergente Eigenschaft *F* eine Menge *M* von Mikrostrukturen, für die gilt:

1. Ein System *x* hat *F* nur dann, wenn es eine der Mikrostrukturen besitzt, die zu *M* gehören;

2. Für alle Elemente M_i von M gilt: Wenn x die Mikrostruktur M_i besitzt, dann hat x F.

Auch wenn die Eigenschaft, magnetisch zu sein, emergent ist, kann das System S diese Eigenschaft daher nur besitzen, wenn es eine Mikrostruktur $[C_1, \ldots, C_n; R]$ besitzt, für die der Satz »Für alle x: wenn x die Mikrostruktur $[C_1, \ldots, C_n; R]$ hat, dann ist x magnetisch« ein wahres Naturgesetz darstellt.

Wenn das so ist, ist es jedoch nicht nötig, zur Erklärung der Bewegung der Elektronen in der Spule, durch die S geführt wird, und der Bewegungen der Atome und Moleküle der Kompaßnadel in der Nähe von S die Mikroebene zu verlassen. Denn alles, was man darauf zurückführen kann, daß S magnetisch ist, kann man offenbar ebenso gut erklären, indem man darauf verweist, daß S aus den Komponenten $C_1, \ldots, C_n$ besteht, die auf die Weise R angeordnet sind. Mit anderen Worten: Wenn Broad recht hat, gibt es für alles, was dadurch bewirkt wird, daß ein Gegenstand eine emergente Eigenschaft hat, auch eine Erklärung auf der Mikroebene. Anders als bisher behauptet, scheint die Existenz emergenter Eigenschaften also nicht die Unvollständigkeit der Elementarteilchenphysik zu implizieren.

Mit diesem Einwand würde der entscheidende Punkt jedoch gerade verfehlt. Denn das beunruhigende Ergebnis der bisherigen Überlegungen ist nicht, daß die Existenz emergenter Eigenschaften die Existenz von Wirkungen auf der Ebene der Elementarteilchen impliziert, für die es auf dieser Ebene selbst keine Erklärungen gibt, sondern daß die Existenz emergenter Eigenschaften die Existenz von Wirkungen auf der Ebene der Elementarteilchen impliziert, die sich nicht aus den *allgemeinen Gesetzen der Elementarteilchenphysik* ergeben. Natürlich kann man dem Broadschen Ansatz zufolge die Bewegungen der Elektronen in der Spule und die Bewegungen der Atome und Moleküle der Kompaßnadel darauf zurückführen, daß S aus den Komponenten $C_1, \ldots, C_n$ besteht, die auf die Weise R angeordnet sind. Wenn die Eigenschaft, magnetisch zu sein, emergent ist, kann jedoch *diese Tatsache selbst* – die Tatsache, daß die auf die Weise R angeordneten physischen Teile von S ebendiese Wirkungen haben – ihrerseits nicht aus den allgemeinen Gesetzen der Elementarteilchenphysik abgeleitet werden. Wenn die Eigenschaft, magnetisch zu sein, emergent ist, handelt es sich hier um ein theoretisch nicht erklärbares *factum brutum*. Daß Komponenten der Art $C_1, \ldots,$

C_n, die auf die Weise *R* angeordnet sind, die genannten Wirkungen haben, ist in diesem Fall ein nicht weiter ableitbares, letztes Gesetz (in Broads Worten: »an unique and ultimate law«) – ein Gesetz, von dem wir auch nur aufgrund von unmittelbarer Beobachtung wissen können, daß es besteht.

Wenn zuvor gesagt wurde, daß die Existenz emergenter Eigenschaften in gewisser Weise die Unvollständigkeit der Elementarteilchenphysik zur Folge hätte, ist damit also folgendes gemeint. Wenn es emergente Eigenschaften gäbe, dann wären die *grundlegendgenden Gesetze* der Elementarteilchenphysik *nicht allgemein*. Dann ließe sich nicht alles, was auf der Ebene der Elementarteilchen passiert, mit Hilfe *dieser* Gesetze erklären. Oder anders ausgedrückt: Dann bestünde die Elementarteilchenphysik aus einer kleinen Zahl von Grundgesetzen und einer unüberschaubaren Zahl von Ausnahmeregeln. Das wäre in etwa so, als würde die Gravitationskraft, die zwei Körper aufeinander ausüben, zwar in den meisten Fällen dem Gravitationsgesetz

$$F = \frac{m_1 \cdot m_2}{r^2}$$

entsprechen, aber eben nicht immer – zum Beispiel weil im Fall $m_1 = 1$, $m_2 = 10$ und $r = 1$ diese Kraft nicht 10, sondern nur 7 Newton beträgt; weil im Fall $m_1 = 12$, $m_2 = 16$ und $r = 8$ diese Kraft nicht 3, sondern 4 Newton beträgt; und weil im Fall $m_1 = 45$, $m_2 = 10$ und $r = 15$ diese Kraft nicht 2, sondern 212 Newton beträgt.

Es ist natürlich nicht ausgeschlossen, daß die Dinge auf der Ebene der Elementarteilchen tatsächlich so liegen, daß Ereignisse auf dieser Ebene zwar in den meisten Fällen mit Hilfe einiger allgemeiner Grundgesetze, in einer ganzen Reihe von Einzelfällen jedoch nur mit Hilfe von Ausnahmeregeln erklärt werden können, die jeweils nur auf einen Fall zutreffen. Ich sehe aber keinen Grund für die Annahme, daß es tatsächlich so ist. Und ich denke, daß viele mit mir die Auffassung teilen, daß es höchst ungewöhnlich wäre, wenn die Elementarteilchenphysik tatsächlich in diesem Sinne ›inhomogen‹ wäre. Wenn es emergente Eigenschaften gäbe, müßte dies jedoch der Fall sein. Das heißt, man hat nur die Wahl zwischen der Annahme der Existenz emergenter Eigenschaften und der Annahme, daß es sich bei der Elementarteilchenphysik um eine ›homogene‹ Wissenschaft handelt, daß auf der Ebene der Elementarteilchen sozusagen alles mit rechten Dingen zugeht. Mir scheint die zweite Annahme plausibler. Das heißt, ich gehe hier davon aus, daß die folgenden beiden Prinzipien zutreffen.

1. Es gibt ein System von *allgemeinen grundlegenden* Naturgesetzen, das ausreicht, das gesamte Verhalten aller Elementarteilchen zu erklären (soweit es überhaupt erklärbar ist).
2. Dieses System *enthält keine Ausnahmegesetze*, in denen festgestellt wird, daß sich die Elementarteilchen, wenn sie in ganz bestimmte räumliche Konstellationen kommen, anders verhalten, als dies aufgrund der allgemeinen grundlegenden Naturgesetze zu erwarten wäre.

Wenn diese Prinzipien zutreffen, kann es aber keine emergenten Eigenschaften geben. Und das bedeutet auch: Wenn diese Prinzipien zutreffen, muß die These (PH2′) (b) wahr sein.

Dirk Hartmann und Rainer Lange
Ist der erkenntnistheoretische Naturalismus gescheitert?

1. Historisches zum Naturalismus

Wie aus dem Titel hervorgeht, ist das Thema unseres Artikels die Frage, ob der erkenntnistheoretische Naturalismus gescheitert ist. Bevor wir uns ihrer Beantwortung zuwenden, ist es allerdings angebracht, zunächst zu erläutern, was unter »erkenntnistheoretischem Naturalismus« überhaupt verstanden werden soll. Dazu möchten wir einen ganz kurzen Ausflug in die jüngere Philosophiegeschichte unternehmen, und zwar zu Ludwig Wittgensteins 1921 erschienenem Buch *Tractatus logico-philosophicus*.[1]

Darin vertritt Wittgenstein unter anderem die Ansicht, daß alle sinnvollen Sätze den empirischen Naturwissenschaften angehören. Was die Sätze der Logik und Mathematik angeht, so sind diese nach dem Wittgenstein des Tractatus zwar nicht unsinnig, aber sinnleere Tautologien. Sie sind nur deshalb *a priori* – also vor aller Erfahrung – wahr, weil sie uns nichts über die Welt sagen, sondern »Grenzfälle« sind, die schon allein aufgrund der internen Struktur der Sprache gelten. Da Wittgenstein im Verlauf seiner Untersuchungen feststellen muß, daß seine eigenen erkenntnistheoretischen Ausführungen selbst weder in empirischen Sätzen noch in analytischen Tautologien bestehen, kommt er am Ende seines Buches zu dem bemerkenswerten Schluß, daß seine philosophischen »Aussagen« unsinnig sind. Trotzdem ist es möglich, sie zu einem bestimmten Zweck zu benutzen, nämlich in einer »erzieherischen« oder »therapeutischen« Funktion:[2]

> 6.53 Die richtige Methode der Philosophie wäre eigentlich die: Nichts zu sagen, als was sich sagen läßt, also Sätze der Naturwissenschaft – also etwas, was mit Philosophie nichts zu tun hat –, und dann immer, wenn ein anderer etwas Metaphysisches sagen wollte, ihm nachzuweisen, daß er gewissen Zeichen in seinen Sätzen keine Bedeutung gegeben hat. Diese

1 Ludwig Wittgenstein, *Tractatus logico-philosophicus*, in: ders. *Werkausgabe Bd. 1*, Frankfurt am Main 1960.

2 Ebd., §§ 6.53-7.

Methode wäre für den anderen unbefriedigend – er hätte nicht das Gefühl, daß wir ihn Philosophie lehren – aber sie wäre die einzig streng richtige.

6.54 Meine Sätze erläutern dadurch, daß sie der, welcher mich versteht, am Ende als unsinnig erkennt, wenn er durch sie – auf ihnen – über sie hinausgestiegen ist. (Er muß sozusagen die Leiter wegwerfen, nachdem er auf ihr hinaufgestiegen ist.) Er muß diese Sätze überwinden, dann sieht er die Welt richtig.

7. Wovon man nicht sprechen kann, darüber muß man schweigen.

Wie unsinnige Sätze benutzt werden können, um das Unaussprechliche wenigstens zu »zeigen«, bleibt trotz aller Bemühungen im *Tractatus* letztlich unerklärlich. Diese in der Erkenntnistheorie des Tractatus angelegte performative Spannung zieht sich auch durch den Logischen Empirismus des Wiener Kreises, bis sie sich schließlich in Willard Van Orman Quines Programm der sogenannten »Naturalisierung der Erkenntnistheorie« löst: Weil alle sinnvollen Aussagen wissenschaftliche Aussagen sind, geht nach Quine philosophische Erkenntnistheorie in letzter Konsequenz in Kognitionswissenschaft auf.

Wir zitieren im folgenden aus Quines berühmtem Aufsatz von 1969 »Naturalisierte Erkenntnisthorie« (»Epistemology naturalized«). Nachdem Quine gerade das erkenntnistheoretische Rekonstruktionsprogramm Rudolf Carnaps skizziert hat, schreibt er:[3]

Aber wozu all diese erfinderischen Rekonstruktionen, all dieser Zauber? Letztlich sind ja die Reizungen der eigenen Sinnesrezeptoren das einzige, was man hatte, um zu seinem Bild der Welt zu kommen. Warum sollte man nicht einfach zu ermitteln suchen, wie diese Konstruktion wirklich vorgeht? Warum sich nicht mit Psychologie begnügen?

Und einige Seiten später:[4]

Wittgenstein und seine Jünger, vor allem in Oxford, fanden eine philosophische Restbeschäftigung in der Therapie: nämlich Philosophie von der Verblendung zu kurieren, es gäbe erkenntnistheoretische Probleme. Aber ich meine, daß es an dieser Stelle wohl nützlicher ist, zu sagen, daß die Erkenntnistheorie auch weiterhin fortbesteht, jedoch in einem neuen

3 Willard V. O. Quine, »Naturalisierte Erkenntnistheorie«, in: ders., *Ontologische Relativität und andere Schriften*, Stuttgart 1975, S. 105.
4 Ebd., S. 114 f.

Rahmen und mit einem geklärten Status. Die Erkenntnistheorie oder etwas Ähnliches erhält ihren Platz innerhalb der Psychologie und somit innerhalb der empirischen Wissenschaften.

Dem philosophiehistorisch Kundigen fällt sicher auf, daß dieses Programm nicht gänzlich neu ist. Ansätze einer solchen Naturalisierung der Erkenntnistheorie finden sich schon in der traditionellen Philosophie. Vor allem David Hume, der auch Quine entscheidend beeinflußt hat, ist hier zu nennen.[5] Doch erst seit Quine kann naturalisierte Erkenntnistheorie als die dominierende Strömung innerhalb der theoretischen Philosophie angesehen werden.

2. Was ist Naturalismus?

Das Programm einer naturalisierten Erkenntnistheorie muß als Teil einer umfassenden philosophischen Position verstanden werden, die den Namen »Naturalismus« trägt. Varianten dieser Position gibt es unzählige – und mit ihnen ebenso unzählige Streitfragen darüber, wer eigentlich diesen Titel mit Recht für sich beansprucht[6] –, grundlegend aber ist für unsere Zwecke die Unterscheidung in »ontologischen« und »methodologischen Naturalismus«.

Das Motto des ontologischen Naturalismus lautet: »Alles Geschehen ist Naturgeschehen. Es gibt nichts Übernatürliches.« Er ist also zunächst einmal gegen »übernatürliche« Phänomene gerichtet – das Auftreten und Wirken von Astralleibern, Geistern, Engeln etc. Der ontologische Naturalismus wurde im 19. Jahrhundert vor allem von Naturwissenschaftlern (besonders prominent von Ernst Haeckel) vertreten, und das ist auch heute noch so.[7] Dabei traten Abgrenzungsprobleme auf, wo sich die Aufmerksamkeit von anerkannt »übernatürlichen« Phänomenen ab- und statt dessen Entitäten zuwandte, die erklärtermaßen Be-

5 David Hume, *A Treatise of Human Nature*, herausgegeben von P. Nidditch, Oxford 1978. Im Untertitel wird dieses Buch beschrieben als ein »Versuch, die experimentelle Methode in die praktische Philosophie einzuführen«.

6 Vgl. die Beiträge von Geert Keil und Dirk Koppelberg in diesem Band.

7 Zur Entwicklung von naturalistischen Positionen innerhalb der Naturwissenschaften vgl. den Beitrag von Peter Janich in diesem Band.

standteil einer »natürlichen« Ontologie sein sollten. Man denke hier zum Beispiel an diejenigen unter den vitalistischen Positionen, die unter Postulierung theoretischer Entitäten dem eigenen Verständnis nach in gleicher Weise Erklärungen natürlicher Phänomene zu geben versuchten wie die respektable Physik ihrer Tage. Daneben sind im Rahmen des ontologischen Naturalismus selbstverständlich auch materialistische Lösungsversuche für das Leib-Seele-Problem besonders nachgefragt.

Die Grundproblematik des ontologischen Naturalismus liegt auf der Hand: Was darf als »natürliche« Entität gelten und was nicht? Doch auch wenn diese Frage beantwortet werden kann, werden ontologische Naturalismen in heutiger Zeit als in unbefriedigender Weise inkonsequent empfunden: Ontologische Fragestellungen sind zunächst einmal typisch für die traditionelle Metaphysik. Und deren müßigen Spekulationen soll doch im Naturalismus gerade die »strenge« und philosophisch abstinente Naturwissenschaft entgegengesetzt werden. Nur insoweit sich ihnen relativ zu solch einem Programm ein Sinn geben läßt, können ontologische Fragen innerhalb eines konsequenten Naturalismus noch beantwortet werden.

Da in dieser Richtung wenig Erfolg zu verzeichnen ist, wird heute – im Gefolge Quines – meist ein »methodologischer Naturalismus« vertreten. Dieser läßt sich am besten charakterisieren durch die These, daß alles Geschehen in dem Sinne Naturgeschehen ist, daß es mit den Mitteln der Naturwissenschaften (wenigstens prinzipiell) vollständig beschrieben und erklärt werden kann – insbesondere auch das Handeln des Menschen und kulturelle Artefakte, einschließlich der sprachlichen.

Um von hier zum Programm der Naturalisierten Erkenntnistheorie zu kommen, muß man dies (mit dem frühen Wittgenstein) nur noch verschärfen zu der These, daß alles, was überhaupt über die Welt gewußt werden kann, in den Gegenstandsbereich der Naturwissenschaften fällt; ihr Erklärungsanspruch ist also exklusiv.

Die Philosophie hat demnach weder einen eigenen Gegenstandsbereich noch eigene Methoden. Insbesondere gibt es kein den Naturwissenschaften methodisch vorgängiges, unabhängig von ihnen zu gewinnendes Wissen einer philosophischen Erkenntnistheorie. Wie der problemgeschichtliche Bezug zum *Tractatus* zeigt, ist auch die methodologische Form des Naturalismus motiviert durch das Ziel der konsequenten Ausschaltung oder Überwindung von Metaphysik und Obskurantismus.

Der methodologische Naturalismus ist in der zweiten Hälfte dieses Jahrhunderts zur vorherrschenden Strömung vor allem innerhalb der angelsächsischen Philosophie geworden. Die ihr anhängenden Philosophen treten gewissermaßen als Advokaten der theoretischen Abwicklung ihres eigenen Faches auf.

Nun hängt die genaue Bedeutung der These des methodologischen Naturalismus offenbar davon ab, welche Wissenschaften bzw. welche Methoden als »naturwissenschaftlich« gelten dürfen. Daher findet sich der methodologische Naturalismus in verschiedenen extremen Varianten:

Die radikalste Form ist der reduktionistische Physikalismus, nach welchem die Ergebnisse anderer Wissenschaften als der Physik nur dann als naturwissenschaftlich – und damit als akzeptabel – ausgewiesen sind, wenn sie wenigstens prinzipiell auf die Physik reduziert werden können (ein prominentes Beispiel liefert Otto Neuraths sogenannter »Radikaler Physikalismus«[8]). Ein rein ontologischer Physikalismus, wie er häufig vertreten wird, um der Erfolglosigkeit reduktionistischer Programme angemessen zu begegnen, bleibt demgegenüber naturalistisch unbefriedigend.

Wenn kein Physikalismus vertreten wird, dann wird oft wenigstens eine Reduktion der Psychologie auf die Neurowissenschaften gefordert, damit sich geistige Leistungen in dem Sinne als natürliche Vorgänge verstehen lassen, daß sie als Hirnvorgänge erklärbar sind. Dies hat seine Berechtigung darin, daß geistige oder mentale Vorgänge *prima facie* am ehesten einem geschlossenen naturalistischen Weltbild zu widerstehen scheinen.

Für naturalistische Positionen, die nicht reduktionistisch angelegt sind, stellt sich immer die Frage, welche Wissenschaften zu den akzeptierten, den sogenannten »o. k.-sciences« zu rechnen sind und welche nicht. Oft wird hier gefordert, daß Sozial- bzw. Kulturwissenschaften, um »dazugehören« zu können, gewisse allgemeine Methoden der traditionellen Physik übernehmen müssen, zum Beispiel die Erklärung von Phänomenen mittels

8 Siehe etwa Otto Neurath, »Protokollsätze«, in: *Erkenntnis* 3 (1932/33), S. 204-214.

Kausalgesetzen und das Experiment. Den meisten Lesern dürfte dieses Programm unter dem Titel »Szientismus« bekannt sein.

Je gemäßigter die naturalistische Position ausfällt, desto uninteressanter wird sie selbstverständlich. Der Extremfall besteht darin, daß man schlicht alle institutionell etablierten Wissenschaften mit ihren faktisch vorhandenen Methoden als »o. k.-sciences« anerkennt. Es ist dann allerdings kaum noch einzusehen, wieso ausgerechnet die Philosophie (und vielleicht noch die Theologie) ausgeschlossen sein sollen.

Damit die These des methodologischen Naturalismus nicht leer oder völlig willkürlich wird, ist es daher angebracht, eine nähere Bestimmung der »Methoden der Naturwissenschaften« zu versuchen. Wir schlagen dazu folgende Charakterisierung vor:[9]

Naturwissenschaften erklären Phänomene allein über die Anwendung von Kausalgesetzen (Zustands- und Verlaufsgesetzen), die einer experimentellen Überprüfung nicht nur prinzipiell zugänglich sind, sondern sich dabei bereits bewährt haben.

Sicherlich birgt auch diese Erläuterung noch Fragen – etwa nach der logischen Form der nomologischen Erklärung und nach der genaueren Bestimmung der experimentellen Methoden –, aber damit ist man jedenfalls auf geläufiges wissenschaftstheoretisches Terrain geraten.

Anstatt also hier weiterzubohren, werden wir nun lieber zwei wichtige Konsequenzen des methodologischen Naturalismus aufweisen:

Erstens: Philosophen unterscheiden oft zwischen Handlungen, für die sich Gründe angeben lassen, und bloßem Verhalten, für das nur Ursachen angegeben werden können. Verhalten widerfährt einem Lebewesen einfach (wie ein Hustenanfall), Handeln ist hingegen unterlaßbar (wie ein Konzertbesuch). Die Unterscheidung ist insbesondere auch im Hinblick auf die Ethik wichtig: Für sein Handeln kann ein Mensch verantwortlich gemacht werden, für sein Verhalten nicht (oder jedenfalls nur indirekt).

9 Die Auffassung, daß den Naturwissenschaften eine einheitliche Methode eigen ist, läßt sich überhaupt nur in dieser Allgemeinheit aufrechterhalten. Sobald konkretere methodologische Charakterisierungen in den Blick geraten, lassen sich, wie Keil (»Ist die Philosophie eine Wissenschaft?«, in: Simone Dietz et al. [Hg.] *Sich im Denken orientieren*, Frankfurt am Main 1996, S. 32-51) richtig anmerkt, allenfalls noch Familienähnlichkeiten feststellen.

Die Unterscheidung zwischen Handlungen und bloßem Verhalten muß aus naturalistischer Sicht aufgegeben werden. Handlungen sind einfach nur komplexes Verhalten. Das bedeutet auch, daß die gesamte mit dem Handlungsbegriff zusammenhängende Terminologie – also »Zweck«, »Absicht«, »Grund«, »Meinung« etc. – entweder wissenschaftlich sinnlos ist oder naturalistisch rekonstruiert werden muß – je nach Vorliebe verhaltenstheoretisch oder neurophysiologisch. Offensichtlich kommen auch hier wieder die materialistischen Lösungsversuche für das Leib-Seele-Problem zum Zuge.

Eine zweite Konsequenz betrifft den Übergang von traditioneller zu naturalisierter Erkenntnistheorie: Der traditionellen Erkenntnistheorie kam (noch im logischen Empirismus und dem kritischen Rationalismus) die Aufgabe zu, die Unterscheidung zwischen Wissen und bloßem Meinen zu explizieren und Verfahren aufzustellen, nach denen sich diese Unterscheidung in unseren kognitiven Praxen einmünzen ließe – man denke hier an Logik, Semantik und Wissenschaftstheorie. Sie war demnach als ein normatives Unternehmen gedacht, mit dessen Hilfe sich jeder (epistemische) Geltungsanspruch auf seine Rechtmäßigkeit hin beurteilen lassen sollte. (Das läßt sich zum Beispiel sehr schön an Poppers Antwort auf T. S. Kuhn sehen:[10] Mag sein, daß die Wissenschaft nicht so verfährt, wie in der *Logik der Forschung* dargelegt, aber das ist kein Einwand gegen den Kritischen Rationalismus, sondern gegen die Wissenschaftspraxis: Diese *sollte* nämlich nach der *Logik der Forschung* verfahren.)

Im Naturalismus hört Erkenntnistheorie dagegen auf ein normatives Unternehmen zu sein. Statt dessen sollen einzig Kausalerklärungen des Entstehens kognitiver Zustände geliefert werden.

Der Grund für diese normative Abstinenz fällt mit der Begründung für den Verzicht auf traditionelle zugunsten naturalisierter Erkenntnistheorie zusammen: Über die Geltung von Normen läßt sich nicht wissenschaftlich urteilen. Versuche einer Normenbegründung sind daher müßig bzw., schlimmer noch, fallen unter das Sinnlosigkeitsverdikt.

10 Karl R. Popper, »Die Normalwissenschaft und ihre Gefahren«, in: Lakatos und Musgrave (Hg.), *Kritik und Erkenntnisfortschritt*, Braunschweig 1970, S. 51-57.

3. Warum der erkenntnistheoretische Naturalismus scheitert

Im folgenden werden wir Gründe dafür angeben, warum das Programm der naturalisierten Erkenntnistheorie, ja sogar die methodologische Naturalisierung im ganzen undurchführbar ist. Wir wenden uns dabei zunächst der Naturalisierung der Erkenntnistheorie zu:

Gegen das Programm der Überführung von Erkenntnistheorie in Kognitionswissenschaft wurde häufig vorgebracht, daß sich Erkenntnistheorie und Kognitionswissenschaften nicht mit denselben Fragestellungen befassen.[11] Kognitionswissenschaften untersuchen, wie sich Wissenserwerb bei Lebewesen *de facto* vollzieht. Erkenntnistheorie befaßt sich hingegen mit der Frage, in welcher Weise sich Wissen ausweisen muß, um als solches gelten zu dürfen. Das ist aber eine *de jure*-Fragestellung. So erklärt sich das Unbehagen an Quines Frage: »Warum sich nicht mit Psychologie begnügen?« Ja, warum nicht unter dem alten Etikett einfach etwas anderes tun? Analog könnte man aus der Tatsache, daß die Maßstäbe für gute Literatur umstritten sind, den Schluß ziehen, daß das Literarische Quartett, anstatt Bücher zu beurteilen, über deren Herstellung berichten sollte.

Die Frage ist, ob es sich der Naturalismus wirklich leisten kann, die Nachfrage nach einer Behandlung normativer Fragestellungen einfach zu ignorieren. Müssen sich nicht die Wissenschaften selbst normativer Konzepte bedienen, nach denen korrektes von inkorrektem Vorgehen, brauchbare von unbrauchbaren Ergebnissen zu unterscheiden sind? Tatsächlich wird innerhalb der wissenschaftlichen Praxis zumindest implizit immer wieder auf diesbezügliche Normen und Vorschriften Bezug genommen, sobald die Geltung einer Aussage umstritten ist. Als Beispiel sei hier nur die Forderung nach Reproduzierbarkeit experimenteller Ergebnisse genannt. Und selbstverständlich wird von allen Wissenschaftlern angenommen, daß derartige Normen nicht beliebig, sondern vielmehr selbst einer Rechtfertigung fähig sind.

Wenn der Naturalist also seine Position in Übereinstimmung

11 Vgl. Jaegwon Kim, »What is ›Naturalized Epistemology‹?« in: *Philosophical Perspectives 2: Epistemology* (1988), S. 381-405.

mit der Wissenschaftspraxis halten will, muß er ihren normativen Aspekten irgendwie Sinn geben. Andererseits kann er aber normative Fragestellungen nicht einfachhin wieder zulassen, ohne das Programm der naturalisierten Erkenntnistheorie im Kern aufzugeben. Natürlich könnte er auch die Verbannung normativer Aspekte aus der Naturwissenschaft fordern. Aber dies würde seinerseits einen normativen Eingriff in die Wissenschaft von »außen« bedeuten, also gerade etwas, das Naturalisten an der traditionellen Erkenntnis- und Wissenschaftstheorie immer kritisiert haben.

An dieser Stelle ist nun eine jüngere Form von Naturalismus zu betrachten, die das aufgezeigte Dilemma scheinbar löst. Sie nennt sich »normativer Naturalismus« und wird insbesondere von Larry Laudan, aber auch von Ronald N. Giere und Harold I. Brown vertreten.[12] Der normative Naturalismus erkennt grundsätzlich an, daß Erkenntnistheorie normative Fragen behandeln muß. Die Behandlung aller einschlägigen normativen Fragen sei aber auf der Basis des naturalistischen Selbstverständnisses und ohne Wiederbelebung traditioneller, philosophischer Erkenntnistheorie möglich. Dazu verweist der normative Naturalismus darauf, daß sich empirisch prüfen läßt, ob gegebene Normen relativ zu gegebenen Zwecken geeignete Mittel darstellen oder nicht. Die Befolgung bestimmter Normen erweist sich als zielführend, die Befolgung anderer Normen nicht; es ist ein triviales Gebot der Klugheit, zielführende Normen andern gegenüber zu bevorzugen. Die Normen, um die es in der Erkenntnistheorie geht, sind nach naturalistischer Ansicht die Normen der Wissenschaften, diese sind also an den Zwecken der Wissenschaften zu validieren. Die Zwecke der Wissenschaften sind die Zwecke der Wissenschaftler; welche Zwecke die Wissenschaftler verfolgen, ist eine rein empirische Fragestellung.[13]

Nun, selbstverständlich ist sie das. Aber offensichtlich argumentiert der normative Naturalismus auch dafür, daß wir die

12 Harold I. Brown, »Normative Epistemology and Naturalized Epistemology«, in: *Inquiry* 31 (1988), S. 53-78; Ronald N. Giere, *Explaining Science. A Cognitive Approach*, Chicago 1988; Larry Laudan, »Progress or Rationality? The Prospects for Normative Naturalism« und »Normative Naturalism: Replies to Friendly Critics«, beide in: ders. *Beyond Positivism and Relativism*, Boulder, Co. 1996.

13 Darauf weist explizit hin Giere, a. a. O., S. 10.

empirisch ermittelten, faktisch verfolgten Zwecke der Wissenschaftler einfach als die in den Wissenschaften zu verfolgenden Zwecke akzeptieren sollen. Das Wörtchen »sollen« ist hier entscheidend. Der traditionelle naturalistische Fehlschluß vom Sein zum Sollen, den Hume als erster kritisiert hat, wird hier auf kaum versteckte Weise begangen – wenn nicht gleich ganz offen, nach der offensiven Strategie, den Fehlschlußcharakter dieser Argumentationsform abzustreiten. Nur so ist eine Bemerkung von Larry Laudan zu verstehen, die dem Leser nicht vorenthalten werden soll:[14]

Besides, where's the fun in being a naturalist, if one is not thereby licensed to commit the naturalistic fallacy?

Aber Spaß beiseite: Die technisch halbierte Vernunft des normativen Naturalismus, seine Reduktion aller normativen Aspekte auf Gebote der Klugheit führt ihn also dazu, daß er zuletzt gewisse faktisch verfolgte Zwecke der Wissenschaften dogmatisch setzen muß, die – jedenfalls mit den aus naturalistischer Sicht zulässigen Mitteln – keiner begründeten Kritik mehr unterzogen werden können.

Schon die Frage, ob die Zwecksetzungen der Wissenschaften – ihre »erkenntnisleitenden Interessen« im Sinne von Habermas – nicht auch mit Bezug auf die Zwecke außerwissenschaftlicher, technischer wie soziopolitischer Praxen rechtfertigbar und kritisierbar sind, gerät dem normativen Naturalismus nicht in den Blick. Aber selbst die Ausweitung empirischer Studien auf die Zwecke, die in den außerwissenschaftlichen Praxen verfolgt werden, würde für sich allein keinen Ausweg aus dem Dogmatismus der Faktizität ergeben. Denn auch die Interessen außerwissenschaftlicher Praxis lassen sich noch in kritischer Absicht hinterfragen.

Das Projekt »Naturalisierte Erkenntnistheorie« gerät hier in ein für es unauflösbares Dilemma: Einerseits gehört die Ablehnung echter normativer Diskurse zu denjenigen Programmpunkten, die nicht aufgegeben werden können, ohne damit dem Projekt den Todesstoß zu versetzen. Andernfalls scheitert das Projekt aber daran, daß seine Befürworter aufgrund ihrer Ablehnung aller Verfahren »praktischer Vernunft« – man denke hier je

14 A. a. O., S. 156.

nach Vorliebe etwa an Kant, Hare, Rawls oder Habermas – nicht in der Lage sind, ihre eigenen, implizit normativen Ansprüche gegenüber Philosophie, Wissenschaft und Gesellschaft zu begründen. Es bleibt damit dogmatisch.

4. Warum der methodologische Naturalismus scheitert

Der bis hierher verfolgte Argumentationszweig richtete sich allein gegen das Programm der naturalisierten Erkenntnistheorie, das heißt den Verzicht auf traditionelle, normative Erkenntnistheorie (Wahrheitstheorie, Wissenschaftstheorie etc.) zugunsten von Kognitionswissenschaften allein. Dennoch ist hierdurch die allgemeinere Position des methodologischen Naturalismus noch nicht widerlegt.

Zur Erinnerung: Es handelt sich um die These, daß alles Geschehen in dem Sinne Naturgeschehen ist, als es mit den Methoden der Naturwissenschaften (wenigstens prinzipiell) vollständig beschrieben und erklärt werden kann – einschließlich des Handelns des Menschen und seiner Kultur.

Eine bekannte und kühne Strategie, den methodologischen Naturalismus zu widerlegen, besteht darin, ihn als widersprüchlich zu erweisen. Apel, Habermas, Putnam und andere haben dies versucht. Bei der gesuchten Art von Widerspruch handelte es sich genauer um eine sogenannte »performative Inkonsistenz«. Eine Behauptung, die für sich genommen nicht widersprüchlich ist, heißt dabei performativ inkonsistent, falls sie den implizit anerkannten bzw. selbstverständlichen Bedingungen der Möglichkeit ihrer eigenen Äußerung oder ihrer Geltung widerspricht: Illustrative Beispiele bieten die Äußerungen »Ich bin tot« und »Ich kann nicht sprechen«.

Der in vielen Varianten existierende Einwand läuft im Kern darauf hinaus, daß jede Behauptung einen Geltungsanspruch erhebt, der auf Verlangen unter Bezug auf bestimmte Rationalitätskriterien einzulösen ist. Diese Rationalitätskriterien müssen innerhalb einer Sprechergemeinschaft anerkannt sein, damit ihre Teilnehmer überhaupt in der Lage sind, eine Praxis des kommunikativen Handelns auszuüben. Sie beinhalten unter anderem die Forderung, daß der Sprecher die von ihm aufgestellte Behauptung deshalb vertritt, weil er gute Gründe für sie hat. Sind dagegen sachfremde Motive – die zum Beispiel von der Psychoanalyse und der Ideologiekritik aufgedeckt werden könnten – ausschlaggebend, dann ist die Behauptung diskreditiert. Insbesondere gilt eine Äußerung dann als nicht ernst zu nehmend, wenn sich herausstellt, daß sie Ergebnis der Aktivierung konditionierter oder angeborener Reiz-Reaktionsmechanismen darstellt. Man denke hier etwa an die Äußerungen eines dressierten Papageis.

Der Vertreter des methodologischen Naturalismus verwickle sich nun – so der Einwand – in einen performativen Widerspruch, weil aus seiner These der universellen naturwissenschaftlichen Erklärbarkeit alles Geschehens folgt, daß sich auch alle sprachlichen Äußerungen kausal auf vorhergehende Situationsbedingungen zurückführen lassen. Dadurch mache er uns alle – einschließlich seiner selbst – sozusagen zu sprechenden Papageien, deren Diskussionsbeiträge nicht ernst genommen werden können.

Auf Argumente dieser Art wurde von seiten des Naturalismus die Dichotomie zwischen »auf Gründen beruhen« und »verursacht sein« in Frage gestellt.[15] Der Unterschied zwischen dem Haben von Gründen und – wie beim Papagei – dem bloßen Dressiertsein bestehe nicht darin, daß dann, wenn eine Äußerung auf Gründen basiert, keine kausale Determiniertheit vorliege. Es sei vielmehr so, daß in diesen Fällen die Sprechhandlung eben durch die Gründe (mit-)verursacht sei. Mehr noch, etwas könne überhaupt nur dann als »Grund« für eine Äußerung gelten, wenn diese bei Nichtbestehen des Grundes nicht stattgefunden hätte; die Stützung kontrafaktischer Konditionale sei aber Kennzeichen kausaler Verallgemeinerungen. Nur wenn eine Äußerung in dem Sinne »wegen« der Gründe gemacht werde, daß sie durch dieselben verursacht sei, könne man überhaupt von einer begrün-

15 So zum Beispiel Alvin Goldman, »A Causal Theory of Knowing«, in: *Journal of Philosophy* 64 (1967), S. 357-372, und neuerdings wieder Dirk Koppelberg, »Was macht eine Erkenntnistheorie naturalistisch?« in: *Zeitschrift für allgemeine Wissenschaftstheorie* 27 (1996), S. 71-90. Siehe zur Debatte um diese Problematik auch die (allerdings nicht unparteiische) Darstellung von Ansgar Beckermann, »Handeln und Handlungserklärungen«, in: ders. (Hg.), *Analytische Handlungstheorie Bd. 2*, Frankfurt am Main 1985, S. 7-84.

deten Behauptung sprechen. Der Unterschied zwischen Sprecher und Papagei liege darin, daß die Ursachen für das Geplapper des letzteren mit dem propositionalen Gehalt seiner »Äußerungen« nichts zu tun haben.

Dieser Gegeneinwand hat eine merkwürdige Konsequenz: Der Naturalist hat demnach das Glück, gerade so sozialisiert worden zu sein, daß die von seinem kognitiven System produzierten Sätze von wahren Gründen verursacht werden. Demgegenüber hat die kausale Geschichte des Antinaturalisten sein Sprachverhalten leider so geprägt, daß er von schlechten Gründen dazu getrieben wird, falsche Thesen von sich zu geben. Unbegreiflich bleibt, warum man versuchen sollte, an dieser Situation etwas zu ändern – etwa indem man versucht, sich gemeinsam von der Haltbarkeit oder Unhaltbarkeit der konfligierenden Positionen zu überzeugen.

Trotz dieser merkwürdigen Konsequenz muß dem Naturalisten unserer Meinung nach zugestanden werden, daß er den Vorwurf der performativen Inkonsistenz in dieser Form zu Recht zurückweist. Der Einwand mußte sich ja auf die kategoriale Unterscheidung von begründungsfähigem Handeln und kausal determiniertem Verhalten berufen, um dafür zu argumentieren, daß nur ersteres zurechnungsfähig sei. Das ist aber eine *petitio principii*, da der Naturalist diese Unterscheidung gerade in Frage stellt.

Vielversprechender als der Versuch, dem methodologischen Naturalismus eine performative Inkonsistenz nachzuweisen, scheint uns daher eine etwas andere Argumentationsstrategie. Diese besteht darin, aufzuzeigen, daß die These des methodologischen Naturalismus selbst keine naturwissenschaftliche Aussage, sondern eine philosophisch-metaphysische These darstellt, die somit grundsätzlich keiner naturwissenschaftlichen Begründung fähig ist. In diesem Fall würde die These des methodologischen Naturalisten seinen eigenen Rationalitätskriterien nicht entsprechen, was ihm eigentlich zu denken geben sollte.

Wir stellen dazu zunächst fest, daß die These der prinzipiellen, universellen naturwissenschaftlichen Erklärbarkeit die Geltung des sogenannten Kausalprinzips unterstellt, das in der Tradition auch »Satz vom zureichenden Grund« genannt worden ist. Das Prinzip besagt, daß jedes Geschehnis eine Ursache hat. Offensichtlich hängt die universelle, naturwissenschaftliche Erklärbarkeit von der Wahrheit dieses Prinzips ab – wenn sie nicht gar mit ihm zusammenfällt.[16]

Untersucht man den Status des Kausalprinzips als einer These, dann läßt sich zunächst leicht feststellen, daß man es nicht einfach seinerseits als empirisches Kausalgesetz allgemeiner Art betrachten kann. Solche Gesetze haben die Form »Immer wenn S1 geschieht, dann geschieht S2«. Man nennt dann die Ereignisse vom Typ S1 die Ursachen der Wirkungen vom Typ S2. Angenommen nun, das Kausalprinzip sei selbst ein derartiges Kausalgesetz – etwa in der Formulierung »Immer wenn ein Geschehnis eintritt (S1), dann existiert ein es verursachendes Geschehnis (S2)« –, so würde daraus folgen, daß jedes Geschehnis die Existenz seiner Ursache verursacht. Das ist offenkundiger Unsinn.

Eine andere, häufig anzutreffende Behauptung ist, das Kausalprinzip werde durch die naturwissenschaftlichen Erklärungserfolge besonders »wahrscheinlich« gemacht. Aber auch dies ist ein semantischer Kategorienfehler, weil der Wahrscheinlichkeitsbegriff nur für wiederholbare Ereignistypen definiert ist, zum Beispiel für die Ereignistypen »Kopf« und »Zahl« beim Münzwurf.

Schließlich läßt sich das Kausalprinzip auch nicht als »Bedingung der Möglichkeit von Naturwissenschaft« ansehen, da die Möglichkeit von Naturwissenschaft schon dann garantiert ist, wenn sich verlaufsgesetzmäßige Regularitäten für hinreichend viele Ereignistypen experimentell etablieren lassen. Wie Pap es einmal ausgedrückt hat: Bedingung der Möglichkeit des Fischens ist nur, daß es Teiche mit Fischen gibt, nicht aber, daß sich in allen Teichen Fische befinden.[17]

Eine alternative, nicht-metaphysische Deutung des Kausalprinzips bestünde darin, es nicht als Aussage, sondern als eine die naturwissenschaftliche Forschung leitende methodologische Norm zu verstehen. Dann definiert allerdings der Bereich der Realisierbarkeit dieser Norm auch den Gegenstandsbereich der Naturwissenschaften, und dieser muß sich keineswegs auf alles

16 Das ist jedenfalls dann der Fall, wenn der Ursachenbegriff (wie es gewöhnlich geschieht und u. E. wohl auch kaum vermeidbar ist) unter Rückgriff auf den Begriff der nomologischen Erklärung definiert wird. Siehe zum Beispiel Wolfgang Stegmüller, *Probleme und Resultate der Wissenschaftstheorie und Analytischen Philosophie Bd. 1*, Berlin 1969, Kapitel VII.

17 Siehe Arthur Pap, *Analytische Erkenntnistheorie*, Wien 1955, S.138.

und jedes erstrecken lassen, wie es der methodologische Naturalismus behauptet.

Da der methodologische Naturalismus also auf einer philosophisch-metaphysischen Grundannahme beruht, einer Annahme, die keiner naturwissenschaftlichen Begründung fähig ist, sollte der methodologische Naturalist seine Position gerade nach Maßgabe seiner eigenen, eng gefaßten Rationalitätskriterien aufgeben.

5. Naturalismus und Philosophieverständnis

Um den Naturalismus wird in der Philosophie heftiger gestritten als um jede andere These, und das liegt daran, daß ein konsequenter Naturalismus das überkommene philosophische Selbstverständnis in Frage stellt. Konsequenter Naturalismus bedeutet nämlich nichts weniger als das restlose Aufgehen der Philosophie in naturwissenschaftlicher Forschung. Aber gerade an den Schriften seiner radikalsten Vertreter zeigt sich in diesem Zusammenhang schließlich doch noch eine performative Inkonsistenz des Naturalismus. Das Plädoyer für diese Aufhebung von Grenzen nämlich, welches unter Berufung auf vermeintliche Erkenntnisse über die Wissenschaften, ihre Sprache und Methoden gehalten wird, ist selbst in großzügigster Lesart nicht als ein Teil ebenjener Wissenschaften neben anderen zu begreifen. Auch wenn man Zweifel an der Möglichkeit rigider Abgrenzungskriterien hat, so ist es doch kaum als Zufall abzutun, daß – um nur ein Beispiel herauszugreifen – die Arbeiten Quines nicht in naturwissenschaftlichen Zeitschriften veröffentlicht sind, sondern von allen und jederzeit ohne Zögern als »philosophisch« angesprochen werden können. Gerade wer sich bemüht, der wissenschaftlichen Praxis gerecht zu werden, sollte so eine Feststellung nicht leichtfertig übergehen, indem er behauptet, diese übliche Redeweise verdecke bloß, daß »in Wirklichkeit« ein Kontinuum an Methoden und Geltungskriterien bestehe.

Trotzdem bleibt auch nach der Zurückweisung des Naturalismus die Frage bestehen, ob und wie Philosophie neben den anderen Wissenschaften als eigenständige Disziplin mit eigenen Methoden charakterisiert werden kann, ohne daß dies einen Rückfall in obskurantistische Metaphysik bedeutet. Dieser Frage wollen wir uns nun im letzten Teil unseres Artikels zuwenden.

Es handelt sich eigentlich um zwei Teilfragen: Was ist die Aufgabe der Philosophie und welcher Mittel darf sie sich bedienen?

Die erste Teilfrage läßt sich am besten historisch angehen. Zu Beginn ist die Philosophie ja gleichsam die »Mutter aller Wissenschaften« gewesen. In den dokumentierten Anfängen, also bei den Vorsokratikern, gehörten logisch-mathematische, ontologisch-naturphilosophische, psychologische, politiktheoretische und ethische Überlegungen noch ganz ungeschieden in das eine Gebiet der »Liebe zur Weisheit«. Etwa 300 v. Chr. hat sich dann mit der Geometrie, überliefert in Gestalt von Euklids *Elementen*, erstmals ein Fach als eigenständige Disziplin von der Philosophie emanzipiert. Im neunten Jahrhundert folgt in den arabischen Ländern die Mathematik (Al Khwarizmi), im dreizehnten Jahrhundert auch in Europa (Fibonacci). Die modernen Naturwissenschaften entstehen zunächst unter dem Titel einer »Experimentellen Philosophie«. Im siebzehnten Jahrhundert etabliert sich die Physik (Galilei, Newton), und im neunzehnten Jahrhundert folgen schließlich Biologie (Cuvier, Darwin), Soziologie (Comte) und Psychologie (Wundt, Freud). Philosophie befaßte sich zu jeder Zeit jeweils immer mit denjenigen Gegenständen und Problemen, zu deren Behandlung eine eigenständige Disziplin noch nicht etabliert war.

Dies liefert unserer Ansicht nach den entscheidenden Hinweis für ein adäquates Philosophieverständnis. Hiernach läßt sich Philosophie verstehen als Reflexion über all das, was noch nicht mit standardisierten Methoden abgegrenzt und institutionell im Rahmen anderer Disziplinen oder als eigenständige Disziplin etabliert ist.

Philosophische Reflexion ist also Reflexion darüber, wie ein noch un- bzw. nur intuitiv geregelter Diskursbereich durch Explikation von Kriterien und Standardisierung von Verfahren so geregelt werden kann, daß die intersubjektive Nachprüfbarkeit von Geltungsansprüchen gewährleistet ist. Die Durchführung dieser Explikation impliziert den Vorschlag von Standards und eine Rechtfertigung der vorgeschlagenen Normen.

Wenn es also auch in Zukunft immer dann zur Ausgliederung einer neuen Theorie oder Disziplin aus der Philosophie kommen wird, wenn philosophische Reflexion in der Abgrenzung eines Gegenstandsbereiches und der Ausbildung einer standardisierten Methode sicheren Tritt gefaßt hat, dann ist das nicht einfach nur ein von der Philosophie hinzunehmendes Faktum, sondern sollte als explizites Ziel philosophischen Bemühens verstanden werden. Ein jüngeres Beispiel einer solchen Ausgliederung philosophischer Theoriestücke wäre etwa die Integration der Sprechakttheorie in die Linguistik. Eine lange Zeit für typisch philosophisch angesehene Disziplin wie die Wissenschaftstheorie befindet sich gerade in einem Stadium der institutionellen Emanzipation und läßt sich mancherorts bereits unabhängig von der Philosophie studieren. In Zukunft werden – um ein willkürlich herausgegriffenes Beispiel zu nennen – möglicherweise kunstphilosophische Überlegungen wie die von Nelson Goodman oder Arthur C. Danto anstatt zur Philosophie zum theoretischen Korpus der Kunstwissenschaften gerechnet werden.

Wenn sich nun Philosophie einfach über eine Aufzählung ihrer gegenwärtigen Teildisziplinen wie Sprachphilosophie, Philosophie des Geistes, Ethik oder Ästhetik definieren ließe und alle diese Teildisziplinen sich eines Tages emanzipieren könnten wie seinerzeit die Geometrie, dann könnte man verleitet sein, den Schwund der Philosophie zu prognostizieren: aus der historischen Diagnose wäre die Schlußfolgerung zu ziehen, daß Philosophie immer schon dabei sei, sich ganz im Sinne des Naturalismus selbst zu dispensieren. Eines Tages dürfte dieses Unternehmen vollendet sein. Aber eine derartige Schlußfolgerung wäre vorschnell. Sie unterstellt etwas mit Sicherheit Falsches, nämlich daß die möglichen Gegenstände und Methoden unseres Reflektierens eine abgeschlossene, endliche Gesamtheit bilden. Hingegen wird es immer philosophische Fragestellungen geben, solange wir nur auf der Möglichkeit bestehen, jede Praxis, jede Begriffsbildung, jede Methode und jeden Geltungsanspruch reflektierend zu hinterfragen.

Wir kommen nun zum Schluß auf die Frage nach der »philosophischen Methode« zu sprechen. Seit der »sprachkritischen Wende« der Philosophie zu Anfang dieses Jahrhunderts lautet hier die bevorzugt gegebene Antwort in etwa so: Als Reflexionsdisziplin ist die Philosophie ein Unternehmen, welches sich mit der Art und Weise befaßt, mit der wir Gegenstandsbereiche in Alltag und Wissenschaft jeweils sprachlich erschließen. Sie versucht hier zu einem besseren Verständnis beizutragen, indem sie die Mittel der Logik und Semantik zur Anwendung bringt, um Zusammenhänge zwischen Begriffen und Thesen aufzuklären. Man nennt das die »logische Analyse« oder – wenn zusätzlich ein Vorschlag für eine terminologische Adjustierung unterbreitet wird – die »logische Rekonstruktion« unserer Begriffe oder Theorien.

Obwohl die Philosophieauffassung des »linguistic turn« nicht völlig von der Hand zu weisen ist, besteht doch weitgehender Konsens darüber, daß sie keine abschließende Antwort auf die Frage nach »der« Methode der Philosophie darstellt:

Zum einen sind die Mittel der Begriffsklärung, also Logik, Semantik usw. nicht ein für allemal gegeben, sondern können selbst erweitert oder modifiziert werden. Dadurch werden sie vorübergehend gerade wieder zum Gegenstand philosophischer Überlegungen.

Dabei ist zweitens auch zu beachten, daß eine Methode ihrem Zweck angepaßt werden muß – ob man eine Fliegenklatsche oder eine Elefantenbüchse benutzen soll, hängt davon ab, was man erlegen will. So könnten beispielsweise in der Ethik andere Methoden als in der Wissenschaftstheorie der Physik angemessen sein.

Drittens sind nach der von uns vorgeschlagenen Philosophieauffassung Philosophen gleichsam Pioniere, die weithin unerschlossenes Terrain erforschen. Welche Methoden im Zusammenhang mit einer bestimmten Fragestellung die geeigneten sind, steht hier im seltensten Falle bereits im vorhinein fest. Meist wird der Durchbruch gerade durch Erfindung einer neuen Methode erreicht, eines neuen Analyseverfahrens etwa, einer klärenden Ausgangsunterscheidung, einer neuen Sichtweise, einer modifizierten Zwecksetzung usw. Heuristisch sollte daher zunächst einmal jedes Mittel erlaubt sein – mit Paul Feyerabend gesprochen: »anything goes«. Einziges Kriterium ist, daß zuletzt (das heißt im Zusammenhang einer Geltungsanspruch erhebenden Darstellung) alles intersubjektiv nachvollziehbar sein muß.

Das vielleicht etwas überraschende Ergebnis unserer Ausführungen ist, daß wir mit dem methodologischen Naturalismus darin *übereinstimmen*, daß der Philosophie weder ein besonderer, ihr auf alle Zeiten unverbrüchlich zugehöriger Gegenstandsbereich noch eine fest umrissene Methode eignet. Nur folgt daraus – wie wir gesehen haben – keineswegs, daß philosophische Überlegungen überflüssig oder unsinnig sind.

Was die Sinnhaftigkeit angeht, so wird die Trennlinie zur Metaphysik durch das genannte Kriterium der intersubjektiven Nachvollziehbarkeit markiert – eine Grenze, die sich im zu erforschenden Terrain nur selten in Form einer weithin sichtbaren Bergkette, aber dafür um so häufiger in Form tückischer Treibsandareale präsentiert.

Da sich Philosophie ständig im Grenzbereich der Sprache bewegt, unterliegt sie dauernder Metaphysikgefahr. Aber um die Grenzen ausloten zu können, muß man sich auch an die Grenzen begeben. Deswegen ist es verfehlt zu glauben, daß eine antimetaphysische Intention mit einer Geringschätzung philosophischer Positionen einhergehen muß, die sich letztlich ganz oder in Teilen als metaphysisch herausgestellt haben. Ohne die Leistungen, welche die *Meditationes*, die *Kritik der reinen Vernunft* und der *Tractatus logico-philosophicus* für die Entwicklung und Ausdifferenzierung philosophischer Begrifflichkeit und Argumentationsweisen erbracht haben, wären wir heute nicht in der Lage, ebendiese Werke als metaphysisch zu kritisieren. Dasselbe gilt auch für viele Schriften, die im Geist des Naturalismus verfaßt wurden. Gerade wer ihre aufklärerischen Ideale teilt, kann aus ihrem Scheitern lernen, künftig gleichgeartete Fehler zu vermeiden.

Mircea Flonta
Gemäßigter und radikaler erkenntnistheoretischer Naturalismus

Der Ausdruck *erkenntnistheoretischer Naturalismus* wird gebraucht, um ein weites Spektrum von erkenntnistheoretischen Positionen und Tendenzen zu bezeichnen. Für diese Vielfalt einen gemeinsamen Nenner zu finden scheint schwierig zu sein. Es geht eher um ein Etikett, das bestenfalls einige Familienähnlichkeiten wiedergibt. Man könnte aber diese Bezeichnung mit Bezug auf einen Ausgangspunkt und eine Richtung der Bewegung einigermaßen festlegen. Der Ausgangspunkt wäre die Analyse von epistemischen Begriffen wie *Erkenntnis/Wissen, Gründe, Begründung* oder *Rechtfertigung*. Den Inbegriff solcher Analysen und Erklärungen pflegt man analytische Erkenntnistheorie zu nennen. Eine Bewegung in Richtung der naturalistischen Erkenntnistheorie wäre dann die fortschreitende Erklärung und sogar Ersetzung epistemischer Begriffe durch physikalische, biologische und psychologische Begriffe sowie epistemischer Beziehungen durch kausale Beziehungen. Eine solche Tendenz weisen unterschiedliche naturalistische Programme auf, wie die von Quine, Dretske und Goldman sowie verschiedene Entwürfe einer Evolutionären Erkenntnistheorie.

Prinzipielle Überlegungen, die den Begriff des Wissens abgrenzen, und Überlegungen über die Rechtfertigung der Erkenntnisansprüche von Meinungen oder Überzeugungen bilden den Kern der analytischen Erkenntnistheorie. Nach einer geläufigen Auffassung wird die Erkenntnistheorie, als philosophische Disziplin, dadurch definiert, daß sie den empirischen Fragen über die Bildung von Meinungen keine Aufmerksamkeit schenkt und der Beantwortung solcher Fragen jede Relevanz für eine epistemische Beurteilung abspricht. Man geht von der Voraussetzung aus, daß die Unterscheidung zwischen Begriffsanalyse und empirischer Forschung eine scharfe Grenze zwischen Erkenntnistheorie, als philosophischer Betätigung, und der wissenschaftlichen Erforschung der Kognition markiert. Sehr allgemein und pauschal dürften sich alle naturalistischen erkenntnistheoretischen Bestrebungen durch die Ablehnung dieser Grundvoraussetzung kennzeichnen lassen.[1] Danach sollte die Einsicht, daß der epistemische Status der Meinungen entscheidend von den realen Prozessen, die sie erzeugen, abhängt, der erste Schritt in Richtung der Naturalisierung der Erkenntnistheorie sein. Jede Initiative in diese Richtung kommt einer Aufhebung des schon seit Kant etablierten Gegensatzes zwischen Erkenntnistheorie und empirischer Psychologie oder Wissenschaft der Kognition im allgemeinen gleich. Als Tendenz dürfte die Naturalisierung der Erkenntnistheorie also eine fortschreitende Konzentrierung auf die Ergebnisse wissenschaftlicher Erforschung physiologischer und psychologischer Prozesse des Wissenserwerbs bedeuten, wobei die traditionellen Fragen der Erkenntnistheorie entweder auf neue Weise beantwortet oder revidiert werden.

Faßt man ihn als Bewegung in eine bestimmte Richtung auf, scheint der erkenntnistheoretische Naturalismus ein Kontinuum zu bilden. Von verschiedenen Blickwinkeln ergibt sich die Möglichkeit, in diesem Kontinuum einige Formen und Varianten zu differenzieren. Ich möchte eine solche Differenzierung im Hinblick auf ein erkenntnistheoretisches Problem, nämlich die *epistemische Rechtfertigung*, vorschlagen.

I

Die epistemische Rechtfertigung war ein zentrales Thema der klassischen Erkenntnistheorie, einschließlich ihres analytischen Zweiges. Die Aufgabe einer Theorie der epistemischen Rechtfertigung besteht hauptsächlich darin, zu erklären, warum sowohl im Alltag als auch in der Wissenschaft einige Meinungen als gerechtfertigt und andere als nicht gerechtfertigt bewertet werden. Die Festlegung von Bedingungen, unter denen die Meinungen als gerechtfertigt betrachtet werden können, bildete immer ein Hauptanliegen der Erkenntnistheoretiker. Solche Bedingungen sollten als allgemeine Kriterien für die Bestimmung der epistemischen Qualität von Meinungen dienen.[2] Man dachte, nur ei-

1 Vgl. Philip Kitcher, »The Naturalists Return«, in: *Philosophical Review* 101 (1992), S. 53-114.

2 Laurence Bonjour, »Against Naturalized Epistemology«, in: *Midwest Studies in Philosophy* 19 (1994), S. 283-300.

ne philosophische Konstruktion, die etwas Ähnliches anbietet, dürfte als *Erkenntnistheorie* anerkannt werden.

Es stellt sich nun die Frage: Wie beziehen sich Haupttendenzen in diesem Kontinuum, das gewöhnlich als *naturalistische Erkenntnistheorie* bezeichnet wird, auf das Thema der epistemischen Rechtfertigung?

Prinzipiell scheinen zwei Einstellungen möglich: Verwerfung oder Bewahrung und Umformulierung, das heißt die Ausschaltung der Rechtfertigung als erkenntnistheoretisches Thema, oder naturalistische Theorien der epistemischen Rechtfertigung. Diese beiden Positionen werde ich als *radikalen* und *gemäßigten erkenntnistheoretischen Naturalismus* bezeichnen. Unter den Befürwortern und Gegnern einer naturalistischen Erkenntnistheorie sind selten Autoren zu finden, die in dieser Frage nicht explizit oder stillschweigend Stellung nehmen. In seinem Versuch, »eine Landkarte naturalistischer Erkenntnistheorien« zu entwerfen, unterscheidet Dirk Koppelberg zwischen einem gemäßigten Naturalismus, der die etablierten Probleme der erkenntnistheoretischen Tradition anerkennt und in einer neuen Formulierung übernimmt, und einem radikalen Naturalismus, der diese Probleme einfach verwirft, das heißt ihnen jede Legitimität abspricht.[3] Erkenntnistheoretische Positionen, die unter die Vokabel »gemäßigter Naturalismus« fallen, sind also durch die Bestrebung gekennzeichnet, die traditionellen erkenntnistheoretischen Fragen neu zu formulieren und ihnen neue, die Ergebnisse wissenschaftlicher Forschung einbeziehende Lösungen zu geben.[4] Ähnlich unterscheidet Susan Haack zwei ganz verschiedene Einstellungen zur Problematik der analytischen Erkenntnistheorie, die man kurz als *kritische Übernahme* bzw. *Ablehnung* bezeichnen könnte. Die eine Einstellung nennt Haack *reformistisch*, die andere *revolutionär*.[5] Robert Almeder unterscheidet ebenfalls zwischen naturalistischer Erkenntnistheorie als Absetzung und Ersetzung (replacement) der analytischen Erkenntnistheorie und als Umgestaltung und Ergänzung

3 Dirk Koppelberg, »Was macht eine Erkenntnistheorie naturalistisch?«, in: *Journal for General Philosophy of Science* 27 (1996), S. 71-90, hier: S. 75.

4 Ebd., S. 79.

5 Susan Haack, »Recent Obituaries of Epistemology«, in: *American Philosophical Quarterly* 27 (1990), S. 199.

der traditionellen Erkenntnistheorie.[6] Auch andere Einschätzungen führen zu einer konvergenten Beurteilung der Haupttendenzen der Entwicklung der naturalistischen Erkenntnistheorie. Einige Naturalisierungstendenzen können als »*gemäßigte*« bezeichnet werden, insofern sie etablierte Hauptfragen der analytischen Erkenntnistheorie empirisch-wissenschaftlich angehen, das heißt diese Fragen umformulieren und auf einer neuen Grundlage durch andere Methoden zu lösen versuchen. Die Abgrenzung von der aprioristischen Vorgehensweise und von der rein analytischen Behandlung erkenntnistheoretischer Fragen, also von Merkmalen, die das Profil der herrschenden philosophischen Tradition ausgeprägt haben, ist zweifellos eindeutig und scharf. Es besteht trotzdem eine bemerkenswerte Kontinuität der Fragestellung und der Problematik. Die epistemische Rechtfertigung wird weiter als zentrales erkenntnistheoretisches Problem anerkannt.[7] Anders verhält es sich mit radikalen Naturalisierungstendenzen. In Programmen, die derartige Tendenzen am besten dokumentieren, ist eine schroffe und konsequente Ablehnung der traditionellen erkenntnistheoretischen Problematik nicht zu übersehen. Manchmal entsteht sogar der Eindruck, daß von der Bindung an die Tradition nicht mehr als ein Name geblieben ist: *Erkenntnistheorie*. Und selbst die Berechtigung dieses von der Tradition beladenen Ausdrucks könnte in Frage gestellt werden. Denn warum sollten wir eine Theorie der Kognition weiter *Erkenntnistheorie* nennen? Die Unterscheidung zwischen dem gemäßigten und einem radikalen erkenntnistheoretischen Naturalismus scheint einen echten Gegensatz zu bilden. Auf der einen Seite stehen Erkenntnistheorien, die das traditionelleThema der epistemischen Rechtfertigung in ihrem Kern bewahren möchten, um ihm neue Dimensionen zu verleihen, auf der anderen Seite wissenschaftliche Theorien über wissensbildende Fähigkeiten und Prozesse, das heißt Theorien der Kognition. Obwohl eine Orientierung an den Naturwissenschaften beide Tendenzen zusammenhält, geht es in einer entscheidenden Hinsicht um entgegengesetzte Einstellungen. Die erste scheint durch die Bestrebung gekennzeichnet zu sein, die herkömmliche Pro-

6 Robert Almeder, »On Naturalizing Epistemology«, in: *American Philosophical Quarterly* 27 (1990), S. 263.

7 Jaegwon Kim, »What is Naturalized Epistemology«, in: James Tomberlin (Hg.), *Philosophical Perspectives*, Bd. 2, Atascadero 1988, S. 383.

blematik durch eine Wende in der Art der Behandlung traditioneller philosophischer Fragestellungen mindestens teilweise weiterzuführen. Die zweite bricht dagegen abrupt mit der erkenntnistheoretischen Tradition und tendiert dazu, die Theorie der menschlichen Erkenntnis völlig und restlos als einen Bereich der Naturwissenschaften zu etablieren. Freilich wird es zwischen diesen Grundeinstellungen auch Zwischenstufen, intermediäre Positionen geben. Damit ändert sich aber das Bild grundsätzlich nicht. Gemäßigte naturalistische Theorien enthalten wichtige normative Bestandteile. Dagegen sind Konstruktionen, die eine radikale naturalistische Einstellung veranschaulichen, ihren Grundintentionen nach rein deskriptiv.

Welche Erwägungen und Überlegungen könnten für diese beiden Hauptrichtungen des erkenntnistheoretischen Naturalismus sprechen?

Mindestens einige der Autoren, die radikale Vorschläge für eine naturalistische Umorientierung der Erkenntnistheorie aufgestellt haben, haben zuerst elementare Formen der Erkenntnis, besonders Wahrnehmungswissen, ins Auge gefaßt. David Armstrong, einer der früheren Befürworter einer Verläßlichkeitstheorie der Erkenntnis, bezieht sich ausdrücklich auf das, was er »unmittelbares Wahrnehmungswissen« (*immediate perceptual knowledge*) nennt. Fred Dretskes Bestimmung der Erkenntnis als einer von Information verursachten oder kausal unterstützten Meinung[8] bezieht sich ebenfalls auf Wahrnehmungswissen (*perceptual knowledge*). Dretskes erklärtes Ziel ist es, ein realistisches Bild des Wahrnehmungswissens anzubieten. Wahrnehmungsmeinungen, zum Beispiel die Meinung, daß eine bekannte Person mir gegenüber steht, sind ebensolche von Information verursachte und unterstützte Meinungen. Meinungen dieser Art braucht man nicht durch Gründe oder Evidenzen zu rechtfertigen.[9] Die epistemische Rechtfertigung mit Bezug auf Gründe bildet also nicht mehr eine notwendige Vorbedingung des Wissens. Dretske betont, daß er durch seinen informationellen Ansatz eine Abgrenzung des Wissens anstrebt, die solchen Menschen und auch Tieren Wissen zuzuschreiben erlaubt, die nicht

8 Fred Dretske, »Précis of *Knowledge and the Flow of Information*«, in: Hilary Kornblith (Hg.), *Naturalizing Epistemology*, Cambridge, Mass. 1985, S. 179.

9 Ebd., S. 176.

fähig sind, die von der traditionellen Analyse der Erkenntnis vorausgesetzten anspruchsvollen Operationen durchzuführen. *Wissen*, in diesem umfassenden, schwächeren Sinn des Wortes, könnte als *Wissen ohne Rechtfertigung* bezeichnet werden. Auch Quines behavioristische Analyse der Beobachtungssätze ist in dieser Hinsicht einschlägig. Auf gleiche sensorische Reize werden die Mitglieder derselben Sprachgemeinschaft mit identischen Beobachtungssätzen antworten. Gleichsetzung von Beobachtungssätzen in zwei verschiedenen Sprachen wird folglich eine Frage der Gleichsetzung von sensorischen Reizen sein, die die Annahme solcher Sätze bewirken.

Hier ist eine Nebenbemerkung am Platz. Wenn eine nomologische oder kausale Beziehung zwischen Zuständen in der Welt und Meinungen eine hinreichende Bedingung des Wissens wäre, dann sollten Wahrnehmungsmeinungen unproblematisch als Wissen akzeptiert werden. Eine derartige genetische Beziehung scheint dafür hinreichend. Auch kompromißlose Gegner des Externalismus sind bereit, dies zuzugeben.[10] Schreibt man jemandem dann eine gerechtfertigte Meinung zu, wenn er nicht weiß, daß seine Meinung in diesem Sinne gerechtfertigt ist, und selbstverständlich nicht imstande ist, Gründe für die Meinung anzugeben, bedeutet dies, daß allein die einfache Tatsache des Bestehens einer kausalen Beziehung zwischen Meinungen und Zuständen in der Welt jede Meinung in Wissen verwandelt. Dieser Standpunkt wurde auch von Alvin Goldman vertreten. Eine Meinung wird durch die Art und Weise ihrer Erzeugung gerechtfertigt. Sie ist also gerechtfertigt unabhängig von der Tatsache, daß die Person, die die Meinung vertritt, etwas über die Prozesse weiß, durch die diese Meinung erzeugt wurde. Die Person kann gerechtfertigte Meinungen haben, ohne zu wissen, daß sie gerechtfertigt sind.[11] Doch macht es tatsächlich einen Unterschied, ob man das Rechtfertigungskriterium aufgibt, wie zum Beispiel Dretske, oder ob man es erhält, um eine dem Subjekt nicht bekannte Verursachung seiner Meinungen als Rechtfertigung zu bezeichnen? Bedeutet das noch *Rechtfertigung* im gewöhnlichen

10 Keith Lehrer, *Theory of Knowledge*, London 1990, S. 159.

11 Vgl. Alvin I. Goldman, »What is Justified Belief«, in: George S. Pappas (Hg.), *Justification and Knowledge*, Dordrecht 1979, S. 15; sowie Goldman, »Reliabilism«, in: Jonathan Dancy/Ernest Sosa (Hg.), *A Companion to Epistemology*, Oxford 1992, S. 434.

Sinne des Wortes? *Rechtfertigung* ohne die Fähigkeit und Bereitschaft des Vertreters einer Meinung, Gründe oder Evidenzen für diese Meinung zu nennen, scheint mehr eine *façon de parler*.

Eine Bestimmung des Wissensbegriffes ohne Bezugnahme auf Rechtfertigung im geläufigen Sinne des Wortes, das heißt ohne die Forderung, Gründe für die vertretenen Meinungen anzugeben, scheint auch aus anderen Motiven attraktiv. Wissen ohne Rechtfertigung ermöglicht nicht nur eine einfachere Abgrenzung des Wissensbegriffs, es verspricht auch die Schwierigkeiten aus dem Weg zu räumen, mit denen die traditionelle Analyse des Wissens konfrontiert wurde. Dretske behauptet beispielsweise ausdrücklich, daß die Beseitigung der scheinbar unüberwindlichen Schwierigkeiten, die das sogenannte Gettier-Problem der klassischen Analyse des Wissens bereitete, schon eine hinreichende Motivation für die naturalistische Wende, auch in ihren radikaleren Varianten, sei.[12]

Drei grundlegende Ansätze sind also in der Bestimmung des Wissensbegriffes zu verzeichnen: Wissen ohne Rechtfertigung; Erklärung oder Rekonstruktion des Rechtfertigungsbegriffes mit Bezug auf verläßliche meinungsbildende Prozesse; Rechtfertigung durch Angabe von Gründen im Sinne des herkömmlichen Wissensbegriffes. Die weitere Diskussion beruht auf Annahmen, die folgendermaßen formuliert werden können: Den drei genannten erkenntnistheoretischen Positionen – radikaler Naturalismus, gemäßigter Naturalismus und traditionelle Analyse des Wissens – stehen drei Wissensbegriffe gegenüber: ein sehr umfassender, ein relativ umfassender und ein strenger, restriktiver Begriff. Daß der Verzicht auf Rechtfertigung als Grundbestimmung des Wissens zu einem umfassenden Wissensbegriff führt, liegt auf der Hand.

Weiter möchte ich kurz zwei Auffassungen über die Rechtfertigung gegenüberstellen, und zwar Rechtfertigung durch kausale Beziehungen und Rechtfertigung durch Gründe, um einige ihrer Konsequenzen für die Bestimmung des Wissensbegriffes hervorzuheben. Nach der ersten Auffassung, die auf der Verläßlichkeitstheorie der Rechtfertigung beruht, sind meinungsbildende Prozesse diejenigen, die Rechtfertigung verleihen. Verläßliche meinungsbildende Prozesse erzeugen gerechtfertigte Meinun-

12 Dretske, a. a. O., S. 179.

gen. Es gibt Grade der Verläßlichkeit und infolgedessen Grade der Rechtfertigung. Je verläßlicher die Prozesse sind, desto gerechtfertigter sind die Meinungen. Rechtfertigung ist aber keine Garantie für Wahrheit. Nach der zweiten Auffassung, die man auch die herkömmliche oder evidentielle Auffassung nennen kann, ist Rechtfertigung ein Vorgehen, in dem man Gründe vorbringt und erwägt. Gute Gründe treten als Ergebnis, als Endpunkt einer kritischen Diskussion über die in Frage stehenden Meinungen auf. Die kritische Diskussion und die kritische Überprüfung der Meinungen sind ein endloser Prozeß. Prinzipiell können gute Gründe immer aufgehoben werden. Auch die besten gerechtfertigten Meinungen sind immer in Gefahr, als falsch erwiesen zu werden. Gemäß der ersten Auffassung kann eine Meinung als gerechtfertigt betrachtet werden, soweit sie durch verläßliche Prozesse erzeugt wurde. Demgegenüber impliziert die zweite Auffassung, daß ein Subjekt nur dann eine gerechtfertigte Meinung hat, wenn es imstande ist, für diese Meinung gute Gründe vorzubringen. Vertreter beider Auffassungen sprechen von Rechtfertigung jedweder Meinungen. Es scheint aber, daß sie doch nicht die gleichen Meinungen im Auge haben. Verläßlichkeitstheorien der Rechtfertigung beziehen sich stillschweigend besonders auf Wahrnehmungsmeinungen und auf Meinungen, die dem Bereich der Alltagserfahrung angehören. Die evidentiellen Theorien der Rechtfertigung verwenden als Referenzsystem für gerechtfertigte Meinungen hingegen problematische Aussagen, mit Vorliebe wissenschaftliche Hypothesen. In den Theorien des ersten Typs geht es besonders um Alltagswissen, das elementare Orientierungsbedürfnisse befriedigt. Theorien des zweiten Typs haben sich angesichts eines systematischen Erkenntnisvorgehens an der Front der wissenschaftlichen Forschung entwickelt. So gibt Alvin Goldman zu, daß er durch seine Verläßlichkeitstheorie der Rechtfertigung nicht neue Maßstäbe für Rechtfertigung vorzuschreiben beabsichtigt, sondern einfach die geläufigen Maßstäbe erklären möchte.[13] Es ist aber klar, daß man von »geläufigen Maßstäben der Rechtfertigung« eher im Alltagsleben und in der Routineforschungsarbeit sprechen kann als in den höchst problematischen Situationen, deren erfolgreicher Überwindung entscheidende Vorstöße unserer Wissen-

13 Goldman, »What is Justified Belief«, a. a. O., S. 1.

schaft zu verdanken sind. Auf der anderen Seite bezweifelt Keith Lehrer, als Befürworter eines evidentialistischen Ansatzes, die Möglichkeit einer naturalistischen Rekonstruktion der epistemischen Rechtfertigung überhaupt. Er begründet diese skeptische Haltung durch seine Unterscheidung zwischen Information und Wissen. Auch gemäßigte naturalistische Theorien erklären eher den Erwerb von Information als das Zustandekommen von Wissen.[14] Es gibt also gute Anhaltspunkte für die Vermutung, daß Verläßlichkeitstheorien der Rechtfertigung unausgesprochen Wahrnehmungsmeinungen und andere Meinungen, die unserer Orientierung im Alltag dienen, in Betracht ziehen, wenn sie Fragen der epistemischen Rechtfertigung behandeln. Eine unübersehbare Konsequenz solcher Theorien wäre, daß auch kleine Kinder, ungebildete und autoritätsgläubige Leute gerechtfertigte Meinungen haben können. Dagegen sind für die Vertreter evidentieller Theorien allgemeine und problematische Annahmen, in erster Linie erklärende Hypothesen, das Paradigma des Wissens. Stellungnahmen bedeutender Evidentialisten wie Laurence Bonjour belegen dies. Bonjour betont den Unterschied zwischen Meinungen, die direkte Erfahrungen beschreiben, und Meinungen, die die Ergebnisse direkter Beobachtung und Erfahrung transzendieren. Die Meinungen letzter Art, behauptet Bonjour, sind Meinungen, die nur mit Bezug auf Gründe gerechtfertigt werden können und nicht durch naturalistische Beziehungen. Bonjour erwähnt Meinungen über die entfernte Vergangenheit, über die Zukunft, über allgemeine Gesetze sowie den Großteil der Meinungen, die eine theoretische Wissenschaft ausmachen.[15] Anscheinend machen sich die Verläßlichkeitstheoretiker und Evidentialisten ganz verschiedene Vorstellungen über die Art der Meinungen, die den Gegenstand epistemischer Rechtfertigung bilden. Dies zeigt, daß die fortdauernde Kontroverse zwischen den beiden Parteien auf wichtigen stillschweigenden Annahmen beruht. Eine kritische Auseinandersetzung mit Goldmans Verläßlichkeitstheorie der Rechtfertigung wird solche Annahmen klarer hervortreten lassen.

14 Lehrer, a. a. O., S. 164.
15 Bonjour, a. a. O., S. 296.

II

Alvin Goldmans Verläßlichkeitstheorie ist heute zweifellos die einflußreichste naturalistische Theorie der epistemischen Rechtfertigung. Ich werde besonders eine Variante dieser Theorie, den sogenannten *Two-Component Reliabilism* oder *Virtue-Reliabilism* diskutieren.[16]

Zuerst möchte ich die Grundidee einer Verläßlichkeitstheorie der Rechtfertigung in groben Zügen umreißen. Gerechtfertigte Meinungen sind verläßliche Meinungen. Als verläßliche Meinungen werden solche Meinungen betrachtet, die durch verläßliche psychische Prozesse erzeugt worden sind. Im Gegensatz zu den analytischen Erkenntnistheorien definieren Verläßlichkeitstheorien die Rechtfertigung nicht als eine epistemische Relation, sondern als eine kausale Relation zwischen der fraglichen Meinung und den naturalistisch beschriebenen Elementen, die als Stütze für diese Meinung dienen. Nicht Gründe, Evidenzen, Argumente, sondern bestimmte Eigenschaften kausaler Relationen und naturalistisch beschreibbarer Prozesse gewähren Rechtfertigung. Verläßlichkeitstheorien haben sich als Reaktion gegen die traditionelle erkenntnistheoretische Auffassung entwickelt, der zufolge nur Gründe, Evidenzen oder gute Argumente Meinungen rechtfertigen können. Diese Voraussetzung wurde von den naturalistischen Kritikern der analytischen Erkenntnistheorien als die *arguments-on-paper-thesis* bezeichnet.[17] Daß Rechtfertigung nicht als eine epistemische Relation, sondern als eine kausale Beziehung betrachtet wird, bedeutet: Rechtfertigung ist nicht eine Prüfung der Evidenzen und Argumente, die eine in Frage stehende Meinung unterstützen, sondern die Identifikation und Untersuchung der Prozesse, die diese Meinung erzeugen. Eine *quaestio juris*-Frage wird damit durch eine *quaestio facti*-Untersuchung beantwortet.

Als verläßliche Beziehungen bezeichnet Goldman die Beziehungen zwischen Meinungen und bestimmten Prozessen, die Meinungen erzeugen, nämlich Prozessen, die mehr wahre als fal-

16 Alvin Goldman, *Liaisons: Philosophy Meets the Cognitive and Social Sciences*, Cambridge 1992.

17 Hilary Kornblith, »Beyond Foundationalism and the Coherence Theory«, in: ders. (Hg.), *Naturalizing Epistemology*, a. a. O., S. 117.

sche Meinungen zu erzeugen tendieren.[18] Meinungsbildende Prozesse, die überwiegend oder in großem Ausmaß wahre Meinungen produzieren, sind Prozesse, die Rechtfertigung gewähren. Goldman bezeichnet als gerechtfertigte Meinungen diejenigen, die durch verläßliche kognitive Prozesse »kausal erzeugt oder kausal unterstützt sind«.[19] Man könnte sich fragen, welchen Grad der Verläßlichkeit ein bestimmter Prozeß besitzen sollte, um Rechtfertigung zu gewähren. Goldmans Antwort lautet: Perfekte Verläßlichkeit ist nicht erforderlich; meinungsbildende Prozesse, die manchmal falsche Meinungen erzeugen, können trotzdem Rechtfertigung gewähren. Daraus folgt, daß das Bestehen von gerechtfertigten Meinungen, die doch falsch sind, nicht ausgeschlossen ist.[20] Dagegen schließt Goldmans Theorie aus, daß Meinungen, die nach ihren Kriterien gerechtfertigt sind, systematisch falsch sein können. Goldman unterscheidet zwischen zwei Stufen der Rechtfertigung: Rechtfertigung der Meinungen durch verläßliche Erzeugungsprozesse, die der Meinende nicht anzugeben vermag, und Rechtfertigung als Ergebnis einer bewußten und gezielten Erwägung und Bewertung von Meinungen durch eine Person oder eine Gemeinschaft. Es ist, wie oben bemerkt wurde, durchaus problematisch, auf der ersten Stufe von Rechtfertigung zu sprechen. Nur von dem, was Goldman als zweite Stufe der Rechtfertigung bezeichnet – also Rechtfertigung im strengeren Sinne des Wortes –, wird im weiteren die Rede sein.

Für Rechtfertigung in diesem Sinne ist eine Bewertung der meinungsbildenden Prozesse entscheidend. Meinungsbildende Prozesse werden in zwei Klassen eingeteilt: verläßliche und mangelhafte Prozesse. Goldman gibt zu, daß eine Bewertung von Meinungen auf Grund einer solchen Einteilung sich manchmal als irrtümlich erweist. Im Prinzip dürfen wir Meinungen, die durch verläßliche Prozesse erzeugt werden, als gerechtfertigte Meinungen ansehen. Goldman behauptet, daß eine Meinung gerechtfertigt ist, soweit sie durch *de facto* verläßliche Prozesse oder durch Prozesse, die wir als verläßlich bewerten, entstanden ist.[21] Gemäß der *Virtue-Reliabilism*-Variante der Verläßlich-

18 Goldman, »What is Justified Belief«, a. a. O., S. 10.
19 Goldman, »Naturalistic Epistemology and Reliabilism«, in: *Midwest Studies in Philosophy* 19 (1994), S. 309.
20 Goldman, »What is Justified Belief«, a. a. O., S. 11.
21 Ebd., S. 18.

keitstheorie erfolgt die epistemische Rechtfertigung auf Grund einer Einteilung der realen, psychischen meinungsbildenden Prozesse in *tugendhafte* (*virtuous*) und *lasterhafte* (*vicious*). Zur epistemischen Beurteilung einer Meinung soll der Bewerter die meinungsbildenden Prozesse mit der Liste der epistemischen Tugenden und Laster vergleichen. Auf dieser Basis trifft er eine Entscheidung über den epistemischen Status der in Frage stehenden Meinung.[22] Zu den tugendhaften meinungsbildenden Prozessen gehören das Sehen, das Hören, das Gedächtnis, korrekte Schlußfolgerungen usw. Als lasterhafte Prozesse zählen das Raten, das Wunschdenken und die Nichtbeachtung widerspenstiger Belege.[23] Rechtfertigung als epistemische Bewertung von Meinungen unter Bezug auf meinungsbildende Prozesse erfolgt also in zwei Schritten. Im ersten Schritt wird die Liste der tugendhaften und lasterhaften Prozesse aufgestellt. Im zweiten Schritt werden die Meinungen anhand dieser Einteilung bewertet.[24] Goldman sieht seinen *Virtue Reliabilism* als einen weiteren Schritt in Richtung einer naturalistischen Theorie der epistemischen Rechtfertigung an, die in eine »Psychologie der epistemischen Bewertung« mündet.[25] Fortschritte auf diesem Weg zeigten, inwiefern Psychologie und die Kognitionswissenschaften zur Entwicklung einer normativen Erkenntnistheorie beitrügen.[26]

Die Auseinandersetzung mit Goldmans Verläßlichkeitstheorie hat auf zwei Ebenen zu erfolgen. Zum einen ist die Theorie mit Einwänden kategorialer Art, zum anderen mit inhaltlichen Einwänden konfrontiert. Die kategorialen Schwierigkeiten werde ich nur flüchtig erwähnen. Wie gesagt, die Theorie stuft alle Meinungen als gerechtfertigt ein, die durch verläßliche psychische Prozesse erzeugt wurden. Rechtfertigung ist folglich als kausale Beziehung definiert. Es drängt sich nun die Frage auf, ob und inwieweit die Beziehung zwischen Meinungen und Prozessen oder Zuständen, die Meinungen rechtfertigen sollen, als eine *kausale* Beziehung bezeichnet werden kann. Kausale Beziehungen sind Beziehungen zwischen Zuständen, die nicht nur durch zeitliche, sondern auch durch räumliche Bestimmungen gekenn-

22 Goldman, »Reliabilism«, a. a. O., S. 158.
23 Ebd., S. 159.
24 Ebd., S. 164.
25 Ebd., S. 165.
26 Goldman, »What is Justified Belief«, a. a. O., S. 217.

zeichnet sind. Dürfen wir aber den Meinungen, als doxastischen Entitäten, solche Bestimmungen beilegen? Sind wir berechtigt, eine Beziehung zwischen nichtdoxastischen und doxastischen Entitäten als *kausal* zu bezeichnen? Man pflegt solche Fragen nicht im Rahmen erkenntnistheoretischer Erörterungen zu behandeln, sie gehören zur Philosophie des Geistes.

Es gibt, wie mir scheint, ernstzunehmende inhaltliche Einwände gegen Goldmans Verläßlichkeitstheorie der epistemischen Rechtfertigung. Einige dieser Einwände seien im folgenden diskutiert.

Stellen wir uns zunächst die Frage, wie man eine Liste tugendhafter und lasterhafter meinungsbildender Prozesse erhält. Auf diese Frage scheint nur eine einzige Antwort möglich: auf Grund vergangener Erfahrung. Die Erfahrung hat uns zum Beispiel gezeigt, daß Prozesse wie Sehen, Hören und Erinnerung überwiegend wahre Meinungen produzieren. Der Bewerter geht von der Voraussetzung aus, daß Kriterien, die sich in der Vergangenheit behaupten konnten, sich auch weiter als erfolgreich erweisen werden. Eine solche Voraussetzung beruht aber auf einem induktiven Fehlschluß. Soweit eine Liste der verläßlichen psychischen Prozesse auf Grund unserer bisherigen Erfahrungen festgelegt wird, scheint das Auftreten von Gegenbeispielen unvermeidlich. Dies wird auch Goldman nicht bestreiten, denn er bezeichnet als verläßliche Prozesse diejenigen, die in der Regel, aber nicht ausnahmslos, wahre Meinungen produzieren. Wir sollten aber im Auge behalten, daß Goldman seine Theorie als eine normative Theorie der epistemischen Rechtfertigung vorführt. Die Einteilung der meinungsbildenden Prozesse in tugendhafte (verläßliche) und lasterhafte sollte dem Bewerter Kriterien liefern – nicht todsichere Kriterien, aber doch Kriterien. Und Kriterien dienen dazu, bestimmte Schritte zu empfehlen oder zu verbieten. Kriterien können also auch neue Initiativen und Bewegungen hemmen und dadurch entscheidende Vorstöße verhindern. Betrachten wir im Lichte solcher Erwägungen die Debatte über die »beiden hauptsächlichsten Weltsysteme«. Welches waren die Gründe des beharrlichen Widerstandes Simplicios gegen das Kopernikanische Weltsystem und seiner unbedingten Treue gegenüber dem Ptolemäischen? Die Antwort lautet: nicht nur Autoritätsglauben, sondern vor allem Vertrauen in die Sinne als verläßliche Zeugen. Die Auseinandersetzung der Naturphilosophen aristotelischer Prägung mit dem Kopernikanischen Weltsystem schien überwiegend unter dem Motto zu stehen: »Sinnliche Erfahrungen verdienen den Vorzug vor menschlichen Spekulationen.«[27] Tatsächlich wird die Meinung, daß die Erde ruht und die Sonne sich um diese bewegte, durch zahlreiche den Bewohnern der Erde zugängliche Beobachtungen unterstützt. Galilei schrieb seinen berühmten Dialog in einer Zeit, in der man auf Grund der Alltagserfahrungen sowie der bestehenden wissenschaftlichen Tradition vorbehaltlos behaupten konnte, daß diese Meinung durch »verläßliche Prozesse« zustande kam. Die Befürworter des Kopernikanischen Systems versuchten die herrschende Meinung durch verschiedene Gedankenexperimente zu untergraben, die zeigen sollten, daß es für die Bewohner der Erde unmöglich sei, durch direkte Beobachtung die Bewegung der Erde festzustellen.[28] Die Konsequenz ist aufschlußreich: Meinungen, die auf direkter Beobachtung, also auf verläßlichen psychischen Prozessen beruhen, erwiesen sich aus systematischen Gründen als falsch. Nach den Richtlinien der Goldmanschen normativen Theorie der Rechtfertigung hätte man sich auf Grund der damaligen Liste von tugendhaften und lasterhaften Prozessen für das Ptolemäische Weltsystem entscheiden müssen. Im besten Fall hätten Salviatis Meinungen auf Prozessen beruhen können, die nicht auf der Liste der Bewerter standen. Sie wären also zum damaligen Zeitpunkt nicht zu rechtfertigen gewesen; Goldman nennt solche Meinungen *»nonjustified beliefs«*. Der Streit über die beiden Weltsysteme bildet in der Wissenschaftsgeschichte kein isoliertes Gegenbeispiel für eine Theorie, die uns vorschreibt, neue Einsichten auf Grund der bisherigen Erfahrungen mit verläßlichen Prozessen zu beurteilen. Neue und kühne Theorien konnten sich oft nur durch Verletzung, Übertretung oder Außerachtlassen etablierter Vorstellungen über die Art der Gründe behaupten, die die Wahrheit wissenschaftlicher Überzeugungen zu verbürgen schienen. Ein gutes Beispiel ist die Einfachheit und Schönheit der mathematischen Gleichungen als Siegel der Wahrheit einer grundlegenden physikalischen Theorie. Es gibt zahlreiche Indizien dafür, daß Albert Einstein sich beson-

27 Galileo Galilei, *Dialog über die beiden hauptsächlichsten Weltsysteme, das Ptolemäische und das Kopernikanische,* Leipzig 1891, S. 34.
28 Ebd., S. 180.

ders an einem solchen Kriterium orientiert hat. Ein derartiges Kriterium entsprach nicht den vorherrschenden Vorstellungen in den physikalischen Kreisen seiner Zeit. Namhafte Kollegen haben die Relativitätstheorie, besonders die Allgemeine Relativitätstheorie, mit Mißtrauen betrachtet, weil sie ehrwürdigen Vorstellungen über die experimentelle Basis einer respektablen physikalischen Theorie nicht entgegenkam. Einsteins Zeitgenosse Walter Nernst hat einmal behauptet, daß für ihn die Molekulartheorie und nicht die Relativitätstheorie Einsteins größte Entdeckung sei. Die erste ist eine gut bestätigte physikalische Theorie. Dagegen sei die Relativitätstheorie mehr »Philosophie«: Diese Einstellung drückte sich besonders klar in der Entscheidung des Komitees der Schwedischen Akademie der Wissenschaften aus, Einstein im Jahre 1922 den Nobelpreis für seine Arbeit über den photoelektrischen Effekt und nicht für die Relativitätstheorie zu verleihen.[29] Wie es für bahnbrechende wissenschaftliche Entdeckungen oft der Fall ist, gelangte Einstein zu der Relativitätstheorie nicht durch Prozesse, die man zu diesem Zeitpunkt »verläßlich« nennen konnte. Erst durch ihren Erfolg und ihre allgemeine Anerkennung konnte die Relativitätstheorie eine Rückwirkung auf Vorstellungen über meinungsbildende Prozesse ausüben, die in der Regel zu wahren Meinungen führen. Es liegt darum nahe, daß man »gute Gründe«, die Meinungen zu rechtfertigen vermögen, nur am Ende einer kritischen Diskussion und nicht aufgrund einer Liste »tugendhafter Prozesse«, die auf bisherigen Erfahrungen beruhen, identifizieren kann. Evidentielle Theorien der Rechtfertigung haben den nicht zu unterschätzenden Vorteil, die heikle Problematik der Aufstellung einer Liste verläßlicher Prozesse zu vermeiden.

Man könnte freilich erwidern, daß solche Gegenbeispiele die Goldmansche Theorie nicht berühren, da es dieser nur um Rechtfertigung von alltäglichen Meinungen und nicht von wissenschaftlichen Hypothesen gehe. Die Antwort auf eine solche Erwiderung kann grundsätzlich auf zwei Ebenen erfolgen. Zum einen ist eine solche Einschränkung mehr als fragwürdig. Es ist nicht zu bestreiten, daß wissenschaftliche Hypothesen An-

29 Vgl. Philipp Frank, *Albert Einstein. Sein Leben und seine Zeit*, Braunschweig 1979, S. 139, sowie Mircea Flonta, »Does the Scientific Paper Accurately Mirror the Very Grounds of Scientific Assessment?«, in: *Theoria* 27 (1996), S. 27-30.

sprüche auf Wissen erheben und demzufolge rechtfertigungsbedürftig sind. Schließlich bildet die Wissenschaft Wissen *par excellence*. Akzeptiert man dennoch diese durchaus fragwürdige Einschränkung, wäre zu bemerken, daß Goldmans Theorie einem Humeschen Einwand ausgesetzt ist. So wie Regelmäßigkeiten vergangener Erfahrungen keine Garantie für die Zukunft bilden, sowenig tun es vergangene Erfahrungen über verläßliche meinungsbildende Prozesse. Es geht einfach um die Grenzen unserer Möglichkeiten, aus der Erfahrung zu lernen: gleichbleibende und gleichförmige Erfahrungen bilden keine zureichende Basis für die Aufstellung von allgemeingültigen Richtlinien.

In Alltagssituationen scheint Goldmans Theorie also nicht mehr zu leisten, als unsere Intuitionen über rechtfertigungsgewährende Prozesse und »gute Gründe« für Meinungen ausdrücklich zu formulieren. Sie verbessert nicht wesentlich unsere Orientierung und kann keine ernstzunehmende normative Kraft beanspruchen. In der Forschung sind dagegen die Vorschriften und Empfehlungen, die sich aus einer Liste von tugendhaften und lasterhaften meinungsbildenden Prozessen ergeben, immer dem Risiko ausgesetzt, einen möglichen Wissenserwerb zu hemmen.

Soweit es Goldmans Projekt war, eine naturalistische normative Theorie der Rechtfertigung auszuarbeiten, bleibt es angesichts der gegenwärtigen Fassung seiner Theorie zweifelhaft, daß bedeutende Schritte in diese Richtung erzielt worden sind. Zudem gibt es andere ernstzunehmende Einwände gegen eine rein kausale Theorie der epistemischen Rechtfertigung. Jede Verläßlichkeitstheorie, in jedem Fall diejenige Goldmans, setzt stillschweigend die Kohärenz der zu rechtfertigenden Meinung mit dem Netz von Meinungen, die als unproblematisch akzeptiert sind, voraus.[30] Eine Verläßlichkeitstheorie der Rechtfertigung scheint also nicht ohne Konzessionen an die Kohärenztheorie auszukommen.

30 Kornblith, a. a. O., S. 122, vgl. auch Ernest Sosa, »Nature Unmirrored, Epistemology Naturalized«, in: *Synthese* 55 (1983), S. 69, und Lehrer, *Theory of Knowledge*, S. 165.

III

Abschließend einige flüchtige Bemerkungen über radikalere naturalistische Einstellungen:

Gälte es eine Bezeichnung für diese unterschiedlichen naturalistischen Einstellungen zu finden, so müßte diese *deskriptive Erkenntnistheorie* lauten. Deskriptive Erkenntnistheorie bildet das Programm einer rein wissenschaftlichen Erkenntnistheorie, das heißt einer Erkenntnistheorie ohne normative Bestandteile. Quine hat eindeutig ein solches Programm für die Erkenntnistheorie so formuliert: Die traditionellen Fragen und Probleme der Erkenntnistheorie sollen durch das Studium der biologischen und psychischen Prozesse des Wissenserwerbs ersetzt werden. Damit vertritt Quine, wenn auch nicht konsequent,[31] eine radikale Position, die sogenannte *replacement thesis*. Für ihn wird die naturalistische Erkenntnistheorie (*Epistemology Naturalized*) als Kapitel der empirischen Psychologie[32] ein Teil der Naturwissenschaft. Ihre Hauptaufgabe sei die Untersuchung der Relation zwischen sensorischen Reizen und Aussagen über Tatsachen. Quines Behandlung des Problems der Beobachtungssätze im Rahmen eines Input-Output-Schemas verdeutlicht das Vorgehen einer naturalistischen Erkenntnistheorie in exemplarischer Weise. Wegen seiner prinzipiellen Ablehnung der Fragestellung der analytischen Erkenntnistheorie wird Quines Programm auch mit der Bewegung *Death of Epistemology* in Verbindung gebracht. Dieses Programm wird manchmal im Sinne einer »Preisgabe der Erkenntnistheorie für ein anderes Projekt« verstanden.[33]

Das Programm einer deskriptiven Erkenntnistheorie läßt sich auch als das einer Ersetzung evidentieller Erwägungen durch kausale Behauptungen auffassen. Ein Beispiel dafür wäre Dretskes Vorschlag, Wissen durch informationelle Begriffe zu erklären. Meinungen, die in der richtigen Weise durch informationstragende Signale verursacht worden sind, werden als Wissen

31 Sosa, a. a. O., S. 69 f.; Haack, a. a. O., S. 200; Koppelberg, a. a. O., S. 74.

32 W. V. O. Quine, »Epistemology Naturalized«, in: Kornblith (Hg.), a. a. O., S. 24.

33 M. Williams, »Death of Epistemology«, in: Dancy/Sosa (Hg.), a. a. O., S. 91.

bezeichnet. Alle Schwierigkeiten, die mit einer evidentiellen Behandlung der Rechtfertigungsfrage verbunden sind, werden damit beseitigt.[34] In Dretskes informationellem Modell des Wissens kommen nur kausale Beziehungen vor, Beziehungen, die in den Ausdrücken einer deskriptiven Sprache formuliert werden können. Elementare Formen der Diskrimination und des Erkennens, die die Anpassung der Tierarten an ihre Umgebung ermöglichen, dienen in der Ausarbeitung kausaler Theorien des Wissens als Modelle.

Evolutionäre Erkenntnistheorie ist ein Ausdruck, der heute für unterschiedliche Projekte steht. Abgesehen von diesen Differenzen scheint die Evolutionäre Erkenntnistheorie sich insgesamt durch eine Verpflichtung auf die Idee einer deskriptiven, wissenschaftlich orientierten Erkenntnistheorie auszuzeichnen. Fraglich ist, ob verschiedene Varianten der Evolutionären Erkenntnistheorie noch den Anschluß an Hauptfragen der analytischen Erkenntnistheorie halten können und damit Erkenntnistheorie im eigentlichen Sinne des Wortes darstellen; ich werde dies in bezug auf Donald Campbells und Gerhard Vollmers Projekte einer Evolutionären Erkenntnistheorie kurz zu zeigen versuchen.

Campbell behauptet ausdrücklich, daß seine Evolutionäre Erkenntnistheorie eine deskriptive Erkenntnistheorie sei, und gibt zuweilen ganz offen zu, daß eine deskriptive Erkenntnistheorie sich andere Aufgaben stellt als die analytische Erkenntnistheorie.[35] Campbell bemerkt, daß Evolutionäre Erkenntnistheorie eher ein Teil der Wissenschaft als der Philosophie sei.[36] Die Idee lautet, daß wir Menschen dank natürlicher Auslese eben so beschaffen sind, daß unsere meinungsbildenden Prozesse unvermeidlich dazu tendieren, wahre Meinungen zu bilden. Unter solchen Voraussetzungen wird Erkenntnistheorie rein deskriptiv, wie jede andere Naturwissenschaft. Kornblith zögert nicht, diese Konsequenz ausdrücklich zu formulieren.[37] Im Zentrum von Campbells Evolutionärer Erkenntnistheorie steht eine Theorie

34 Dretske, a. a. O. , S. 177 und 179.

35 Donald T. Campbell, »Unjustified Variation and Selective Retention«, in: Francisco Ayala/Theodosius Dobzhansky (Hg.), *Studies in the Philosophy of Biology*, S. 140.

36 Ebd., S. 141.

37 Kornblith, »Introduction. What is Naturalistic Epistemology?«, in: Kornblith (Hg.), a. a. O., S. 5; Almeder, a. a. O., S. 274.

der Evolution des Wissens, einschließlich der der Naturwissenschaft. Der Autor kennzeichnet seine Theorie als Anwendung des darwinistischen Modells der natürlichen Selektion auf die Beschreibung und Erklärung der alltäglichen und wissenschaftlichen Entdeckungen.[38] Das Modell enthält drei Bestandteile: Mutation (Variation), systematische Eliminierung durch Selektion, Konservierung einiger selegierter Mutationen. Campbell deutet auf die folgenden Korrespondenzen hin: zwischen zufälligen Mutationen und Einfällen bzw. neuen Hypothesen; zwischen der Selektion, das heißt Eliminierung der Mutationen und der kritischen Überprüfung neuer Ideen; zwischen der Konservierung von Mutationen und dem Festhalten an bewährten Hypothesen. Er verfolgt die Parallele weiter: Hängt das Tempo der biologischen Evolution von der Mutationsrate und der Stärke des Selektionsdruckes ab, so ist der Rhythmus in der Evolution der Naturwissenschaft von der Fülle neuer spekulativer Ideen und von der Härte ihrer kritischen Überprüfung abhängig.[39] Campbell hat offensichtlich Poppers Theorie der Methode der Wissenschaft im Auge: er sieht seine Theorie als eine darwinistische Umschreibung der Popperschen Theorie und glaubt sich in seiner Überzeugung durch Poppers gelegentliche biologische Analogien bestätigt. Er behauptet sogar, daß die Poppersche Wissenschaftstheorie als eine *natural selection epistemology* bezeichnet werden könnte.[40]

Näher betrachtet, scheint es sehr fragwürdig, ob ein Schema wie das Campbellsche Variation-Selektion-Konservierungs-Schema mehr als eine ganz lose biologische Interpretation der Wissenschaftsevolution darstellt. Denn anders als genetische Mutationen sind die wissenschaftlichen Spekulationen Versuche, ein bestimmtes, als Problem anerkanntes Problem zu lösen.[41] An die Stelle der Selektion als natürlicher Prozeß tritt in der Wissenschaft die kritische Diskussion von Hypothesen. Im Gegensatz zu den Mutationen im Kognitionsapparat der Menschen und

38 Campbell, a. a. O., S. 143.

39 Campbell, »Evolutionary Epistemology«, in: Paul A. Schilpp (Hg.), *The Philosophy of Karl Popper*, La Salle, Ill. 1974, S. 435.

40 Ebd., S. 437.

41 Peter Bieri, »Evolution, Erkenntnis und Kognition«, in: Wilhelm Lütterfelds (Hg.), *Transzendentale oder Evolutionäre Erkenntnistheorie*, Darmstadt 1987, S. 141.

Tiere hängt die Konservierung neuer wissenschaftlicher Hypothesen nicht von ihrem Wert im Kampf ums Überleben ab, sondern von ihrer Fähigkeit, die kritische Diskussion zu überstehen. Gibt es aber Gründe für die Hoffnung, daß eine rein naturalistische Beschreibung von Problemlösungversuchen und kritischer Diskussion möglich ist? Zudem sollte man berücksichtigen, daß die genetische Evolution eine richtungslose Entwicklung darstellt, während die Wissenschaftsevolution eine fortschreitende Bewegung aufweist. Und man sollte sich fragen, ob es irgendwelche Anhaltspunkte für eine deskriptive Rekonstruktion des Fortschrittsbegriffes gibt. Popper selbst, der gerne mit biologischen Analogien spielte, hat vor den Schwierigkeiten einer rein deskriptiven Theorie der Wissenschaftsevolution ausdrücklich gewarnt; er unterschied scharf zwischen Fragen der Wahrheit und Gültigkeit wissenschaftlicher Hypothesen und genetischen, historischen und psychologischen Fragen.[42] Obwohl Popper selbst manchmal von einer Evolutionären Erkenntnistheorie sprach, hielt er die »leitenden Ideen« einer Erkenntnistheorie für logisch und nicht für tatsachenbedingt;[43] auch in dieser Hinsicht ist seine Drei-Welten-Theorie aufschlußreich. Popper bezeichnete manchmal Probleme als Mutationen, die zur Zerstörung von Organismen führen können, aber anders als im Kampf ums Überleben lassen wir in der Wissenschaft Hypothesen für uns sterben, und im Unterschied zum Organismus ist der Wissenschaftler am Irrtum interessiert, um aus ihm lernen zu können.[44] So weisen die Evolution des Lebens und die des Wissens – besonders der Wissenschaft – bestenfalls einige strukturelle Ähnlichkeiten auf.

Noch problematischer erweist sich das Bestreben Gerhard Vollmers, durch seine Evolutionäre Erkenntnistheorie Anschluß an die traditionellen Hauptfragen der Erkenntnistheorie zu finden. So wie der Autor die heutigen Fragen und Ergebnisse der Evolutionären Erkenntnistheorie darstellt, scheint diese ein wissenschaftliches Forschungsprogramm zu bilden: die von Vollmer selbst oft hervorgehobenen Annäherungen der Evolutionären Erkenntnistheorie an Chomskys universelle Grammatik oder an genetische Psychologie und Epistemologie erscheinen

42 Karl R. Popper, *Objective Knowledge*, Oxford 1972, S. 67.
43 Ebd., S. 68.
44 Ebd., S. 72.

mir als Hinweise, die eine solche Bezeichnung rechtfertigen. Soweit die Evolutionäre Erkenntnistheorie sich insbesondere die evolutionäre Erklärung der Bildung von Kognitionsorganen, -mechanismen und -fähigkeiten als Forschungsziel setzt, scheint es völlig berechtigt, sie als wissenschaftliches Forschungsprogramm zu bezeichnen. (Natürlich ist der Ausdruck »Erkenntnistheorie« für ein solches Unternehmen nicht übermäßig geeignet, aber dies könnte man als ein mehr terminologisches Problem beiseite lassen.) Ein Forschungsprogramm beruht zweifellos auf einigen Vorentscheidungen, die wissenschaftlich nicht zu begründen sind und sich nur indirekt durch ihre Fruchtbarkeit bestätigen können. Die Ergebnisse eines wissenschaftlichen Forschungsprogrammes können überdies eine beachtliche philosophische Relevanz besitzen; grundlegende wissenschaftliche Theorien und vor allem wissenschaftliche Forschungsprogramme standen und stehen mehr im Mittelpunkt der philosophischen Diskussion als die wissenschaftlichen Fakten als solche. Es ist aber schwer zu sehen, wie Evolutionäre Erkenntnistheorie in Vollmers Darstellung auch eine Metatheorie, das heißt eine philosophische Disziplin, sein könnte und in diesem Sinne mit der Wissenschaftstheorie zu vergleichen wäre.[45] Dieser Anspruch hängt eng mit der Behauptung zusammen, daß die wissenschaftliche evolutionäre Erforschung menschlicher Kognition direkte Antworten auf philosophische Fragen geben könne.[46] Selbstverständlich sind Antworten auf Fragen wie: »*Woher kommen die subjektiven Strukturen der Erkenntnis?*«[47] von großem Interesse, doch gibt es gute Gründe zu behaupten, daß sie Antworten auf traditionelle Fragen der Erkenntnistheorie bieten? Ohne Zweifel werden Forschungen über phylogenetische Ursprünge menschlicher Erkenntnisfähigkeiten die Philosophen interessieren. Dasselbe kann man aber auch von grundlegenden modernen physikalischen Theorien, wie etwa der Quantentheorie, behaupten; damit wird aber nicht angenommen, daß Interpretationen der Quantentheorie Bestandteil der Philosophie geworden sind. Sicher können neue theoretische Entwicklungen im Bereich von Physik, Biologie oder Psychologie dazu beitragen, einige tradi-

45 Gerhard Vollmer, *Evolutionäre Erkenntnistheorie*, Stuttgart 1994, S. 112.
46 Ebd., S. 3, 102, 114.
47 Ebd., S. 106.

tionelle philosophische Fragen in ein neues Licht zu rücken oder neue Antwortversuche auf solche Fragen anzuregen; das haben etwa physikalische Theorien im Hinblick auf traditionelle philosophische Fragen über die Natur von Raum und Zeit geleistet. Ähnliches kann auch die Evolutionäre Erkenntnistheorie als wissenschaftliches Forschungsprogramm leisten: Sie ist philosophisch relevant, aber doch eigentlich nicht *Philosophie* bzw. *Erkenntnistheorie* im strengen Sinne des Wortes.

In einer jahrhundertelangen Tradition, die in der analytischen Erkenntnistheorie gipfelt, versuchte man Fragen der Erkenntnistheorie hauptsächlich durch begriffliche Analyse zu beantworten. Durch seine Evolutionäre Erkenntnistheorie erhebt Vollmer den Anspruch, traditionelle Fragen der Erkenntnistheorie schlicht an Hand wissenschaftlicher Forschungen zu beantworten; dies ist kein neuer, aber doch ein fragwürdiger Anspruch. Soweit ich beurteilen kann, haben Vollmers Überlegungen nicht dazu beigetragen, diesen Anspruch überzeugender zu machen. Vollmer behauptet zum Beispiel, daß »die subjektiven Erkenntnisstrukturen« mit den »realen Strukturen der Welt« teilweise übereinstimmen.[48] Dies ist zweifellos eine philosophische Aussage. Wie wäre sie zu begründen? Vollmers Antwort: Eine solche Übereinstimmung gibt es, denn nur durch sie sei das Überleben der Wesen, die solche »Erkenntnisstrukturen« besitzen, zu erklären. Und er fügt hinzu: »Hier wird eine erkenntnistheoretische Frage durch eine naturwissenschaftliche Theorie – die Evolutionstheorie – beantwortet.« Stimmt das?

Vollmers Argumentation scheint auf einer stillschweigenden Voraussetzung zu beruhen, nämlich daß das Überleben und die erfolgreiche Anpassung an Umgebungsbedingungen nur durch »Erkenntnisstrukturen« möglich sei, die zumindest teilweise mit den »realen Strukturen der Welt« übereinstimmen und deswegen wahre Meinungen produzieren. Abgesehen von der scheinbar unüberwindlichen Vagheit der Rede von »Übereinstimmung der Erkenntnisstrukturen mit den Strukturen der Welt« ist die Gleichsetzung des Anpassungscharakters als biologischer Wert mit der Übereinstimmung im epistemologischen Sinne durchaus problematisch; gerade die Entwicklung der theoretischen Wissenschaft hat uns auf die Kluft zwischen Meinungen, die für viele

48 Ebd., S. 102.

Anpassungszwecke ausgezeichnet funktionieren, und Meinungen, die eine objektive Gültigkeit besitzen und in diesem Sinne wahr sind, aufmerksam gemacht. Falsche Meinungen können oft einer erfolgreichen Anpassung dienen; dagegen mögen theoretische Ideen, die strenge Prüfungen überstanden haben, keine unmittelbare praktische Anwendung finden und besitzen damit keinen Anpassungswert. Es geht hier nicht so sehr um den Unterschied zwischen dem Mesokosmos und den anderen, weniger zugänglichen Bereichen der Welt als um den zwischen praktischer Adäquatheit und objektiver Gültigkeit: Der funktionelle Wert oder Anpassungscharakter qualifiziert eine Meinung nicht als objektives Wissen, sonst wäre der Streit über die Bewegung der Erde gegenstandslos gewesen. In diesem Sinne kann Wissen nicht als ein »Nebenprodukt der natürlichen Auslese« bezeichnet werden. Aus der Perspektive der theoretischen Wissenschaft sind Kategorien und Regelmäßigkeiten des Alltagsdenkens, Denkgewohnheiten und -notwendigkeiten mit ausgeprägtem Anpassungswert eingeschlossen, nicht mehr als Vermutungen und Arbeitshypothesen. In seinen Betrachtungen scheint Vollmer nicht nur den Unterschied zwischen Kognition bzw. Erkennen und Wissen zu vernachlässigen, sondern auch den zwischen erfolgreichem Funktionieren im pragmatischen Sinne und objektiver Gültigkeit von Meinungen. Konsequenterweise kann dann von »hypothetischem Realismus«, von Wissen als »adäquater (interner) Rekonstruktion äußerer Objekte« und anderen Figuren, die mit der erkenntnistheoretischen Tradition eng zusammenhängen, nicht mehr die Rede sein. Vor allem läßt sich aus Vollmers Ausführungen überhaupt nicht ersehen, wie allgemeine evolutionistische Überlegungen und Erklärungen Antworten auf normative Fragen über die Natur des Wissens und der epistemischen Rechtfertigung anbieten können sollten. In ihrem heutigen Stand können evolutionäre Erkenntnistheorien keine Hinweise darauf geben, wie die Kluft zwischen einer explanatorischen Theorie des Erkennens (Kognition) und einer explikativ-normativen Erkenntnistheorie[49] zu überbrücken wäre. Die Schlußfolgerung ergibt sich von selbst: Soweit die Evolutionäre Erkennt-

49 Wolfgang Stegmüller, »Evolutionäre Erkenntnistheorie, Realismus und Wissenschaftstheorie«, in: Robert Spaemann/Peter Koslowski/Reinhard Löw (Hg.), *Evolutionstheorie und menschliches Selbstverständnis*, Weinheim 1984, S. 17.

nistheorie eine radikal naturalistische Position vertritt, das heißt rein deskriptiv vorgeht, scheint sie keine guten Chancen zu haben, den Kontakt mit den traditionellen Fragestellungen der Erkenntnistheorie wiederzugewinnen; in dieser Perspektive kann die Idee einer rein deskriptiven, »wissenschaftlichen« Erkenntnistheorie dem Philosophen keine Sympathien entlocken.

Geert Keil

Naturalismus und Intentionalität

Lassen wir den Naturalismus für einen Moment auf sich beruhen und wenden uns seinen morphologischen Ableitungen zu, dem Adjektiv *naturalistisch* und dem Verb *naturalisieren*. Während man sich ohne weitere Zusätze als Naturalist bezeichen oder zum Naturalismus bekennen kann, erfordern Verb und Adjektiv die Nennung des Phänomens, das da naturalisiert werden soll, der These, Theorie oder Erklärung, die als naturalistische bezeichnet werden. Nachdem der Versuch, Naturalismus *across the board* zu definieren, uns von der Metaphysik über den *Scientia mensura*-Satz in die Wissenschaftstheorie geführt hat und dort am Widerwillen der Naturalisten gescheitert ist, sich zu einer gehaltvollen, nichtsoziologischen Explikation des Wissenschaftsbegriffs zu bekennen,[1] lohnt vielleicht ein zweiter Versuch: Wo wird im philosophischen Tagesgeschäft über Naturalisierbarkeit gestritten, welche Phänomene sollen naturalisiert oder davor bewahrt werden, in welchem Fall gilt eine Naturalisierung als erfolgreich?

Es könnte sich ja mit dem Naturalismus so verhalten wie mit dem Realismus: In der sogenannten Realismusdebatte der Erkenntnis- und Wissenschaftstheorie hat man vielfach vom Realismus oder Antirealismus *tout court* gesprochen, und es ist der Debatte nicht gut bekommen. Wer eine diskutierbare Position markieren möchte, sollte jeweils dazusagen, einen Realismus *bezüglich was* er vertreten will. Es gibt einen Realismus der theoretischen Entitäten, einen der Naturgesetze, einen der Kausalität, einen intentionalen Realismus etc.

Die Verengung des Blickwinkels vom metaphysischen Naturalismus zu der Frage, was eine bestimmte Theorie zu einer naturalistischen macht oder in welchem Falle ein Phänomen als naturalisiert gelten kann, stellt freilich keinen völligen Neuanfang dar. Ein *Kriterium der naturalistischen Akzeptabilität* philosophischer Theorien oder Erklärungen muß nicht nur *expliziert*, sondern auch als solches *gerechtfertigt* werden: Es muß die Frage

1 Siehe die Einleitung zu diesem Band.

beantwortet werden, warum gerade das vorgeschlagene Kriterium als Prüfstein für *naturalistische* Akzeptabilität gelten soll.

Im Rückblick auf und anknüpfend an die Einleitung zu diesem Band möchte ich die Vermutung äußern, daß viele konkurrierende Explikationen des Naturalismusbegriffs nur scheinbar miteinander konkurrieren, tatsächlich aber verschiedene *Ausarbeitungsstufen eines und desselben Grundgedankens* sind. Ich möchte drei Ausarbeitungsstufen unterscheiden:

(a) In erster Annäherung ist Naturalismus die vortheoretische Auffassung, daß alles, was es gibt, *Teil der Natur* oder *Teil der einen, natürlichen Welt* ist. Diese Auffassung ist unter der Bezeichnung »metaphysischer Naturalismus« bekannt. Sie läßt viele Fragen offen, unter anderem die, was in Abwesenheit eines konturierten Naturbegriffs mit »natürliche Welt« gemeint ist. Wir hatten eine *ontologische*, eine *naturgeschichtliche* und eine *methodologische* Explikation unterschieden. Im ersten Fall erhalten wir den ontologischen Physikalismus oder Materialismus, im zweiten Fall den evolutionären Naturalismus (der die schrecklichen Zwillinge Soziobiologie und Evolutionäre Erkenntnistheorie gebiert). Diese Positionen können indes nicht für das ganze naturalistische Programm stehen; sie enthalten zu starke Vorentscheidungen, die viele Naturalisten mit Recht ablehnen. Es bleibt die methodologische Explikation:

(b) Auf dieser Explikationsstufe wird ›Natur‹ durch ›Natur*wissenschaft*‹ ersetzt. Die Natur, von der der Naturalismus spricht, zeichnet sich dadurch aus, Gegenstand empirischer Wissenschaften zu sein. Der Topos »Alles ist Natur« wird zum *Scientia mensura*-Satz: »In the dimension of describing and explaining the world, science is the measure of all things, of what is that it is, and of what is not that it is not.«[2] Der Naturalismus wird zu einem Ismus der Naturwissenschaften, der die naturwissenschaftlichen Methoden auf alle Gegenstände der Erkenntnis gleichermaßen angewandt sehen möchte. Es darf keine Enklaven geben, die den naturwissenschaftlichen Methoden nicht zugänglich wären. Diese Auffassung erzeugt Explikationsbedarf bezüglich der Frage, welches diese Methoden sind. An dieser Stelle scheiden sich die Geister:

(c_1) Für Quine und viele andere besteht kein weiterer Explika-

2 Wilfrid Sellars, *Science, Perception, and Reality*, London 1963, S. 173.

tionsbedarf, weil die Naturwissenschaften methodologisch für sich selbst sorgen. Der Philosophie wird angeraten, den sicheren Gang der Wissenschaften nicht durch erkenntnis- und wissenschaftstheoretischen »Apriorismus« zu behindern. Aus dem *Scientia mensura*-Satz wird die Devise *Wherever science will lead, I will follow.* – Als zentraler oder einziger Programmpunkt ist diese Devise unbefriedigend, weil dann die Frage, der Zukunft *welches* Unternehmens man sich anvertraut, zu einer des richtigen Türschildes wird.

(c_2) *Anerkannt* wird ein weiterer Explikationsbedarf, wenn man sich der Frage stellt, welche Arten von kognitiven Ansprüchen durch das Bekenntnis zum Erklärungsmonopol der Naturwissenschaft(en) *ausgeschlossen* werden. Da es nicht die Verwendung des *Wortes* »naturwissenschaftlich« sein kann, die eine Erklärung, eine Theorie oder ein Vokabular naturalistisch respektabel macht, müssen *Kriterien* genannt werden. Quines Intensionsskepsis wäre ein solches Kriterium, doch merkwürdigerweise bringt er sie nicht mit seinen programmatischen Aussagen zum Naturalismus in Verbindung.

Stephen Stich hat die Suche nach einem Kriterium der naturalistischen Akzeptabilität mit der Suche nach einem allgemeinen Sinnkriterium im Logischen Empirismus verglichen.[3] In beiden Fällen werde nach einer Relation *R* gesucht, in der ein Prädikat oder eine Eigenschaft zu einer bestimmten empirischen Basis oder einem Basisvokabular stehen muß, um akzeptabel zu sein. Stich ist der Auffassung, daß sich ein solches Kriterium, das »das Gute vom Schlechten scheidet«, in beiden Fällen nicht angeben läßt. Alle vorgeschlagenen Kriterien seien entweder zu restriktiv oder zu liberal: Sie schütten jede Menge Kinder mit dem Bade aus oder lassen trübes Wasser in der Wanne. Auch Stich richtet sich deshalb auf der Position (c_1) ein. Was zählt, sei allein die Verwendbarkeit eines Prädikates in »erfolgreichen wissenschaftlichen Theorien«, und was als eine solche zählt, entscheide die Wissenschaft selbst.

Die Behauptung, es gebe kein allgemeines Kriterium der Naturalisierbarkeit, stützt Stich auf die Einschätzung, daß vorgeschlagene Kriterien nicht, wie angestrebt, das Gute vom Schlechten

3 Siehe seinen Beitrag in diesem Band.

scheiden. Diese Argumentation hat einen blinden Fleck: Sie setzt schon eine Idee davon voraus, was als gut und was als schlecht zählt. Der Naturalist muß angeben können, was er als »erfolgreiche Wissenschaft« anzuerkennen bereit ist. Urteilsenthaltung mag er hinsichtlich der Frage üben, mit welchen Erklärungen die Wissenschaften zukünftig tatsächlich aufwarten werden; was für ihn *jetzt* als Erklärungserfolg *zählt* oder zählen würde, muß er hingegen – bei Strafe des Explikationszirkels – erläutern können.

Was das gesuchte Kriterium der naturalistischen Akzeptierbarkeit betrifft, das der These vom Erklärungsprivileg der Naturwissenschaften erst ihren Biß verschafft, habe ich keinen originellen Vorschlag zu machen. Es gibt in der Literatur, soweit ich sehe, nur ein einziges Kriterium, das das Zeug zu einem Minimalkonsens hat, und ich beschränke mich darauf, dieses zu erläutern und gegen Einwände zu verteidigen.

Das Kriterium hat die Form einer Ausschlußbedingung. Naturalistisch akzeptierbar seien nur solche Erklärungen oder Theorien, die nicht auf das intentionale Idiom der Alltagspsychologie zurückgreifen. Die realistisch interpretierte Zuschreibung von propositionalen Einstellungen (Wünschen, Absichten, Überzeugungen etc.) und die damit verbundene Erklärungspraxis seien ein Wissenschaftshindernis. Das intentionale Idiom der *belief/desire*-Psychologie sei nicht an naturwissenschaftliche Theorien anschlußfähig, weil es einen Verweisungszirkel bildet, in dem jedes Element, jede Zuschreibung eines intentionalen Zustandes nur durch Verwendung weiterer intentionaler Begriffe gerechtfertigt und erläutert werden kann. Deshalb, so diese Auffassung, hat die *belief/desire*-Psychologie nicht am wissenschaftlichen Fortschritt teil. Die Naturwissenschaften erforschen arbeitsteilig die Welt und tragen zum systematischen Wachstum unseres empirischen Wissens bei, allein die Alltagspsychologie »is no part of this growing synthesis. Its intentional categories stand magnificently alone«. Sie ist »a stagnant or degenerating research program, and has been for millennia«.[4] Der *Eliminative Materialismus* zieht daraus die ontologische Lehre, daß den intentionalen Kategorien der Alltagspsychologie keine Entitäten entsprechen, daß es also Wünsche, Absichten und Überzeugungen *nicht gibt*. Etwas vorsichtiger behaupten Dennett und Fodor:

4 Paul Churchland, »Eliminative Materialism and Propositional Attitudes«, in: *Journal of Philosophy* 78 (1981), S. 67-90, hier: S. 75.

Beliefs have a less secure position in a critical scientific ontology than, say, electrones or genes, and a less robust presence in the everyday world than, say, toothaches or haircuts.[5]

[S]ooner or later the physicists will complete the catalogue they've been compiling of the ultimate and irreducible properties of things. When they do, the likes of *spin*, *charm*, and *charge* will perhaps appear upon their list. But *aboutness* surely won't; intentionality simply doesn't go that deep. It's hard to see, in face of this consideration, how one can be a Realist about intentionality without also being, to some extent or other, a Reductionist. [...] If aboutness is real, it must be something else.[6]

Es lassen sich, sofern man die Widerspenstigkeit des intentionalen Idioms nicht einfach akzeptiert, grob drei Reaktionen unterscheiden: Reduktionismus, Eliminativismus und Instrumentalismus. Intentionale Begriffe sollen entweder (a) definitorisch oder anderweitig auf nichtintentionale zurückgeführt oder (b) abgeschafft und durch andere ersetzt oder (c) als nützliche Fiktionen behandelt werden. Eliminativismus und Instrumentalismus implizieren einen *intentionalen Irrealismus*, der Reduktionismus tut dies nicht notwendig, da verschiedene Arten der Reduktion unterschieden werden können.

Wie wird nun aus der unfreundlichen Haltung gegenüber dem intentionalen Idiom das Kriterium der naturalistischen Akzeptierbarkeit? Als erste Annäherung können wir eine Formulierung von Fred Dretske verwenden. Dretske beschreibt seine informationstheoretisch basierte Semantik als »an exercise in naturalism [...]. Can you bake a mental cake using only physical yeast and flour? The argument is that you can«.[7] Das Mentale sei auf irgendeine Weise aus physischen Zutaten herzustellen, aus Bestandteilen, die nicht selbst mental sind. Das Herstellen ist offenbar die Umkehrung dessen, was sonst »Reduktion« genannt wird. An Dretskes metaphorischer Formulierung ist aber unbefriedigend, daß sie die Art der angestrebten Produktion oder Reduktion offenläßt. Eine *ontologische* Reduktion des Mentalen auf das Physische möchte ich, wie schon in der Einleitung zu

5 Daniel C. Dennett, *The Intentional Stance*, Cambridge, Mass./London 1987, S. 117.

6 Jerry A. Fodor, *Psychosemantics*, Cambridge, Mass./London 1987, S. 97.

7 Fred I. Dretske, *Knowledge and the Flow of Information*, Oxford 1981, S. xi.

diesem Band ausgeführt, nicht als distinktiv naturalistischen Programmpunkt ansehen. Was wir durch diese Reduktion erhalten, ist ein ontologischer Primat des Physischen, der mit sehr schwachen begrifflichen und nomologischen Relationen zwischen dem Physischen und dem Mentalen verträglich ist, zum Beispiel mit einer globalen Supervenienzthese, die nicht einmal die token-token-Identitätstheorie voraussetzt.[8] Ein ontologischer Physikalismus stützt von sich aus keinerlei Programm zu einer naturwissenschaftlichen Erforschung des Geistes und ist selbst mit einer ausgeprägt wissenschaftsfeindlichen Haltung vereinbar, etwa mit dem Sprachendualismus der Oxford-Schule.

Was ein Naturalist à la Dretske sucht, ist eine *begriffliche* Reduktion des Intentionalen. Als zweite Annäherung können wir eine Formulierung von Stalnaker verwenden: »The challenge represented to the philosopher who wants to regard human beings and mental phenomena as part of the natural order is to explain intentional relations in naturalistic terms.«[9] Diese Formulierung ist nicht mehr metaphorisch und stellt überdies wünschenswert deutlich die Verbindung zur Ausarbeitungsstufe (a) her: zum Programm des metaphysischen Naturalismus, den Menschen und das Mentale als »part of the natural order« zu begreifen. Zu präzisieren bleibt, was es heißt, ›intentionale Beziehungen in naturalistischen Begriffen zu erklären‹.

Diese Präzisierung liefert Fodor: Eine naturalistische Erklärung oder Analyse eines intentionalen Phänomens sei eine solche, die in nichtmentalen, nichtsemantischen und nichtteleologischen Begriffen (notwendige und) hinreichende Bedingungen für das Vorliegen des Phänomens angibt.[10] Fodor und auch andere Autoren haben schwankende Auffassungen darüber, ob *notwendige* und hinreichende oder bloß hinreichende Bedingungen gefordert werden müssen. Die erste Option entspricht der klassischen Auffassung von Begriffsanalyse.[11] Als Grund für die Beschränkung auf hinreichende Bedingungen wird oft angegeben, daß intentionale Begriffe auch auf uns noch unbekannte, wesentlich anders beschaffene geistbegabte Wesen sowie auf Menschen

8 Vgl. Geert Keil, *Kritik des Naturalismus*, Berlin/New York 1993, S. 204-228.

9 Robert C. Stalnaker, *Inquiry*, Cambridge, Mass./London 1984, S. 6.

10 Vgl. Fodor, a. a. O., S. 98 und 126.

11 Vgl. dazu Stichs Beitrag in diesem Band.

unter bizarren Science-fiction-Bedingungen anwendbar sein müßten. Durch Wittgenstein belehrt, halte ich es für schlechte Philosophie, dafür sorgen zu wollen, daß unsere Begriffe auch in Welten eine Anwendung haben, die von der unseren dramatisch verschieden sind.[12] Darum mögen sich zu gegebener Zeit diejenigen Sprecher kümmern, die es angehen wird. Für das Weitere hängt aber nichts davon ab, ob naturalistische Theorien notwendige Bedingungen fordern oder nicht.

Anzugeben sind also hinreichende, nichtintentional formulierte Bedingungen für das Vorliegen eines Phänomens, das man ohne Kenntnis solcher Bedingungen mit intentionalen Ausdrükken beschreibt. Man hat dieses Programm den *semantischen* oder *analytischen* Naturalismus genannt. Diese Bezeichnungen sind problematisch, weil sie den Anspruch einer *Bedeutungsgleichheit* zwischen Analysans und Analysandum nahelegen. Auf diesen Anspruch ist das von Fodor skizzierte Programm nicht verpflichtet, denn man kann die gesuchte Zuordnung auch im Sinne einer extensionalen Definition verstehen: Ein bestimmtes intentionales Phänomen, zum Beispiel eine Überzeugung vom Typ X, *liegt immer dann vor*, wenn bestimmte (empirische) Bedingungen erfüllt sind. Diese Bedingungen müssen nicht als *Bedeutungs*komponenten des intentionalen Begriffs verstanden werden. Das ›Semantische‹ an Fodors Naturalisierungsprogramm besteht lediglich in einer Restriktion des bei der Angabe hinreichender Bedingungen zugelassenen Vokabulars. Ich werde die Bezeichnungen ›semantischer‹ und ›analytischer Naturalismus‹ mit diesem Vorbehalt weiterverwenden.

Fodors Konjunktion »nichtmental, nichtsemantisch und nichtteleologisch« hat eine lange Vorgeschichte in der Philosophie des Geistes. Erklärte Naturalisten warten oft mit Charakterisierungen intentionaler Phänomene auf, die nicht unmittelbar Mentales zum *Gegenstand* haben, die aber intentionale *Präsuppositionen* besitzen, das heißt, die ihren Sinn daraus beziehen, daß an anderer Stelle noch intentionale Phänomene unanalysiert geblieben sind.[13] Ein Indiz dafür ist die Verwendung semantischer und teleologischer Begriffe, deren Verwendung Fodor daher zusätzlich

12 Vgl. Wittgenstein, *Philosophische Untersuchungen*, § 142.

13 »From the fact that a statement is not explicitly about anything mental it does not follow that none of its presuppositions make any reference to our cognitive interests, our way of regarding different contexts, or

verbietet; zur Sicherheit fügt er noch die Klausel hinzu: »and, in general, [in] non-question begging vocabulary«.[14]

Das Verbot semantischer Ausdrücke besagt, daß Begriffe wie *meinen*, *bedeuten*, *bezeichnen* oder *repräsentieren* nicht unanalysiert vorkommen dürfen. Die enge Verwandtschaft von semantischem und mentalistischem Idiom hat vor allem Quine herausgestellt. Sie beruht darauf, daß propositionale Einstellungen, als Paradigmen des Mentalen, semantische Identitätsbedingungen haben: Zwei Sprechern schreiben wir dieselbe Überzeugung zu, wenn die sprachlichen Ausdrücke ihrer Überzeugungen ineinander übersetzbar sind. Quine sind mentale Entitäten und Bedeutungen gleichermaßen suspekt.

Das Verbot teleologischer Ausdrücke besagt, daß Ziele, Zwekke, Absichten und Funktionen nicht unanalysiert vorkommen dürfen. Das Teleologieverbot ist ungleich umstrittener als das Semantikverbot, was daran ersichtlich ist, daß offen oder verdeckt teleologische Charakterisierungen häufig zur angeblich naturalistischen Einführung semantischer Begriffe benutzt werden. Millikan, Papineau, Fodor und Dretske haben sich an »teleofunktionalistischen« oder »biosemantischen« Fundierungen der Bedeutungsrelation versucht.[15] Indes kann die naturalistische Akzeptabilität der Biologie nicht einfach vorausgesetzt werden; sie steht selbst auf dem Spiel.

Die argumentativen Züge der Debatten um die Naturalisierbarkeit des Intentionalen werden nach einiger Zeit vorhersehbar. Die intentionalen Präsuppositionen vorgeschlagener Analysen

our intentional powers« (Hilary Putnam, *Renewing Philosophy*, Cambridge, Mass./London 1992, S. 57). Man kann auf das Problem der intentionalen Präsuppositionen reagieren, indem man den Begriff des Intentionalen von vornherein weiter faßt: »Say that a property is intentional if and only if either it is a propositional-attitude property – for example, the property of believing that such and such – or its instantiation presupposes instantiation of propositional-attitude properties« (Lynne R. Baker, *Explaining Attitudes*, Cambridge, Mass. 1995, S. 193; ähnlich schon Dennett, *Content and Consciousness*, London 1969, S. 23 ff.).

14 Fodor, a. a. O., S. 126.

15 Vgl. dazu Geert Keil, »Biosemantik: ein degenerierendes Forschungsprogramm?«, in: *Neue Realitäten. XVI. Deutscher Kongreß für Philosophie. Sektionsbeiträge* Bd. I, hg. von der Allgemeinen Gesellschaft für Philosophie in Deutschland, Berlin 1993, S. 86-93.

werden wie ein Schwarzer Peter immer weiter hin- und hergereicht: A mag damit beginnen, Intentionalität als definierendes und exklusives Merkmal des Mentalen zu bezeichnen (Brentano-These). B schreibt intentionale Zustände auch Thermostaten, Robotern und Ameisen zu. A bekennt sich zum Artenchauvinismus und verteidigt ihn mit dem Argument, daß intentionale Zustände semantische Identitätsbedingungen haben, Artefakte und (niedere) Tiere aber keine Sprachbenutzer sind. B führt dagegen eine Semantik der »natürlichen Indikatoren« ins Feld. A wendet ein, daß diese nicht an eine Bedeutungstheorie für natürliche Sprachen anschließbar ist, da sie Fehlrepräsentation nicht erklären kann. B bestreitet dies, indem er Repräsentationsgehalte auf Normalbedingungen relativiert und diese evolutionstheoretisch durch »proper functions« (Millikan) erläutert. A erinnert daran, daß teleologische Begriffe verboten sind. B beruft sich auf die Biologie als respektable Wissenschaft. A ist nicht beeindruckt und zitiert aus der *Kritik der Urteilskraft*, daß der Zweck ein »Fremdling in der Naturwissenschaft« bleiben müsse. B unterscheidet zwischen Zwecken und Funktionen; die Evolutionstheorie komme mit den letzteren aus. A ist immer noch nicht beeindruckt; Funktionen seien nicht minder teleologisch als Zwecke und der Selektionsbegriff nach Abzug aller anthropomorphen Anteile nicht mehr verständlich. (An dieser Stelle gerät die Debatte oft ins Stocken, weil beide Kontrahenten auf ihrem Punkt beharren.[16]) Nach langem Hin und Her mag sich B der intentionalen Anteile teleologischer Erklärungen durch die Dekompositionsstrategie des »homunkularen Funktionalismus« zu entledigen suchen: Zu lösende Aufgaben oder zu erfüllende Funktionen müssen so lange in Teilaufgaben zerlegt werden, bis die zu postulierenden Akteure so dumm sein können, daß man sie durch einen Mechanismus ersetzen kann (Dennett, Lycan). A wendet ein, daß die Lücke zu einer mechanistischen Beschreibung so nicht geschlossen wird, weil auch dumme homunculi, qua Adressaten von Anweisungen, homunculi bleiben.[17] B mag die »robot reply« ins Spiel bringen, der zufolge intentionale Prädikate einer Maschine unter der Bedingung wörtlich zu-

16 Meines Erachtens ist A im Recht. Es ist aber außerordentlich aufwendig, diese Auffassung gegen alle Einwände zu verteidigen. Vgl. dazu Keil, *Kritik des Naturalismus*, a. a. O., S. 107-128 und 299-329.
17 Vgl. ebd., S. 166-169.

schreibbar sind, daß die Maschine Rezeptoren und Effektoren besitzt. A bezeichnet Wahrnehmungs- und Handlungsfähigkeiten ihrerseits als intentionalitätspräsupponierend, verteidigt erneut den Artenchauvinismus und stützt die Sprachabhängigkeitsthese durch einen Davidsonianischen semantischen Holismus. B führt erneut »natürliche Anzeichen« an, an denen der semantische Holismus seine Grenze finde, oder er verliert die Nerven, geht zum Instrumentalismus über und leugnet einen Unterschied zwischen »echter« und »bloß zugeschriebener« Intentionalität.

Debatten über die Naturalisierbarkeit des Intentionalen drehen sich *typischerweise* im Kreise. Irgendwann erreicht man, wo auch immer man begonnen hat, einen Punkt, an dem man sich schon einmal befand. Es handelt sich um den wohlbekannten Zirkel intentionaler Begriffe. *Daß* dieser geschlossene Zirkel existiert, ist die direkte Antithese zum Programm des analytischen Naturalismus. Wenn hinreichende, nichtintentional formulierte Bedingungen für *irgendein* intentionales Phänomen gefunden wären, wäre der intentionale Zirkel durchbrochen, und der Naturalist könnte auf den Domino-Effekt rechnen.[18]

Ein entscheidendes Merkmal des analytischen Naturalismus ist der dynamische Aspekt der Naturali*sierung*. Wir können die Bezeichnung »naturalistische Theorie« nicht als gleichbedeutend mit »Theorie, die keine mentalen, semantischen oder teleologischen Begriffe enthält« auffassen. Sonst müßten wir etwa von einer »naturalistischen Mineralogie« sprechen. Daß die Mineralogie ohne intentionale Zuschreibungen auskommt, gehört aber sicherlich nicht zu den Dingen, über die Naturalisten und Nichtnaturalisten uneins sind. Wo schon die Explananda nichtintentional formuliert sind, sind die Auflagen des analytischen Naturalismus überhaupt nicht anwendbar. Eine intentionalitätsfreie Mineralogie *bestätigt* den Naturalismus auch nicht; gegenteilige Auffassungen beruhen auf der Konfusion von »naturalistisch« mit »naturwissenschaftlich«. Eine naturwissenschaftliche Theorie ist nicht *per se* naturalistisch; ob sie es ist, hängt nicht zuletzt von ihrem Gegenstandsbereich ab. Naturalismus wird allgemein

18 »Given any [...] suitably naturalistic break of the intentional circle, it would be reasonable to claim that the main *philosophical* problem about intentionality had been solved« (Jerry A. Fodor, *A Theory of Content and Other Essays*, Cambridge, Mass. 1990, S. 52).

mit dem Anspruch assoziiert, ebensolche Phänomene dem Erklärungsbereich der Naturwissenschaften zuzuführen, die nicht ohnehin schon unstrittig dazugehören.

Wenn man über die Rede von einzelnen zu naturalisierenden Phänomenen oder Theorien hinaus eine globaleren Sinn von »Naturalismus« qua Ismus auszeichnen möchte, bietet sich dieser an: Naturalismus ist die programmatische These, *daß Naturalisierung überall möglich ist*. Wenn das über den intentionalen Zirkel Gesagte indes richtig ist, läuft die Naturalisierung ohnehin auf eine Alles-oder-nichts-Frage hinaus.

Keine Einigkeit besteht darüber, ob es für Fodors nichtsemantische, nichtintentionale und nichtteleologische Bedingungen einen sicheren Test auf der sprachlichen Oberfläche gibt, ob etwa semantische Inten*s*ionalität ein Kriterium dafür ist. In diesem Fall stellte sich die Frage, wie Intentionalität und *Modalität* zusammenhängen mögen, da Modalaussagen ja ebenfalls intensionale Kontexte kreieren. Mit diesen offenen Fragen[19] möchte ich die *Erläuterung* des naturalistischen Kriteriums beenden und mich seiner *Rechtfertigung* zuwenden.

In jüngerer Zeit haben verschiedene Autoren dagegen argumentiert, den Naturalismus auf die Naturalisierbarkeit des Intentionalen im Sinne des analytischen oder semantischen Naturalismus zu verpflichten oder ihn sogar mit diesem Programm zu identifizieren.[20] Im einzelnen sind folgende Einwände erhoben worden:

(a) Ein naturalistisches Kriterium läßt sich nicht präzisieren.
(b) Das Erfordernis notwendiger und hinreichender Bedingungen ist unerfüllbar stark.
(c) Das Scheitern der so verstandenen Naturalisierung des Intentionalen tangiert den Naturalismus nicht.
(d) Aus dem Scheitern der so verstandenen Naturalisierung folgt nichts Schlimmes.

Zu (a): Wenn das oben Gesagte richtig ist, verfügen wir über das gesuchte Kriterium schon. Es besteht indes nicht, wie Stich annimmt, in der Angabe einer »legitimierenden Relation *R*«, in der intentionale Prädikate zu einem privilegierten Vokabular stehen

19 Vgl. dazu den Beitrag von Simons in diesem Band.
20 Vgl. die Beiträge von Koppelberg und Stich sowie Michael Tye, »Naturalism and the Problem of Intentionality«, in: *Midwest Studies in Philosophy* 19 (1994), S. 122-142.

müssen. Stich übersieht eine entscheidende *Dis*analogie zwischen Fodors Kriterium und dem Sinnkriterium der Logischen Empiristen: Das Verbot semantischer, mentaler und teleologischer Begriffe hat die Form einer *Ausschlußbedingung*. Es wird kein privilegiertes Basisvokabular ausgezeichnet, sondern der Naturalist gelobt, auf bestimmte Ressourcen zu verzichten.

Zu (b): Soweit der Einwand sich allgemein gegen eine bestimmte Art philosophischer Begriffsanalyse richtet, kann er in diesem Rahmen nicht geklärt werden. (Auf *notwendige* Bedingungen hat Fodor ja bereits verzichtet.) Soweit der Einwand besagt, daß man unter solch strengen Auflagen keine Wissenschaft betreiben kann, könnte der Naturalist recht haben. Doch warum sollte dies gegen das Kriterium sprechen? Stich gründet seine Ablehnung des Kriteriums auf die Einschätzung, daß das Kriterium nicht, wie angestrebt, das Gute vom Schlechten scheidet. Er argumentiert also von vornherein unter der Maßgabe, daß ein Kriterium der naturalistischen Akzeptierbarkeit den Naturalismus als etwas Richtiges oder Aussichtsreiches erweisen muß. Dies könnte zuviel verlangt sein. Wir sollten eben das als einen der Hauptstreitpunkte zwischen Naturalisten und Nichtnaturalisten ansehen: wieviel erfolgreiche Wissenschaft bei einem Verzicht auf intentionale Begriffe übrigbleibt.

Zu (c): Wenn man den obigen Überlegungen folgt, ist (c) falsch. Ein Scheitern der Naturalisierung des Intentionalen wäre sehr wohl eine schlechte Nachricht für den Naturalismus. Um noch einmal die Analogie zum empiristischen Sinnkriterium zu bemühen: Den Umstand, daß die vorgeschlagenen Fassungen des Sinnkriteriums zu intuitiv unplausiblen Grenzziehungen zwischen dem Sinnvollen und dem Sinnlosen führten, legt Stich schließlich zum *Nachteil* des Logischen Empirismus aus – und folgert nicht, daß der Logische Empirismus etwas anderes im Sinn gehabt haben müsse. Im Falle des naturalistischen Kriteriums verwirft er hingegen das *Kriterium*, während seine Haltung zum Naturalismus uneindeutig bleibt. Bei vielen Autoren ist zu beobachten, daß ihre *rhetorische* Solidarität mit dem Naturalismus stärker ist als ihre Bereitschaft, sich auf ein definierendes Merkmal zu verpflichten.

Zu (d): Eben weil (c) unhaltbar ist, könnte (d) ironischerweise richtig sein: Das Scheitern der Naturalisierung des Intentionalen ist aus *nichtnaturalistischer* Sicht in der Tat nichts Schlimmes. Die

Folge wäre nicht, wie Fodor in seinem Katastrophen-Szenario annimmt, das Verschwinden der intentionalen Psychologie.[21] Das Scheitern der Naturalisierung legt vielmehr nahe, intentionale Zuschreibungen für bare Münze zu nehmen. Es könnten einfach zwei höchst bedeutsame Tatsachen sein, daß die Welt in nicht weganalysierbarer Weise Intentionalität »enthält«, insofern sie von Wesen bewohnt wird, die intentionale Zustände haben, und daß wissenschaftliche Theorien viel stärker vom intentionalen Idiom durchtränkt sind, als Naturalisten annehmen. Ob das »Enthaltensein« des Intentionalen in der Welt im Sinne einer Ontologie mentaler *Entitäten* verstanden werden sollte, ist demgegenüber eine nachgeordnete Frage. Es genügt, den *intentionalen Realismus* als die These zu verstehen, daß Zuschreibungen mentaler Einstellungen wörtlich wahr sein können.[22]

Diese Überlegungen zur Anwesenheit des Intentionalen in der Welt führen uns wieder in den Problemhorizont des *metaphysischen* Naturalismus zurück, was mir nicht ungelegen kommt. Die Bedenken dagegen, semantischen oder analytischen Naturalisierbarkeitsthesen ein solches Gewicht beizumessen, lassen sich ja auf den Einwand zuspitzen, daß ein *idiosynkratischer* Naturalismusbegriff zum Maß der Dinge gemacht werde, einer, der Naturalisten auf Behauptungen festlegt, auf die sie qua Naturalisten nicht verpflichtet seien. Theoriepolitisch gewendet, lautet der Vorwurf, das naturalistische Programm werde in der durchsichtigen Absicht radikalisiert, es um so einfacher kritisieren zu können.

21 »[I]f commonsense intentional psychology really were to collapse, that would be, beyond comparison, the greatest intellectual catastrophe in the history of our species. [...] The collapse of the supernatural, for example, didn't compare« (Fodor, *Psychosemantics*, a. a. O., S. xii).

22 Hier folge ich Davidson (und Dummett): »Having a belief [...] is being in a state; and being in a state does not require that there be an entity called a state that one is in. [...] [T]he real issue about sentences that attribute mental states is not ontological; beliefs are not entities, nor do the ›objects of belief‹ have to be objects. The real issue is whether or not attributions of attitudes are objectively true or false« (Donald Davidson, »Indeterminism and Antirealism«, in: Christopher B. Kulp (Hg.), *Realism/Antirealism and Epistemology*, Lanham 1997, S. 109-122, hier: S. 114).

Dazu ist erstens zu bemerken, daß Fodor, Dretske, Millikan, Sterelny, Lycan, Schiffer, Loar, Block, Devitt, Stalnaker und Stampe *nicht* die genannte Absicht verfolgen, wenn sie die Definition des analytischen Naturalismus akzeptieren. Die analytische Naturalisierung des Intentionalen scheint, pace Stich, nicht *trivialerweise* aussichtslos zu sein.

Vielleicht zielt der Einwand auch auf die Frage, warum es ausgerechnet die Philosophie des Geistes sein soll, in der geklärt wird, was Naturalismus ist, und nicht etwa die Ontologie, die Wissenschaftstheorie oder die Erkenntnistheorie. Hier ist daran zu erinnern, auf welchem Weg ich zu Fodors Kriterium gelangt bin: Alternative Naturalismusdefinitionen hatten sich als unzulänglich erwiesen. Daß der Naturalismus als *ontologische* These darüber, welche Arten von Gegenständen es gibt, unterbestimmt ist, wird weithin zugestanden. Mit den *wissenschaftstheoretischen* Definitionsversuchen waren wir immer nur bis zu der Frage gekommen, was die guten, approbierten (»harten«?) von den schlechten (»weichen«?) Wissenschaften unterscheiden soll.[23] Darauf haben wir jetzt eine Antwort: als die minderwertigen, nicht erklärungskräftigen Disziplinen gelten aus naturalistischer Sicht diejenigen, die am unanalysierten intentionalen Idiom festhalten. Wenn die Naturalisierung des Intentionalen gelingt, mögen sie in den Kanon der »o. k.-sciences« integriert werden, doch bis dahin tragen sie als einzige nicht zum kohärenten, stetig anwachsenden System unseres wissenschaftlichen Wissens von der Welt bei.

Der analytische Naturalismus macht den metaphysischen und den wissenschaftstheoretischen Naturalismus nicht obsolet, sondern läßt sich als weitere Ausarbeitungsstufe der dort formulierten Programmatik verstehen. Eben weil Naturalisten »regard human beings and mental phenomena as part of the natural order«, ist es ihre Aufgabe »to explain intentional relations in naturalistic terms« (Stalnaker, s. o.). Dem Programm der Naturalisierung des Intentionalen liegt die Antithese von *›Geist‹* und *›Natur‹* zugrunde, die man nicht als idiosynkratisch wird bezeichnen können.

Es fehlt noch der erkenntnistheoretische Naturalismus. Wenn man das Programm einer Naturalisierung des Intentionalen in

23 Siehe die Einleitung zu diesem Band.

den Mittelpunkt einer Explikation rückt, erscheint in der Tat ein großer Teil der Debatten um die Naturalisierung der Erkenntnistheorie wenig einschlägig. Diese Konsequenz nehme ich mit folgender Begründung in Kauf: Damit Fragen der Genese und der Rechtfertigung von Überzeugungen behandelt werden können, müssen wir annehmen, daß es überhaupt Überzeugungen *gibt*. Überzeugungen werden aber über semantische Gehalte individuiert. Das bedeutet, daß die naturalismusrelevanten Entscheidungen schon im Vorfeld gefallen sein müssen: Ob die Erkenntnistheorie sich mit naturalistisch respektablen Phänomenen beschäftigt, entscheidet sich nicht in der Erkenntnistheorie, sondern am Erfolg oder Mißerfolg einer Naturalisierung des Intentionalen. Kurz: Erkenntnistheorie ist bei Strafe des Themenwechsels[24] intentionalitätspräsupponierend. Untersuchungen, die über Naturalisierbarkeit entscheiden sollen, müssen aber intentionalitäts*problematisierend* sein.

Das skizzierte Verständnis von Naturalismus hat naheliegende Konsequenzen für die Naturalismus*kritik*. Dem Kritiker kommt allgemein die Aufgabe zu, den Naturalisten am Greifen nach verbotenen Früchten zu hindern. Wenn der Naturalist beansprucht, für ein intentional charakterisiertes Explanandum oder Analysandum ein nichtintentionales Explanans oder Analysans bereitgestellt zu haben, gilt es zu prüfen, ob nicht an irgendeiner Stelle intentionale oder krypto-intentionale Begriffe eingeschmuggelt worden sind. Da der Naturalist sich nicht offen des Idioms der propositionalen Einstellungen bedienen wird, wird der Kritiker typischerweise intentionale *Präsuppositionen* vorgeblich naturalistischer Analysen aufzudecken suchen. Wenn er fündig geworden ist, kann er einfach *ad hominem* darauf verweisen, daß der Naturalist sich nicht an die selbstverordnete Diät hält. *De facto* verlaufen solche Debatten natürlich komplizierter. Sie verlagern sich erst einmal darauf, ob die monierten Beschreibungen die behaupteten intentionalen Präsuppositionen wirklich haben. Ich erinnere an den oben vorgestellten Verschiebebahn-

24 Unter einem Themenwechsel verstehe ich mit Davidson: »deciding not to accept the criterion of the mental in terms of the vocabulary of the propositional attitudes« (Davidson, »Mental Events«, in: ders., *Essays on Actions and Events*, Oxford 1980, S. 207-227, hier: S. 216).

hof, in dem der Naturalist immer neue Abstellgleise für die intentionalen Erklärungsanteile findet.

Häufig muß die Devise des Kritikers lauten: *Cherchez l'homuncule!* Einen »homunculus-Fehlschluß« begeht der Naturalist, wenn er einen subpersonalen physiologischen oder mechanischen Prozeß mit Prädikaten beschreibt, die wörtlich nur auf Personen Anwendung haben.[25] Oft verteidigen Naturalisten homunkulare Redeweisen mit dem Argument, es handele sich nur um harmlose Analogien oder Metaphern: Das Gehirn fälle nicht im Wortsinne Entscheidungen, aber seine Arbeitsweise so zu beschreiben trage gleichwohl zum Verständnis der fraglichen Prozesse bei. Aus dem bloßen *Vorkommen* einer Metapher läßt sich in der Tat nicht schließen, daß eine Erklärung erschlichen wurde. Entscheidend ist, ob die Metapher die Erklärung vollständig *ersetzt*, das heißt, ob bei Verzicht auf die Metapher noch eine Erklärung übrigbleibt. Es gibt kein kanonisches Testverfahren dafür, wie harmlos eine Metapher ist. Die sprachkritischen Instrumente, deren sich Anthropomorphismus- und Homunculuskritik bedienen müssen, erfordern eine sorgfältige Handhabung: die Diagnose von Kategorienfehlern, semantische und pragmatische Präsuppositionsanalysen, die Argumentationsfigur der *reductio ad absurdum*.[26] Schnell entstehen in diesem Zusammenhang auch erkenntnistheoretische Kontroversen über die kognitive Funktion von Metaphern und Modellen.

Der *Erkenntnisgewinn* einer solchen Kritik des Naturalismus besteht nicht in der Einsicht, daß die intentionalen Begriffe einen Explikationszirkel bilden. Diese Einsicht läßt sich mit weniger Aufwand gewinnen, und sie wird von vielen Naturalisten nicht bestritten. Der Gewinn besteht in einer verbesserten Einsicht in die *Größe* des intentionalen Zirkels, in die *Menge* der Phänomene, die sich in ihm verfangen. Quine und Churchland zufolge steht das intentionale Idiom gegenüber einer die »true and ultimate structure of reality«[27] erfolgreich beschreibenden Naturwissenschaft »magnificently alone«.[28] Wenn die Debatten um die

25 Vgl. Anthony Kenny, »The Homunculus Fallacy«, in: John Hyman (Hg.), *Investigating Psychology*, London/New York 1991, S. 155-165.

26 In meiner *Kritik des Naturalismus*, a. a. O., habe ich mich an solchen Analysen versucht.

27 W. V. O. Quine, *Word and Object*, Cambridge, Mass. 1960, S. 221.

28 Churchland, a. a. O., S. 75.

analytische Naturalisierung des Intentionalen dereinst zur Philosophiegeschichte gehören werden, wird man, pace Quine und Churchland, die Einsicht gewonnen haben, daß der Versuch der Isolierung des intentionalen Idioms auf einer Fehleinschätzung beruhte.[29] Dramatisierende Buchtitel wie »Intentionality in a Non-Intentional World« (Pierre Jacob), »Reasons in a World of Causes« (Dretske) oder »Mind in a Physical World« (Kim) drükken diese Fehleinschätzung aus. Tatsächlich dürfte es nicht der kleinere, sondern der größere Teil unseres Wissens von der Welt sein, der von intentionalen Charakterisierungen durchsetzt ist oder solche voraussetzt. Einige Philosophen ziehen dieses Fazit heute schon, so Hilary Putnam und Lynne R. Baker:

It does not look as if the intentional can simply be reduced to the non-intentional; rather, it begins to look as if the intentional intrudes even into our description of the non-intentional, as if the intentional (or, better, the cognitive) is to some extent ubiquitous.[30]

Intentionality abounds, and the significance of the distinction between what is intentional and what is not intentional has been overblown: The fact that being a carburetor has intentional presuppositions has no bearing on the objectivity of carburetors [...]. *Pace* Quine, there is no a priori reason to be suspicious of a science whose domain is defined in part by intentional properties.[31]

Wie man mit dem intentionalen Idiom gute *Wissenschaft* macht, geht aus der Einsicht in seine Unvermeidbarkeit natürlich nicht

29 A propos Churchland: Der Eliminative Materialismus ist in meinen Augen kein Naturalismus mehr, sondern eine Reaktion auf das *Scheitern* der Naturalisierung des Intentionalen. Die Eliminativisten haben es als aussichtslos erkannt, durch ehrliche Arbeit zum Ziel zu kommen, und prophezeien statt dessen eine *Kulturrevolution*, die das intentionale Idiom hinwegfegen wird. Dies ist keine naturalistische, sondern eine verkappt *kulturalistische* Position, die auf die kulturelle Durchschlagskraft der Neurowissenschaften setzt. So erklärt sich auch, daß ausgerechnet die Kulturrelativisten Feyerabend und Rorty den Eliminativismus propagiert haben, was andernfalls ein Treppenwitz wäre. Vgl. dazu meinen Aufsatz »Rorty und der Eliminative Materialismus – eine Mesalliance?«, in: Thomas Schäfer, Udo Tietz und Rüdiger Zill (Hg.), *Hinter den Spiegeln. Beiträge zur Philosophie Richard Rortys*, Frankfurt am Main 2000 (im Erscheinen).

30 Putnam, *Renewing Philosophy*, a. a. O., S. 59.

31 Baker, *Explaining Attitudes*, a. a. O., S. 208 f.

hervor. Philosophische Naturalismuskritik ist ein metatheoretisches Unternehmen; sie kann konstruktive geistes- und kulturwissenschaftliche Arbeit nicht ersetzen, sondern nur begründen, daß dieser und ihrem Wissenschaftsanspruch nichts im Wege steht.

Peter Simons
Naturalismus, Geist und Undurchsichtigkeit

Zusammenfassung

Wo es Geist gibt, dort gibt es auch repräsentationelle Undurchsichtigkeit und umgekehrt. Undurchsichtigkeit entsteht, weil dort, wo repräsentiert wird, auch falsch repräsentiert werden kann, der Status des falsch repräsentierenden Zeichens oder der Zustand seines Benutzers aber nur mit Hilfe eben der Termini charakterisiert werden können, die für den korrekt repräsentierten Gegenstand auch verwendet werden. Undurchsichtigkeit ist keine Plage für den Naturalismus, sondern vielmehr eine Eigenschaft des Mentalen, die anerkannt, ja ausgenutzt werden muß, soll der Naturalismus den Geist angemessen erfassen. Undurchsichtigkeit wird für Sprache, für das Mentale selbst, für Abbildungen und für andere nicht-sprachliche Repräsentationsformen erläutert. Mittels eines modalen Konzeptualismus wird die Befürchtung zerstreut, alethische Modalität stelle ein Gegenbeispiel zur vertretenen These dar, das heißt einen Fall von Undurchsichtigkeit ohne Geist, und ein Einwand aus der freien Logik wird ebenfalls entwaffnet. Einige der Konsequenzen für unsere Vorstellung von nicht-menschlicher Intelligenz werden skizziert.

1. Einleitung: Naturalismus und Undurchsichtigkeit

Unter denen, die zum Naturalismus neigen (mich selbst eingeschlossen), hängen viele der langlebigen Einstellung an, referentielle Undurchsichtigkeit oder Intensionalität mit »s« sei eine beklagenswerte Eigenschaft des Redens, ein Defekt, den es zu beheben oder zu umgehen gilt, ein Fleck auf der Ehre des angehenden Naturalisten. In diesem Aufsatz möchte ich versuchen, diese Einstellung zu unterminieren. Der Syllogismus, den ich erläutern und Naturalisten gegenüber zu rechtfertigen versuchen werde, ist folgender: Das Mentale ist Teil der Natur. Undurchsichtigkeit zeichnet unsere Charakterisierung des Mentalen aus. Wollen wir also die Natur beschreiben, ohne die kleine, aber signifikante Ecke auszusparen, aus der heraus wir überhaupt nur fähig sind, sie zu schätzen, so sind wir gezwungen, Undurchsichtigkeit zu akzeptieren. Mit anderen Worten, ein Naturalist sollte

Undurchsichtigkeit als unvermeidliche Konsequenz der Tatsache ansehen, daß wir die Welt repräsentieren, und er sollte lernen, diese Konsequenz weder zu verdrängen noch zu vermeiden, sondern angemessen mit ihr umzugehen und sie richtig zu nutzen.

2. Die These: Undurchsichtigkeit zeichnet das Mentale aus

Meine These kann grob so formuliert werden:

[O] Repräsentationale Undurchsichtigkeit zeichnet das Mentale aus.

Um zu einer exakteren Formulierung zu gelangen, die anhand möglicher Gegenbeispiele getestet werden kann, sind zunächst einige Vorarbeiten erforderlich.

Die These ist eine Variante von Brentanos These

[I] Intentionalität zeichnet das Mentale aus.

Ich denke, daß man unter bestimmten plausiblen Voraussetzungen tatsächlich zeigen kann, daß [O] aus [I] folgt. Das heißt, daß wir, wann immer wir etwas repräsentieren, das entweder selbst mental ist oder dessen Existenz in irgendeiner Weise vom Geist abhängt, entweder zwangsläufig, mindestens aber in bestimmten Fällen in Undurchsichtigkeit geraten. Da »kennzeichnen« hier Äquivalenz anzeigt, behaupte ich damit, Undurchsichtigkeit sei eine notwendige und hinreichende Bedingung dafür, daß das Mentale irgendwie »im Spiel« ist.

Andersherum läuft unser Syllogismus wie folgt: Wo es Undurchsichtigkeit gibt, gibt es Repräsentation; wo repräsentiert wird, gibt es Mentales, *ergo*. Im folgenden werden wir sehen, daß das Problem dabei der Obersatz ist. Vielleicht gibt es Undurchsichtigkeit, wo nichts Mentales zu finden ist, insbesondere in modalen Überlegungen. Wir werden sehen.

Meine Gründe dafür, [O] für eine nützliche Alternative zu oder eine Erweiterung von Brentanos These zu halten, werden im Verlauf dieses Aufsatzes zu Tage treten. Habe ich indessen recht, so stellen die Intentionalität des Bewußtseins und die Erscheinung der Undurchsichtigkeit Aspekte ein und desselben dar: der Existenz von Repräsentation.

Wollen wir unseren Begriff der Repräsentation, der nicht nur sprachliche, sondern auch bildliche und mentale Repräsentation enthält, angemessen erfassen und zugleich innerhalb der Grenzen irgendeiner Form von Naturalismus bleiben – was meines Erachtens möglich ist –, so müssen wir bereit sein, Undurchsichtigkeit als ein allgemeines Phänomen anzuerkennen, und unsere Sprache und unsere Vorstellungen davon, was eine Naturwissenschaft ist, entsprechend anpassen.

Die wohlbekannte, aber keineswegs einfach zu handhabende Unterscheidung zwischen dem Gebrauch und der Erwähnung eines Ausdrucks, deren Problematik Henri Lauener[1] gut beleuchtet hat, stellt nur die bekannteste Form repräsentationaler Undurchsichtigkeit dar. Sie zeigt sich am Unterschied zwischen dem näherungsweise wahren

(1) Hunde haben vier Beine

und dem offensichtlich wahren

(2) »Hunde« hat fünf Buchstaben.

Vorausgesetzt, daß alle und nur Hunde zur Rasse der Hundeartigen gehören, liefert Substitution von »Hundeartige« für »Hunde« in beiden Sätzen zum einen die (näherungsweise) Wahrheit

(3) Hundeartige haben vier Beine

zum anderen aber die offensichtliche Unwahrheit

(4) »Hundeartige« hat fünf Buchstaben.

An diesem Beispiel wird sofort deutlich, was ich für eine nützliche Eigenschaft von [O] (oder besser: der präziseren Version, die noch zu folgen hat) halte, nämlich, daß [O] kein Kriterium

1 Henri Lauener, »Speaking about Language: On the Nature of Linguistic Individuals«, in: A. P. Martinich und Michael J. White (Hg.), *Certainty and Surface in Epistemology and Philosophical Method. Essays in Honor of Avrum Stroll*, Lewiston 1991, S. 117-134.

zur Abgrenzung des intrinsisch und seiner Natur nach Mentalen vom Nicht-Mentalen liefert und dies auch nicht beansprucht. Vielmehr vermeidet [O] die alte Problematik von innen und außen, davon, was zu jenem merkwürdigen Ding, dem »Geist«, gehört und was nicht, bzw. versucht, sie raffiniert zu umgehen. So wäre beispielsweise niemand im geringsten versucht, das Schrifttoken

HUNDE

oder dessen Typ für mental zu halten. Doch kann, wie Aristoteles, die Scholastiker sowie Brentano und seine Schüler alle glaubten, nichts ein Zeichen sein, wenn nicht irgend etwas mental ist. Eine erste Modifikation von [O] ergibt deshalb:

[O1] Repräsentationale Undurchsichtigkeit zeichnet die Präsenz des Mentalen aus.

Um eine Welt zu repräsentieren, die nichts Mentales enthält, wäre es also, grob gesagt, nicht erforderlich, Zeichen zu verwenden, bei denen überhaupt die Gefahr besteht, daß sie sich nicht auf das, worauf sie vorgeben, sondern vielmehr auf die Repräsentation dieses Gegenstands beziehen.

Ich habe von »repräsentationaler« und nicht von »referentieller« Undurchsichtigkeit gesprochen, denn in der betrachteten Form wäre die These offensichtlich falsch, beschränkten wir unsere Aufmerksamkeit allein auf sprachliche Repräsentation. Denken wir einmal an ein Bild, beispielsweise an Egon Schieles *Die Familie* von 1918. Es zeigt Schiele, seine Frau Edith und ihr Kind. Schiele und seine Frau hatten jedoch nie ein Kind; beide starben während der Grippeepidemie am Ende des Krieges. In einem bestimmten Sinne, dem »Zitat«-Sinn, zeigt das Bild also Schiele, seine Frau und ihr Kind, in einem anderen Sinne, dem »Gebrauchs«-Sinn, zeigt es jedoch nur Schiele und seine Frau, denn solch ein Kind hat es nie gegeben. Abbildung aber ist etwas anderes als Referenz. Ein weiterer Grund dafür, den Terminus »referentiell« zu vermeiden, besteht darin, daß viele Formen mentaler Repräsentation nicht sprachlich sind, mentale Repräsentationen aber eine der Gruppen bilden, denen unser wesentliches Interesse gilt.

Die Hauptaufgabe dieses Aufsatzes wird darin bestehen, eine hinreichend präzise Version von [O] zu formulieren und anhand möglicher Gegenbeispiele zu testen, also beispielsweise anhand von Symptomen des Mentalen, bei deren Repräsentation keine Undurchsichtigkeit entstehen kann, oder andersherum von Phänomenen, die eindeutig nichts mit dem Mentalen zu tun haben, deren Repräsentationen (ob nun sprachlich oder nicht) aber dennoch anfällig für Undurchsichtigkeit sind.

3. Undurchsichtigkeit in bezug auf sprachliche Ausdrücke

Wir fangen also mit dem offenkundigsten Beispiel an, dem Zitieren und Gebrauchen von Ausdrücken. Ich werde dabei die type-token-Unterscheidung vernachlässigen, würde mich notfalls jedoch auf die Rede von tokens zurückziehen. Wenn wir Worte gebrauchen, um auf Gegenstände zu referieren, dann kommt es im Normalfall nicht darauf an, welche Ausdrücke wir benutzen, um die fraglichen Dinge zu bezeichnen. Ich kann genausogut sagen:

Hunde sind Säugetiere

oder

Samuel Clemens schrieb *Eve's Diary*

oder

Das Boot lief gegen die Brücke;

wie ich sagen kann:

Hundeartige sind Säugetiere

oder

Mark Twain schrieb *Eve's Diary*

oder

Das Boot rammte die Brücke;

der Wahrheitswert ist in keinem der Fälle betroffen. Wir alle aber wissen, was passieren kann, wenn Leute Worte zitieren, statt sie zu gebrauchen. Die folgenden Satzpaare haben je entgegengesetzte Wahrheitswerte.

»Hund« war eines der ersten Worte meiner Tochter
»Hundeartige« war eines der ersten Worte meiner Tochter

und

»Samuel Clemens« ist der *nom-de-plume* von Samuel Clemens
»Mark Twain« ist der *nom-de-plume* von Samuel Clemens

und zu guter Letzt

Um zu beschreiben, was das Boot mit der Brücke gemacht hat, sagte sie »lief gegen«
Um zu beschreiben, was das Boot mit der Brücke gemacht hat, sagte sie »rammte«.

Es ist gesagt worden, zitierte Ausdrücke kämen im jeweiligen umfassenden Ausdruck (Satz oder was auch immer) gar nicht selbst vor. Das ist doppeldeutig. Es könnte bedeuten, daß die fragliche Buchstabenfolge im umfassenden Ausdruck nicht vorkommt. Dann ist es offensichtlich falsch, denn die entsprechende Folge kommt dort sehr wohl vor: zwischen Anführungszeichen. Bedeutet es aber, daß der nicht-zitierte Ausdruck im fraglichen Satz nicht als vollständige grammatische Einheit erscheint (das heißt als Name eines Ausdrucks), so hängt die Wahrheit oder Falschheit dieser These davon ab, nach welcher Konvention zitiert wird. Wahr ist es, wenn wir Zitate durch Anführungszeichen anzeigen. Verwenden wir jedoch ein anderes Verfahren, kursivieren wir also zum Beispiel oder zeigen wir ein Zeichen für sich allein auf einer Zeile, gebrauchen wir Ausdrücke in einigen Fällen autonym oder verlassen uns einfach auf den Kontext, um zu desambiguieren, dann wird derselbe Ausdruck zitiert, der anderswo gebraucht wird, und er stellt eine grammatische Einheit dar. Mit anderen Worten, während Anführungszeichen möglicherweise das eindeutigste zur Verfügung stehende Verfahren darstellen, um den Unterschied zwischen Gebrauch und Zitat zu markieren, sind sie nicht obligatorisch und können ein Ärgernis sein. Im Mittelalter wurde *suppositio materialis* als eine spezielle Form der Referenz (supposition) angesehen, in der ein Ausdruck für *sich selbst* steht (ob token oder type ist auch hier nicht so entscheidend, obwohl im Mittelalter tendenziell in Begriffen konkreter tokens gedacht wurde). Wenn man, wie ich, diese Möglichkeit akzeptiert, akzeptiert man, daß Worte, alle Worte, von Natur aus und systematisch verschiedene Arten des Gebrauchs erlauben, das heißt systematisch mehrdeutig sind.

Eine weitere Form des Gebrauchs, die offenbar Undurchsichtigkeit zur Folge hat, ist indirekte Rede. Ohne direkt zu zitieren, was eine Person sagt (zum Beispiel wenn wir übersetzen), könnten wir sagen

John sagte, daß Samuel Clemens *Eve's Diary* geschrieben hat;

und dies hätte normalerweise einen anderen Wahrheitswert als

John sagte, daß Mark Twain *Eve's Diary* geschrieben hat,

obwohl nicht der genaue Wortlaut zitiert wird.

Während nun Sprache nicht *an sich* mental und Sprechen kein mentaler Akt ist, besteht, wie ich annehme, Einigkeit darüber, daß die äußeren Formen von Sprache nicht als Sprache zählen, wo der Geist fehlt. Ein Steinschlag, der die Worte »Jesus lebt« bildet, oder der Widerhall des Winds in einem Tunnel, der klingt, als wispere jemand »Komm her«, sind keine Ausdrücke, obwohl ein entsprechend kompetenter Beobachter erkennen kann, daß sie die richtige Anordnung oder phonetische Gestalt dafür aufweisen. Daß ein bestimmter Gegenstand beispielsweise Schrift ist, heißt, daß er von Sprachbenutzern für Sprachbenutzer produziert wurde und zumindest zu einem bestimmten Zeitpunkt von Sprachbenutzern entzifferbar war. Natürlich werden Schriftzeichen kontingenterweise unentzifferbar, wenn diejenigen, die über die entsprechende Kompetenz verfügen, aussterben. Theoretisch können menschliche Schriftzeichen die gesamte Menschheit überleben (in Form ausgesandter Signale oder von Schriften auf Raumsonden werden sie das wahrscheinlich sogar, weil sie so dem Schicksal der Erde entgehen). Man könnte nun sagen, wenn keine potentiellen Entzifferer übrig seien, gingen die fraglichen Gegenstände wieder dazu über, keine Schrift, sondern bloße physikalische Gestalten zu sein. Hier können wir uns, denke ich, einfach entscheiden; wir können den Terminus »Schrift« entweder so verstehen, daß, wenn die ursprüngliche Intention sprachlich war, diese Gegenstände auch dann noch Schrift bleiben, wenn alles intelligente Leben in der Folge ausgelöscht wird. Oder wir können »Schrift« so verstehen, daß die gegenwärtige oder zukünftige *Möglichkeit* der Entzifferung impliziert ist. Ich denke nicht, daß davon viel abhängt, denn in jedem Falle bleibt die schwache These, die ich vertreten möchte, gültig: Kein Einzelding ist ein sprachliches token, wenn es nicht irgendwann von einem Wesen produziert oder verstanden wird, das fähig ist, mental zu repräsentieren.

Je komplexer der semantische Weg vom Zeichen zum Signifikat ist, desto mehr Raum gibt es für Mehrdeutigkeiten (»Glyphen«, wahrnehmbare Zeichen, machen das offensichtlicher, einfach weil sie wahrnehmbar sind). Ich sehe keinen wirklich klaren Grenzpunkt, an dem wir die Arten von Undurchsichtigkeit, die in bezug auf sprachliche Zeichen auftreten, einfach in eine, zwei oder drei aufteilen könnten, wie zum Beispiel Unterschied zwischen Zeichen und Referent, oder zwischen Zeichen, Sinn und Referent (Frege und viele andere) oder Zeichen, Sinn, Intension und Referent (der späte Carnap[2]). Für jedes Ensemble benutzter Zeichen kann eine Vielzahl von Äquivalenzrelationen definiert werden, von denen einige sich denen annähern werden, die nötig sind, um Zeichen(-Typen), Sinn, Gehalt oder was auch immer daraus zu abstrahieren, andere aber zu ganz anderen Abstrakta führen werden.[3]

4. Undurchsichtigkeit in bezug auf das Mentale selbst

Auch Berichte über Gedanken, Meinungen, Voraussetzungen, Überzeugungen und Wissen haben typischerweise Undurchsichtigkeit zur Folge; an diesem wohlbekannten Punkt brauchen wir nicht groß herumzuarbeiten. Jemand mag glauben, nicht Samuel Clemens habe *Huckleberry Finn* geschrieben, zugleich aber glauben, Mark Twain habe das getan. Im nicht-propositionalen

2 Rudolf Carnap, »Replies and Systematic Expositions«, in: Paul A. Schilpp (Hg.), *The Philosophy of Rudolf Carnap*, La Salle 1963, S. 859-1016.

3 Siehe dazu meine Arbeit »Synonymy and Other Equivalence Relations on Expressions«, in: *Teoria a Methoda* (im Erscheinen).

Bereich gilt, daß Berichte über Sinneserfahrungen oder -wahrnehmungen *nicht notwendigerweise* undurchsichtig sind. Normalerweise sind es Berichte über Wahrnehmungen tatsächlich nicht:

> Robert Ballard sah den großen Schiffsrumpf durch die Fenster seines Tauchboots

mag wahr sein, und wenn der große Schiffsrumpf die *Bismarck* war, dann ist gleichermaßen wahr:

> Robert Ballard sah die *Bismarck* durch die Fenster seines Tauchboots,

selbst wenn Herrn B. in dem Moment nicht klar war, daß er tatsächlich das Wrack der Bismarck erblickte.

Bisher habe ich eine Art mentaler Akte nicht erwähnt, die ebenfalls anfällig für Undurchsichtigkeit ist (laut [O]). Dies sind die sogenannten propositionalen Einstellungen. Sie habe ich ausgelassen, denn die Standardannahmen darüber, was Undurchsichtigkeit hier bedeutet, scheinen mir zu schwach zu sein. Seit Frege und, in seinem Kielwasser, Church und Carnap ist weithin angenommen worden, die Extension eines deklarativen Satzes sei ein Wahrheitswert. Folglich wäre ein nicht-extensionaler Kontext für einen Satz einer, in dem Substitution eines eingebetteten Satzes durch einen mit verschiedenem Wahrheitswert den Wahrheitswert des ganzen Satzgefüges verändert. Dem gesunden Menschenverstand zufolge repräsentiert ein Satz (wenn er etwas repräsentiert) indessen nicht Wahrheit oder Falschheit, sondern eine Situation, einen Sachverhalt. Im einfachsten, atomaren Falle wird repräsentiert, daß ein Gegenstand eine bestimmte Eigenschaft hat oder daß mehrere Gegenstände in einer bestimmten Relation zueinander stehen. Man kann dann die Art variieren, in der die Gegenstände und die Relation bezeichnet werden, doch solange es sich um dieselben Gegenstände und dieselbe Relation handelt, vermag ich nicht zu sehen, warum es nicht verschiedene Arten geben soll, ein und dieselbe Situation oder ein und denselben Sachverhalt zu bezeichnen.

So gesehen, beschreiben dann

Samuel Clemens schrieb *Eve's Diary*

und

Mark Twain verfaßte *Eve's Diary*

dieselbe Tatsache, die Tatsache, daß dieser Mann dies Buch schrieb. Daß Undurchsichtigkeit Einstellungsverben mit Satzkomplement betrifft, liegt daran, daß man, einem Mißverständnis bezüglich der Identität des Autors unterliegend, glauben kann, Samuel Clemens habe *Eve's Diary* geschrieben, ohne zugleich zu glauben, Mark Twain habe das getan. Gleiche Tatsache, mehr als ein Satz, der sie repräsentiert.

Hier mag sich eine Frage bezüglich der Extension von Prädikaten stellen. Erneut erlaube ich mir, von der Mehrheitsmeinung abzuweichen, die besagt, daß Prädikate Mengen von n-Tupeln sie exemplifizierender Gegenstände als Extensionen haben. Was nun folgt, ist die Kurzversion einer viel längeren Geschichte, die ich anderswo erzählt habe, aber ich behaupte, daß jene Prädikate, die ontologisch (im Unterschied zu grammatikalisch) einfach sind, nicht einzelnen Universalien im Sinne Armstrongs korrespondieren, sondern Klassen von Tropen. Meiner Ansicht nach besteht die Extension eines solchen Prädikats aus der Menge von Tropen, die all jene Sätze wahr machen, in denen das Prädikat wahrerweise von einem oder mehreren Vorkommnissen prädiziert wird. Es ist bloßer Zufall, daß Prädikate, die dieser Auffassung nach koextensiv sind, dies auch laut Standardauffassung sind. Gewöhnlich werden Eigenschaften und Relationen »intensionale« Entitäten genannt, weil sie nicht-extensionale Identitätsbedingungen haben. Doch nur laut Standardauffassung davon, was eine Extension ist. Meiner Ansicht nach hat Intensionalität mit Bedeutung und Beabsichtigen zu tun, nicht einfach mit bestimmten Arten von Entitäten. Wenn es in einer Welt ohne Geist Eigenschaften und Relationen gibt (das heißt Klassen von Tropen), dann reicht das nach meinem Dafürhalten, um Eigenschaften und Relationen zu »extensionalen Entitäten« zu machen. Deren Beziehung zu prädikatenlogischer Syntax und Semantik weicht vom Gewohnten ab, aber das ist an sich noch kein Einwand, sondern nur eine Erinnerung daran, daß weitere Explikationsarbeit zu leisten ist.

Das Ergebnis ist trotz alledem, daß selbst auf der Grundlage strengerer Bedingungen dafür, was ein Satz repräsentiert, propositionale Einstellungen Undurchsichtigkeit zur Folge haben können.

5. Undurchsichtigkeit bei Abbildungen und anderen nichtsprachlichen Repräsentationen

Es gibt eine berühmte Photographie von Lenin, auf der er zur Zeit der Revolution in Moskau spricht. Unterhalb der Tribüne zu seiner Linken, auf dem Bild also rechts von ihm, steht Trotzki. Das Photo bildet also Lenin ab, wie er zu der und der Zeit und an dem und dem Ort in Anwesenheit Trotzkis spricht. Nachdem Stalin Trotzki verbannen ließ, tauchte dieses Photo in den Geschichtsbüchern mit herausretuschiertem Trotzki wieder auf. Die neue Version repräsentiert Lenin, wie er in Abwesenheit Trotzkis spricht, bildet die Realität jedoch falsch ab. In einem bestimmten Sinne bildet das (neue) Photo also Lenin ab, der ohne Trotzkis Unterstützung spricht (im »Zitat«-Sinn), in einem anderen Sinne (dem »Gebrauchs«-Sinn) schlägt die Abbildung hiervon indessen fehl, da es die angeblich abgebildete Situation nie gab. Undurchsichtigkeit tritt immer dann *an die Oberfläche*, wenn Repräsentation mißlingt. Solange eine Repräsentation wiedergibt, wie die Dinge wirklich sind, sind wir es zufrieden, durch sie hindurchzudenken zur abgebildeten Realität. Kommt es aber zu einem Fehler, einer Illusion oder einer Fehlrepräsentation welcher Art auch immer, ist das Medium nicht länger transparent, und seine Fallibilität wird deutlich. Hier dafür Partei zu ergreifen, wie die Repräsentation die Dinge repräsentiert, ergibt eine andere Geschichte, als zu verteidigen, wie die Dinge sind. Trotzki war da, das retuschierte Photo aber zeigt ihn nicht dort, wo er war. »Lenin, der ohne Trotzki spricht« ist also im einen Sinne tatsächlich das, was abgebildet wird, im anderen Sinne ist es das jedoch nicht.

Ohne alle anderen möglichen Formen der Repräsentation durchzugehen – Landkarten, Diagramme, Schiffssignale, Körpersprache etc. –, sollte es bei näherer Betrachtung induktiv plausibel sein, daß wir die undurchsichtig-transparent-Unterscheidung generieren können, wenn wir solche Phänomene beschreiben. Ihre Augen und ihr Atmen mögen sagen, daß sie dich liebt, wie es die Hélène Kuraginas zu Pierre Besuchov in Tolstois *Krieg und Frieden* sagte, doch die Augen und die bebende Brust logen: sie liebte ihn nicht (in der Geschichte: Ich tue so, als wäre das wahr: ein anderer Fragenkomplex ergibt sich, wenn wir über »Wahrheit« und »Falschheit« *innerhalb einer Geschichte* nachdenken).

6. Modalität – ein Gegenbeispiel?

Oft wird angenommen, referentielle Undurchsichtigkeit finde sich auf dem Gebiet alethischer Modalität. Diese Undurchsichtigkeit scheint mir teilweise aus einer unnötig schwachen Konzeption von Extension zu stammen. Wenn wir einen Satzkontext dann für undurchsichtig halten, wenn er nicht wahrheitsfunktional ist, dann sind modale Kontexte natürlich undurchsichtig. Haben wir dagegen einen strengeren Begriff von Extension, so löst sich diese Undurchsichtigkeit teilweise auf. Wenn es notwendig ist, daß der russische Maulwurf in der britischen Spionageabwehr vom KGB in China rekrutiert wurde, und wenn Sir Roger der russische Maulwurf im britischen Geheimdienst, China das meistbevölkerte Land der Welt, der KGB der Welt größter Geheimdienst und alle und nur Vorkommnisse des Rekrutierens Vorkommnisse des In-Dienst-Nehmens sind, dann folgt: Es ist notwendig, daß Sir Roger im meistbevölkerten Land der Welt von der Welt größtem Geheimdienst in Dienst genommen wurde.

Doch nicht alle Nicht-Extensionalität werden wir so einfach los. Stellen wir uns vor, zufälligerweise hießen alle und nur russische Maulwürfe »Roger«. Aus

> Notwendigerweise sind alle russischen Maulwürfe zuerst Rußland Loyalität schuldig

folgt nicht:

> Notwendigerweise sind alle Leute, die »Roger« heißen, zuerst Rußland Loyalität schuldig.

Strikt nach dem Wortlaut unserer Definition repräsentationaler Undurchsichtigkeit fällt alethische Modalität nicht darunter, einfach weil Modalitäten durch Satzoperatoren ausgedrückt werden und nicht durch Verben mit Argumenten. Typischerweise suchen wir Undurchsichtigkeit in der B- oder p-Position in Sätzen der Formen

A Vs B

und

A Qs daß p

zum Beispiel

John glaubt, daß Napoleon die Schlacht von Jena verloren hat

oder

Mary sah die Exekution des Königs.

Um die Ansicht vertreten zu können, Undurchsichtigkeit zeige auch in modalen Kontexten die Gegenwart des Mentalen an, muß deshalb eine ehrgeizigere, aber dennoch nicht unplausible These verteidigt werden, nämlich ein Konzeptualismus bezüglich des Modalen: Dieser These zufolge ist Modalität nichts Metaphysisches, das heißt nichts, was in einer Welt (oder möglicherweise zwischen Welten) unabhängig von Geist und Sprache vorkommt, sondern verdankt ihre Existenz gerade Geist und Sprache. Beschreibungen einer Welt ohne Geist brauchen keine modalen Tatsachen oder Eigenschaften zu erwähnen. Eine solche Sicht der Dinge hat eine noble Geschichte: zum Beispiel war das die Standardansicht in Polen vor dem Krieg, wo selbst ein Logiker wie Lukasiewicz, der modale Begriffe wie den der Möglichkeit verwendete, eine extensionalistische Auffassung vertrat, der zufolge es Wahrheiten verschiedener Dignität nicht gibt. Nicht einmal Berufung auf polnische Autoritäten reicht jedoch aus, um eine Behauptung zu rechtfertigen, und ich habe den Fall noch nicht ganz abgeschlossen. Ich werde deshalb an dieser Stelle Raum für weitere Entwicklungen lassen, einen »stub«, wie Programmierer das nennen. Mir scheint, wir können hier ungefähr folgender (an Frege und Quine angelehnter) Argumentationslinie folgen. Zu sagen, etwas, irgendein Sachverhalt, sei notwendig, heißt, zu sagen, daß wir uns auf der Grundlage unserer Annahmen (i. e. bezüglich irgendeiner angenommenen Menge von Informationen, sei es über Worte und ihre Bedeutungen oder über die physikalische Grundstruktur des Universums, die psychologische Beschaffenheit einer bestimmten Person oder was auch immer) nicht konsistent vorstellen können, dieser Sachverhalt sei nicht gegeben. Man beachte, daß der Begriff der Konsistenz in dieser Erläuterung vorkommt. Wird sie dadurch zirkulär? Nicht, wenn Konsistenz auf andere Art definiert werden kann, und in standard-modelltheoretischer Semantik für nicht-modale Logik erster und höherer Ordnung ist das der Fall. Der Rekurs auf das, was wir uns konsistenterweise vorstellen können, ist möglicherweise nicht unbedingt erforderlich, aber es sind wir, die jene zugrundeliegenden Annahmen machen, und wir können etwas Falsches annehmen. Diese Skizze deutet an, daß die verschiedenen Arten außerlogischer Modalität so entstehen, wie Frege sich das vorgestellt hat, indem nämlich eine bestimmte Menge von Informationen als Prämissen festgesetzt wird. So zeigt sich, daß zum Beispiel natürliche Notwendigkeit solche Ereignisse, Zustände und Gegenstände charakterisiert, deren Nicht-Eintreten oder Nicht-Vorhandensein etc. nicht konsistent mit einer gegebenen Menge physikalischer Sätze (möglicherweise inklusive einiger Ausgangsbedingungen) zusammengedacht werden kann. Andere Arten von Notwendigkeit beschränken die logische.

Wenn sich daraus ein überzeugendes Argument machen läßt, dann kann die Generalthese erfolgreich verteidigt werden; wenn nicht, dann nicht, und eine Hälfte davon muß aufgegeben werden.

7. Vom Absägen von Ästen, auf denen man selbst sitzt

In der Vergangenheit habe ich eine Ontologie verteidigt, die Tropen enthält, das heißt abhängige Entitäten, Dinge, die nicht allein existieren können, sondern die Existenz von etwas anderem erfordern. In der Definition von Tropen aber kommen modale Begriffe vor, und dennoch habe ich im voranstehenden Abschnitt vorgeschlagen, modale Fakten als vom Geist abhängig aufzufassen. Hat das nicht die inakzeptable Konsequenz, daß die Unterscheidung zwischen Substanz und Trope gleichermaßen vom

Mentalen abhängig wird? Was wird aus der Ontologie, wenn das so ist? Habe ich nicht den Ast abgesägt, auf dem ich selbst sitze?

Nun, vielleicht habe ich das. Obwohl die Begriffe, die wir benutzen, um die grundlegenden Aufteilungen der Realität zu konzeptualisieren, unsere eigenen sind, würde ich in der Tat extrem ungern annehmen, diese grundlegenden Aufteilungen selbst seien künstlich oder von uns hergestellt. Das führte zu einer Art von Kantischem transzendentalen Idealismus, und ich würde fast alles andere eher aufgeben, als so etwas zu akzeptieren. Aber läßt sich das Dilemma umgehen? Vielleicht schon. Für Tropen gilt, daß, wenn sie existieren, etwas anderes (das kein Teil von ihnen ist) notwendigerweise ebenfalls existiert. Tropen treten vermutlich in natürlichen Arten auf, und wenn ein Ding einer Art eine Trope ist, ist es doch sicherlich so, daß alle Dinge dieser Art ebenfalls Tropen sind. Welche Tropen es aber genau in der Welt gibt, ist keine Frage ontologischer Lehnstuhlüberlegungen, sondern eine Frage harter theoretischer und empirischer Arbeit. Genau wie David Armstrong eine moderate Universalientheorie hochhält, der zufolge es die Wissenschaft und nicht die Bedeutungstheorie ist, die aufdeckt (oder dies versucht), welche Universalien es gibt, so verteidige ich eine moderate Theorie der Tropen. Wir können nun zweifeln, ob es sich bei einer bestimmten Art Ding um eine Art von Tropen handelt. Zum Beispiel könnte uns die Tatsache, daß es bis heute nicht gelungen ist, ein einzelnes Quark zu isolieren, auf den Gedanken bringen, Quarks seien Tropen und träten in Bündeln von mehr als einem auf. Nehmen wir einmal an, wir beschließen, nachdem wir viel Arbeit und Geld investiert haben, daß das so ist, und geben das Projekt auf, ein einzelnes Quark zu isolieren. Welche Grundlage hat unsere revidierte Meinung über Quarks? Doch sicher die, daß kein isoliertes Quark beobachtet wurde. Unsere Entscheidung ist durch diese Belege natürlich unterbestimmt. Vielleicht gibt oder gab es isolierte Quarks, wir hatten bloß nie das Glück, eins zu sichten (da wir aus Materie bestehen und Materie zum großen Teil aus eingesperrten Quarks besteht, können Beobachter vielleicht gar keine freien Quarks beobachten, weil die Bedingungen, unter denen es freie Quarks gibt, zu extrem für sie sind), oder wir können uns eine Energiequelle, mit deren Hilfe wir eines isolieren könnten, einfach nicht leisten. Oder vielleicht sind Quarks einfach immer zu mehreren unterwegs gewesen. Wenn jedoch letzteres der Fall ist und unsere Daten das induktiv stützen, auf welche weiteren Indizien könnten wir uns dann berufen, um den Wechsel im modalen Status von

> Es gibt kein Quark, das nicht an ein anderes gebunden ist

zu

> Es kann kein Quark geben, das nicht an ein anderes gebunden ist

zu rechtfertigen? Andere mögliche Welten können wir nicht untersuchen, Wesen, Essenzen oder modale Eigenschaften nicht beobachten, und was wir beobachten können, ist obendrein dadurch limitiert, daß die kosmischen Bedingungen Beobachter zulassen müssen. Wir können auch nicht entscheiden, welche Eigenschaften Quarks haben, indem wir die Bedeutung des Ausdrucks »Quark« festlegen. Natürlich gibt es da eine *gewisse* Freiheit. Wir könnten *verfügen*, uns von nun an zu weigern, irgend etwas frei und in Isolation Vorgefundenes ein »Quark« zu schimpfen, und es vielmehr ein »Schmark« nennen. Am eigentlichen Problem ändert sich dadurch nichts, denn das ist ein billiger Sieg: Wir haben uns einfach aus dem Schneider definiert. Bei der Entscheidung, ob diese beharrlich geselligen kleinen Dinger, von denen wir annehmen, daß sie in sehr enger Formation fliegen und Spuren in unseren Kammern hinterlassen, in Wirklichkeit Quarks oder Schmarks sind, hilft es nicht. Und kommt es darauf überhaupt an?

Das Wichtige an unserer Vorstellung von Tropen ist also, daß solche Dinger generell gesellig sind; sie kommen nie allein. Ob das eine kosmische Koinzidenz ist, erscheint angesichts der Größe des Universums und der Häufigkeit, mit der physikalisch fundamentale Tropen wahrscheinlich darin auftreten, als eine eher akademische Sorge. Also machen wir klar Schiff und sagen: Soweit wir wissen und es uns angeht, werden Dinge dieser Art immer in Gesellschaft vorgefunden, deshalb verfügen wir einfach, daß das so sein muß. Und damit können wir schlicht und ergreifend falsch liegen – und wenn, dann soll es halt so sein.

8. Ein nicht-modales Beispiel, umgedreht

Als Abweichung vom Prinzip der Extensionalität, die plausiblerweise weder Modalität noch Geist angelastet werden kann, hat mir Karel Lambert[4] das folgende Beispiel vorgeschlagen. In bestimmten positiven freien Logiken kann es Prädikate F und G geben, die in dem Sinne koextensiv sind, daß dieselben Einzeldinge darunter fallen, das heißt

für alle x: Fx genau dann, wenn Gx,

obwohl es Sätze Fa und Ga gibt, die entgegengesetzte Wahrheitswerte haben. So ist es zum Beispiel in positiven freien Logiken Standard, daß der Satz a = a auch dann wahr ist, wenn a gar nicht existiert. Sei »E!« das singuläre Existenzprädikat und »a« ein leerer Name, so sind die folgenden Sätze wahr:

für alle x: x = x genau dann, wenn E!x

und

a = a,

aber

E!a

ist falsch. Ist das nicht ein Gegenbeispiel?

Wie sich nun herausstellt, dreht mein Verständnis der Extension von Prädikaten dieses Beispiel um. Dies war, wir erinnern uns: Die Extension eines Prädikats ist die Klasse der »Wahrmacher« all jener Sätze, in denen das Prädikat wahrerweise von einem oder mehreren Vorkommnissen prädiziert wird. Zwei Prädikate sind also koextensiv genau dann, wenn die Klassen ihrer Wahrmacher dieselben sind. Die Annahme, der Satz *a* = *a* sei *unbedingt wahr*, das heißt unabhängig davon, ob *a* existiert oder nicht, kann meiner Auffassung nach in Wahrmacher-Begriffe übersetzt werden, indem wir sagen, daß er keinen Wahrmacher hat: Er ist wahr, was auch immer sonst noch der Fall ist (man ist versucht zu sagen: »aufgrund der Bedeutung des Identitätsprädikats«). Es handelt sich dabei also um einen jener Sätze, die das starke Wahrmacher-Prinzip, dem zufolge jeder wahre Satz mindestens einen Wahrmacher hat, verletzen. Andererseits ist es (ins-

4 Während einer Diskussion in Bern.

besondere in einer positiven freien Logik) nicht unplausibel, diesen Satz wegen seiner logischen Natur für eine Ausnahme zu halten. Im Gegensatz dazu sollte der kontingenterweise wahre Satz E!*a* einen Wahrmacher haben. Hat er auch: *a*. Wenn wir sagen, daß eine (oder mehrere) Entität C p wahr macht (oder machen), heiße zumindest in erster Annäherung daran, was Wahrmachen ist, einfach: der Satz, daß C existiert, impliziert p, so können wir das erklären. Was auch immer wir sonst noch als wahre Implikation ansehen wollen, E!*a* → E!*a* ist eine, also ist *a* selbst der Wahrmacher für den Satz, daß *a* existiert.[5] Abgesehen vom Fall des leeren Gegenstandsbereichs sind Selbst-Identität und Existenz folglich keine koextensiven Prädikate, denn ersteres hat keine (bzw. die Null-)Extension und letzteres alle Elemente des jeweiligen Bereichs als Extension. Weniger koextensiv geht's nicht.

Ich behaupte nun nicht, jedes mögliche Beispiel aus der positiven freien Logik könne in genau dieser Weise behandelt werden, aber in bezug auf logische Prädikate und ihre Kombinationen können wir uns generell auf diese Art und Weise verteidigen. Bei nicht-logischen Prädikaten müssen die Fälle einzeln erwogen werden. Sollte zum Beispiel ein positiver freier Logiker behaupten wollen, »Sherlock Holmes ist ein Detektiv« sei wahr, »Sherlock Holmes existiert und ist ein Detektiv« aber falsch, so erschiene die Annahme vernünftig, der erste Satz werde auf eine Weise wahr gemacht, die viel mehr mit Lesern, Geschichten, Büchern und Sir Arthur Conan Doyle zu tun hat als mit einer Entität namens »Sherlock Holmes«, die tatsächlich detektivische Fähigkeiten ausübt.

9. Über den Geist der Tiere

Wie David Hume, Ruth Marcus und die Mehrheit der menschlichen Wesen bin ich der Ansicht, daß es richtig ist, vielen Tieren mentale Zustände und Ereignisse zuzuschreiben. Zeigt sich dies in einer transparent-undurchsichtig-Doppeldeutigkeit in der Be-

5 Das Problem der Wahrmacher für Existenz- und Identitätssätze wird diskutiert in: Kevin Mulligan, Peter Simons und Barry Smith, »Truth-Makers«, in: *Philosophy and Phenomenological Research* 44 (1984), S. 287-322, hier: S. 300-302.

schreibung tierischen Verhaltens? Die Antwort lautet natürlich, daß das so ist. Man muß die Dinge nur richtig formulieren.

Fido ist der Nachbar von Tabby und jagt sie, wann immer er kann, und das ist fast jeden Tag. Eines Tages bringt die Schwester von Tabbys Besitzer ihre Katze Tibby vorbei, damit die so lange bei Tabby und ihrer Familie bleibt, wie sie selbst in den Urlaub fährt. Tibby gleicht Tabby aufs Haar, und das sollte uns nicht überraschen, denn sie sind Zwillingschwestern. Fido hat Tibby vorher noch nie gesehen. Tibby wagt sich nach draußen und wird von Fido entdeckt. Unter dem üblichen freudigen Gebell jagt er sie den üblichen Baum hinauf und bleibt wütend bellend unten stehen, machtlos wie immer. Auch wenn nun dies Verhalten als solches das nicht mit Sicherheit garantiert, können wir meines Erachtens durchaus schließen, daß Fido, obwohl nicht im Besitz der Vorzüge der Sprache, Tabby und nicht Tibby auf dem Baum wähnt und daß er sich dabei irrt. Also ist

Fido jagte Tabby auf den Baum

wahr im »Zitat«- oder undurchsichtigen Sinne, und falsch im »Gebrauchs«- oder transparenten Sinne, während es sich mit

Fido jagte Tibby auf den Baum

umgekehrt verhält.

Als ein rein behaviorales Prädikat kann »jagen« natürlich nur im transparenten Sinne verwendet werden; in diesem Sinne hat Fido Tibby, nicht Tabby, den Baum hinaufgejagt. Wenn aber der Gebrauch von »jagen« so etwas wie Erkennen erfordert, wie das bei menschlichen Wesen der Fall sein kann, führt das zur transparent-undurchsichtig-Doppeldeutigkeit. Ich denke in der Tat, daß wir [O] umdrehen und das Vorhandensein von transparent-undurchsichtig-Doppeldeutigkeit als *Beleg* für das Vorhandensein von Geistigkeit beim Hund verwenden können, für so etwas wie eine interne Repräsentation und die Möglichkeit mißglückten Wiedererkennens.

Abgesehen von anderen Verhaltensformen bringen tierische Signale die Möglichkeit von Fehlern mit sich. Tiere können sich also nicht nur irren, sondern sogar ihre Fehler öffentlich machen und andere irreleiten.

Natürlich gibt es hier noch schwierige offene Fragen: Was an einem Tier ist es, das es zu einem geistigen Wesen macht? Ist es Bewußtsein, eine bestimmte Komplexität des Verhaltens oder beides? Wo auf der Skala der Komplexität zwischen Prokaryonten und erwachsenen Menschen schleicht sich das magische Element X ein (so es denn eines gibt)? Kann Element X in nichtbiologischen Systemen (Robotern, Computern) vorhanden sein? Ich bekenne, keine Antwort zu haben, obwohl bessere Kenntnis der tierischen Physiologie wahrscheinlich Licht in diesen Bereich werfen wird. Zudem müssen wir anerkennen, daß es Grade der Geistigkeit gibt, daß es sich dabei nicht offensichtlich um eine Alles-oder-nichts-Geschichte handelt. Einen vernünftigen Mittelkurs zwischen übertrieben romantischen und übertrieben abfälligen Ansichten über nicht-menschliche Geistigkeit können wir meines Erachtens aber verfolgen, indem wir die Frage, ob Element X bei Tier A vorhanden ist, von der Frage trennen, welche epistemische Rechtfertigung wir dafür haben, Tier A Element X zuzuschreiben (allein Verhalten? Verhalten plus Physiologie? Was A uns erzählt [im Falle von Affen und Papageien]?).

10. Die metaphysische Schlußfolgerung

Mein Vorschlag lautet, daß das Auftreten des Geistes und das Auftreten von Repräsentation nicht zwei Ereignisse sind, sondern eines. Wir wissen durch Reflexion auf uns selbst, daß wir Gegenstände repräsentieren: Wir nehmen sie wahr, wir denken über sie nach, unsere Erfahrungen haben phänomenalen Gehalt. Durch manchmal schmerzhafte Erfahrung wissen wir ebenfalls, daß wir die Dinge fehlrepräsentieren können. Geist zu haben heißt, sich möglicherweise zu irren, und damit kommt Undurchsichtigkeit ins Spiel. Wie nämlich Wittgenstein und Quine betont haben, können wir eine Sprache nur sozial erwerben und sind deshalb gezwungen, den phänomenalen Gehalt im Irrtumsfall in so ziemlich den gleichen Worten auszudrücken wie im veridischen Fall, wo wir auf den Gehalt nicht eigens eingehen müssen. Wir sind aber Produkte der Evolution aus nicht-geistigen Wesen, der Geist muß sich also entwickelt haben. Wir reduzieren die damit verbundenen Schwierigkeiten, wenn wir sagen, Geist und Repräsentation hätten sich zunächst als eines entwickelt. Daß sie nicht länger dasselbe sind, läßt sich einfach erklären: Öffentlich vermittelte und relativ autonome Repräsentationssysteme, wie Sprache, können ihre mentalen Ursprünge überleben und trotzdem durch ihre physischen Medien in der Existenz verankert bleiben (wie es die Linear-B-Tafeln taten, während niemand sie lesen konnte). Da sie aber ihre existentielle Abhängigkeit vom Mentalen niemals vollständig verlieren, verweist jede Undurchsichtigkeit, die sie hervorbringen mögen, auf eine gegenwärtige oder einstmalige mentale Quelle zurück, und damit auf deren Hilfe.[6]

Übersetzt von Kathrin Glüer

6 An dieser Stelle war in der ursprünglichen Fassung ein Abschnitt über die Anwendungen der Ideen des Aufsatzes in dem Datenbanksystem PACIS der kalifornischen Ontek Corporation. Wegen der rasanten Entwicklungen im System ist dieser Abschnitt nicht mehr aktuell und wurde aus der Übersetzung weggelassen. Der Grundgedanke des Aufsatzes kommt in der derzeitigen Version des Systems dennoch zum Tragen. Ich möchte außerdem betonen, daß die ursprüngliche Idee des Aufsatzes aus den Erfahrungen mit dem System PACIS entstanden ist und nicht direkt aus einer philosophischen Kontroverse.
Dank an alle Teilnehmer der Konferenz in Bern, auf die dieser Beitrag zurückgeht, für ihre Kommentare, insbesondere an Karel Lambert und Ruth Barcan Marcus, und an Chuck Dement dafür, daß er den Punkt zuerst mit charakteristischer Allgemeinheit formuliert hat, als auch für Diskussionen über das mentale Leben von Amöben, Tintenfischen und Blasebalgtieren vom Planeten Jupiter.

Andreas Kemmerling
Selbstkenntnis als ein Test für den naturalistischen Repräsentationalismus

Selbstkenntnis interessiert Philosophen aus vielfältigen Gründen. Mich interessiert sie im folgenden als ein Probierstein für gewisse philosophische Auffassungen über Intentionalität. Die leitende Frage meiner nachfolgenden Betrachtungen wird sein: Wie kommen naturalistisch-repräsentationalistische Konzeptionen von Intentionalität mit dem Phänomen der Selbstkenntnis zurecht?

Nicht das Wesen, der Umfang oder der Wert von Selbstkenntnis sind also hier das Thema, sondern die Frage, ob man unter gewissen Voraussetzungen, die in der zeitgenössischen Philosophie des Geistes von vielen gemacht werden, bestimmten Aspekten der Selbstkenntnis gerecht werden kann. Dabei werde ich mich auf solche Aspekte von Selbstkenntnis beschränken, die meines Erachtens unbestreitbar sind. (Unbestreitbar jedenfalls insofern, als diese Aspekte von Selbstkenntnis bei normalen Personen unter normalen Umständen immer anzutreffen sind.) Und ich werde mich am Ende auf diejenige Konzeption konzentrieren, die mir unter den derzeit vertretenen naturalistisch-repräsentationalistischen Theorieansätzen noch am aussichtsreichsten erscheint, und zwar ist das die von Fred Dretske.

Was Selbstkenntnis sein soll

Unter Selbstkenntnis kann man allerlei verstehen. In der Umgangssprache gibt es so etwas anscheinend nicht; jedenfalls findet sich im sechsbändigen *Großen Wörterbuch der deutschen Sprache* aus dem Jahre 1980 kein Eintrag zwischen »Selbstkasteiung« und »Selbstklebefolie«.[1] Auch in der deutschen Philosophen-

1 *Das Große Wörterbuch der deutschen Sprache* (hg. und bearbeitet vom Wiss. Rat und den Mitarbeitern der Dudenredaktion unter Leitung von Günther Drosdowski), Mannheim/Wien/Zürich 1980, Bd. 5, S. 2375.

Fachsprache scheint keine eindeutige Regelung vorgegeben zu sein. Deshalb möchte ich deutlich machen, wie ich diesen Terminus verwende.

Die Selbstkenntnis einer Person umfaßt alles, was die Person über sich selbst weiß – genauer gesagt: was sie über sich selbst *als sich selbst* weiß. Der Zusatz »als sich selbst« soll hervorheben, daß Selbstkenntnis sog. De-se-Wissen ist; bloßes De-re-Wissen über die eigene Person ist noch keine Selbstkenntnis. Ein Beispiel: Jemand mag wissen, daß der Mann, den er im Spiegel von hinten sieht, ein großes Kreidekreuz auf dem Rücken hat; da er selbst dieser Mann ist, den er im Spiegel von hinten sieht, weiß er also (wie es heißt: »de re«) von sich, daß er ein großes Kreidekreuz auf dem Rücken hat; aber es kann dennoch sein, daß er dies nicht von sich *als sich selbst* weiß. Er könnte ja im selben Moment den Satz »Ich habe ein Kreidekreuz auf dem Rücken« für unsicher oder gar falsch halten. Dann wäre sein Wissen kein De-se-Wissen und gehörte mithin nicht zu seiner Selbstkenntnis. Die Möglichkeit von De-re-Wissen über sich selbst, das kein De-se-Wissen ist, werde ich von nun an beiseite lassen; deshalb wird es auch nicht mehr nötig sein, den erwähnten Zusatz zu machen. Wenn ich im folgenden davon spreche, was eine Person über sich selbst weiß, dann meine ich damit immer ihr De-se-Wissen. Eine weitere terminologische Festsetzung vorab: Alles, was eine Person an Nicht-Kontingentem über sich weiß, soll hier ebenfalls unberücksichtigt bleiben. Anders gesagt: Wenn E eine Eigenschaft ist, die einer Person schon aus rein logischen oder begrifflichen Gründen zukommt, dann gehört das, was sie mit dem Satz »Ich habe E« sagt, nicht zu ihrer Selbstkenntnis. (Beispiele für das, was auf diese Weise ausgeschlossen wird, sind: wissen, daß man, falls man reich ist, reich ist; wissen, daß man keine Primzahl ist; und so weiter.)

Unter all dem, was jemand über sich selbst weiß, gibt es einiges, das er in bemerkenswert besonderer Weise weiß. Ein Beispiel: Wer weiß, daß er jetzt gerade an seine Bankschulden denkt, der weiß dies in bemerkenswert besonderer Weise – in einer Weise, die sich erheblich von seinem Wissen unterscheidet, daß er Bankschulden hat. Beiderlei Wissen ist zur Selbstkenntnis zu rechnen, so wie ich diesen Begriff zu verwenden vorschlage; aber das Wissen um die eigenen Bankschulden ist kein besonderes. Die relevanten Besonderheiten, die ich im Auge habe, werden in der

Literatur mit Ausdrücken wie den folgenden hervorgehoben: »introspektiv«, »unmittelbar«, »a priori«, »basal«, »mit Erste-Person-Autorität«, »dank privilegiertem Zugang«, »unfehlbar«, »nicht korrigierbar« und ähnliches mehr. Alle diese Charakterisierungen sind erläuterungsbedürftig; manche sind meines Erachtens durchaus irreführend (zum Beispiel »introspektiv«, »a priori«, »basal« und »dank privilegiertem Zugang«). Dennoch will ich an dieser Stelle nicht versuchen, eine exakte Erläuterung dafür zu geben, worin jene besondere Selbstkenntnis besteht, sondern schlicht unterstellen, daß die beiden folgenden Arten von Wissen in jene Sonderklasse der Selbstkenntnis fallen:

(a) Wissen, das man darüber hat, was man im gegenwärtigen Moment denkt oder glaubt;

(b) Wissen, das man darüber hat, wie einem im gegenwärtigen Moment das vorkommt, was man wahrzunehmen meint.

Von Wissen des Typs (a) ist in Sätzen wie den folgenden die Rede: »Harvey weiß, daß er jetzt den Gedanken hat, daß es regnet«; »Harvey weiß, daß er jetzt glaubt, daß es schneit«; Wissen vom Typ (b) liegt vor, wenn ein Satz wie der folgende wahr ist: »Harvey weiß, daß ihm die Flüssigkeit im Mund jetzt wie ein junger Merlot vorkommt«, »Harvey weiß, daß ihm das, worauf er blickt, jetzt blau vorkommt«. – Jene durch (a) und (b) exemplifizierte Sonderklasse der Selbstkenntnis dürfte mit gewissem Recht durch das Anhängsel »à la Descartes« etikettiert werden.

Descartes hatte die Gewißheit, die ein Denker von seinen eigenen momentanen Gedanken hat, zum Ausgangspunkt seiner konstruktiven Überlegungen gemacht, mit denen er nachweisen wollte, daß und wodurch es fehlbaren Menschen möglich ist, zu echtem Wissen zu gelangen. Allerdings hat er, soweit ich sehe, derartige Gewißheiten selbst (wie »Ich denke jetzt, daß ich existiere« oder »Ich denke jetzt, daß alles zweifelhaft ist«) nie als echtes Wissen (*scientia*) bezeichnet. Er zieht es beim Thema Selbstkenntnis vor, andere Wörter als *scire* und *scientia* zu verwenden: Wir sind uns unserer Gedanken *bewußt* (*conscius*; zum Beispiel AT VII 246);[2] wir haben *Bekanntschaft* (*notitia*, AT VII 357) mit uns selbst; wir können uns im Schlaf dessen *gewahr* (*advertere*, AT VII 359) sein, daß wir träumen; im Denken *erle-*

2 Descartes' Schriften werden nach der Ausgabe von Charles Adam und Paul Tannery (*Œuvres de Descartes*, Paris 1897-1910) zitiert.

ben wir (*experiri*, AT VII 358, 427), daß wir denken; und so weiter.

In diesem Zusammenhang nicht von Wissen zu sprechen (und übrigens natürlich auch nicht von Glauben), halte auch ich für angemessen. Wer denkt, daß es regnet, von dem kann man nicht sagen, er wisse oder glaube währenddessen, daß er dies denkt. Genausowenig läßt sich von ihm sagen, er wisse oder glaube es währenddessen nicht; und selbst die negationshervorziehende Redeweise: es sei währenddessen nicht der Fall, daß er es wisse oder glaube, ist unpassend. Das gesamte Glaubens- und Wissensidiom ist hier fehl am Platz.

Selbstkenntnis – oder »Selbstwissen«, wie manche sagen[3] – à la Descartes ist demnach streng genommen gar kein Wissen. Doch wie schief diese Redeweise auch ist, sie hat sich im philosophischen Sprachgebrauch festgesetzt. Das bedaure ich, aber ich werde in der vorliegenden Arbeit keine sachlich passendere Terminologie vorschlagen, sondern wider besseres Wissen so reden, als handele es sich wirklich um eine Gattung von Wissen. Meine Rechtfertigung für diese terminologische Mitläuferei besteht darin, daß ich meinem Gegner – jedem, der Intentionalität repräsentationalistisch naturalisieren möchte – Einwände zu einem ganz andern Punkt machen möchte, den er nicht als Wortklauberei abtun kann.

Im folgenden geht es also um Selbstkenntnis à la Descartes: kontingentes De-se-Wissen, das von den eigenen momentanen Gedanken, Überzeugungen und Wahrnehmungseindrücken handelt (und von sonst nichts). Irrtum und sogar Zweifel sind dabei für den Betreffenden ausgeschlossen; und zwar in folgendem Sinn: Wer zu irgendeinem Moment den Gedanken, Glauben oder Wahrnehmungseindruck hat, daß es regnet, der kann darüber im selben Moment nicht irren; er kann dann nicht einmal – sozusagen im selben Atemzug – bezweifeln, daß er in diesem Moment denkt, glaubt oder den Eindruck hat, daß es regnet.

Daß es angesichts all dessen verlockend ist, von Wissen zu sprechen, liegt auf der Hand. Denn wenn jemand den Gedanken hat, daß es regnet, dann gibt es etwas Kontingentes, das im selben Moment wahr ist, ihm nicht entgeht, über das er sich nicht irren

3 Auch dieser Terminus hat es noch nicht zu einen Eintrag in das *Große Wörterbuch* gebracht.

und das er nicht bezweifeln könnte: und zwar eben just dies, daß er im betreffenden Moment diesen Gedanken hat. Und es liegt nahe (obwohl es falsch ist), etwas als Wissen zu bezeichnen, das all diese außerordentlichen Eigenschaften hat.

Da es im folgenden ausschließlich um Selbstkenntnis à la Descartes geht, werde ich – der Einfachheit halber und weil keine Verwechslungen mit andern Arten der Selbstkenntnis drohen – den Zusatz »à la Descartes«, so schön er ist, weglassen. Ich werde »Selbstkenntnis« sagen, aber Selbstkenntnis à la Descartes meinen.

Was Naturalisierung von Intentionalität sein soll

Unter der sog. »Naturalisierung« von sog. »Intentionalität« mag man nach Durchsicht der einschlägigen Monographien, Zeitschriften und Sammelbände der letzten dreißig Jahre allerlei verstehen. Was sich in der Literatur zu diesen Stichwörtern findet, ist sehr verschiedenartig. Entsprechend ist auch der Terminus »Naturalisierung von Intentionalität« kein Etikett eines wohleingeführten Markenartikels. Wer diesen Terminus verwendet, muß sagen, was er darunter versteht.

So sei es. Zunächst einmal: Es ist ein Projekt, keine Position. Eher ein architektonischer Plan zur Ausgestaltung eines in Umrissen vorgezeichneten gastfreundlichen Hauses. Weniger ein feldherrlicher Plan zur Verteidigung einer bereits errichteten trutzhaften Festung. Das gastfreundliche Haus, das sind die begrifflichen Möglichkeiten der Naturwissenschaften. Wer sich diesem Projekt zurechnet, sucht nach irgendeiner würdigen Einbürgerung der sog. intentionalen Phänomene in die Welt der sogenannten natürlichen Phänomene. Was ist das Erfolgskriterium? Wann wäre solch ein Eingliederungsversuch als gelungen zu betrachten? Reichte es, wenn die intentionalen Phänomene so analysiert würden, daß sie erkennbar in den Rahmen unseres derzeitigen naturwissenschaftlichen Weltbildes hineinpassen? Oder müßte etwas sehr viel Anspruchsvolleres gezeigt werden, etwa daß eine naturwissenschaftliche Theorie dieser Phänomene möglich ist? All das ist nach meinem Eindruck einigermaßen unklar. »Das« Projekt der Naturalisierung von Intentionalität ist reichlich verschwommen.

Wichtig und soweit ich sehe unumstritten ist, daß eine Naturalisierung keine Reduktion verlangt. Angenommen es gelänge, für beliebige intentionale Phänomene I in nicht-intentionalistischer und naturwissenschaftlich akzeptabler Terminologie eine Eigenschaft B (die neuronalen oder andern geeigneten Hirn-Zuständen zukommen kann) anzugeben, so daß folgendes gilt: Der Umstand, daß jemand sich in einem neuronalen Zustand mit der Eigenschaft B befindet, ist eine nichttriviale hinreichende Bedingung dafür, daß er I hat. Und weiterhin angenommen, daß diese Bedingung in fast jedem tatsächlich auftretenden Fall erfüllt ist, in dem jemand I hat. Wenn so etwas gelänge, dann wäre das intentionale Phänomen zwar naturalisiert, aber nicht physikalistisch reduziert.

Eine derartige Konzeption der Naturalisierung von Intentionalität mag J. Fodor einmal vorgeschwebt haben.[4] Doch auch sie halte ich, trotz ihres nicht-reduktionistischen Charakters, immer noch für überzogen. Es gibt jede Menge intentionaler Phänomene, deren Existenz zwar unbezweifelbar ist, die aber nicht in dieser Weise naturalisierbar sind. Zu der geschilderten Konzeption gehört ja die Annahme, es müsse sich ein Hirnzustand finden lassen, der als Träger derjenigen (nicht-intentional beschreibbaren) Eigenschaft fungiert, durch die die intentionale Eigenschaft als naturalisiert zu betrachten ist. Diese Annahme mag im Falle episodischer oder sehr kurzfristiger intentionaler Phänomene (wie Einen-Einfall-Haben, Einen-Einwand-Durchdenken usw.) plausibel erscheinen. Im Hinblick auf einige lang andauernde, dispositionale intentionale Phänomene ist sie von vornherein verfehlt. Man denke nur an solche Überzeugungen, die einer zwar über einen langen Zeitraum hinweg hat, die aber von einem Sachverhalt handeln, an den er noch nie einen Gedanken verschwendet hat. Ein Beispiel: Seit vielen, vielen Jahren glaube ich, daß die Welt schon vor dem 22. Februar 1679 existiert hat. Jeder normale Mensch hat unendlich viele solcher Überzeugungen, und natürlich nicht nur Überzeugungen, sondern auch Wünsche, Präferenzen und so weiter. Die Annahme, für jede einzelne von ihnen müsse sich ein Hirnzustand im Subjekt finden lassen, der dank einer besonderen Eigenschaft, die ihm zu-

4 Vgl. Jerry Fodor, *A Theory of Content and Other Essays*, Cambridge, Mass. 1990, Kapitel 3, insb. S. 96.

kommt, das Subjekt zu einem macht, das die entsprechende Überzeugung hat – diese Annahme ist allein schon angesichts der Anzahl der Zustände, um die es geht, inakzeptabel.

Wollte man sich nun im Projekt der Naturalisierung auf solche intentionalen Phänomene beschränken, in bezug auf die man sich sinnvollerweise geeignete Träger-Zustände im Hirn erwarten kann, dann bliebe allzu vieles aus dem Bereich des Intentionalen bei der Naturalisierung ausgeschlossen. Fodor ist angesichts dieses Problems willens, sich auf sogenannte »tatsächlich auftretende« Überzeugungen [*occurrent beliefs*] als die Kernfälle [*core cases*] seiner naturalistischen Theorie zu beschränken.[5] Doch das ist nicht akzeptabel, solange es um die Naturalisierung von Überzeugungen geht. Denn das, was Fodor an der zitierten Stelle als »tatsächlich auftretende« Überzeugungen bezeichnet, sind zwar intentionale Phänomene, aber keine Überzeugungen. Vielmehr handelt es sich bei ihnen um episodische Gedanken, für die gilt: ihr Inhalt wird vom Subjekt in diesem Moment geglaubt; das heißt, es sind Gedanken, zu denen das Subjekt auch eine inhaltlich entsprechende Überzeugung hat. Diese Episoden sind keine Überzeugungen, sondern setzen deren Vorhandensein voraus. Wollte man sich bei der Naturalisierung auf derartige Gedankenepisoden beschränken, dann klammerte man gerade etwas aus, was von allen Seiten als grundlegendes intentionales Phänomen betrachtet wird: Überzeugungen.

Die Begriffsverwirrungen, die Fodor bei dieser Gelegenheit anrichtet, sind aufschlußreich. Er kontrastiert eine »manifeste Überzeugung« – etwas Episodisches, das in Wirklichkeit gar keine Überzeugung ist – mit einer »bloß dispositionalen« Überzeugung. Er übergeht das simple Faktum, daß jede Überzeugung (besser: jedes Überzeugtsein) ein dispositionaler Zustand ist. Echte Überzeugungen werden durch diese terminologische Falschmünzerei zunächst einmal in eine abgelegene Ecke geschoben, metaphysisch gesehen sind sie offenbar zweite Wahl: eben »bloß« dispositional. Mittels eines weiteren terminologischen Kunstgriffs werden sie dann endgültig aus dem Bereich der tatsächlich vorhandenen Geisteszustände hinausgedrängt. Fodor setzt sie unter der Hand mit *potentiellen* Überzeugungen gleich.

5 Siehe dazu Jerry Fodor, *Psychosemantics*, Cambridge, Mass. 1987, S. 21-25.

Dies sind gemäß Fodors Terminologie solche Überzeugungen, die jemand im betreffenden Augenblick gar nicht hat, aber dadurch erwerben könnte, daß er allein aus den Überzeugungen, die er tatsächlich hat, Schlüsse zieht, die von ihm akzeptierten Schlußmustern genügen. Ein Beispiel zur Verdeutlichung: Da sei jemand, der jetzt zwar nicht glaubt, daß es unendlich viele Primzahlen gibt, der aber durch einen Überlegungsgang, in dem er nur akzeptiert, was er bisher schon akzeptiert, zu der Einsicht gelangen könnte, daß es unendlich viele Primzahlen gibt; so einer glaubt *potentiell*, daß es unendlich viele Primzahlen gibt. Man beachte: Was zu einem Zeitpunkt potentiell geglaubt wird, wird zu diesem Zeitpunkt nach Voraussetzung gar nicht geglaubt. Kurz, potentielle Überzeugungen sind solche, die man zwar nicht hat, aber »leicht« haben könnte.

Auf solchen Wegen – von »bloß dispositional« über »ohne eine kausale Rolle in aktualen Geistesprozessen« zu »potentiell« – gelangt Fodor dazu, Überzeugungen auszublenden. Er verwendet zwar das Wort, aber redet von etwas anderm. Damit steht er nicht allein; auch Lycan betreibt die Naturalisierung von dem, was er Überzeugungen nennt, unter ähnlichen Umetikettierungen. Auch er spricht von einer »Kernklasse von manifesten [*occurrent*] Überzeugungen«, und zwar seien dies »tatsächliche episodische Zustände von Personen (wiewohl nicht unbedingt Bewußtseinszustände)«.[6] Wiederum ist der angebliche zentrale Fall des zu naturalisierenden Phänomens überhaupt kein Exemplar dieses Phänomens.

Es geschieht also gelegentlich, daß das, was da unter großem Getöse naturalisiert werden soll, eine bei genauerem Hinsehen nur noch sehr kleine Intentionalität ist. Und die ist nicht das, als was sie ausgegeben wird. Überzeugungen sind eben, im Gegensatz zu dem, als was Lycan sie ausgibt, etwas wesentlich anderes als dies: »Urteile – Episoden geistigen Zustimmens, wenn man so will«.[7] Aber warum will man denn das überhaupt: Episoden des Urteilens an die Stelle von Überzeugungen bugsieren? Woran liegt es, daß die zentralen intentionalen Phänomene (wie Überzeugungen zum Beispiel) schon im terminologischen Vorgeplänkel durch etwas anderes ersetzt werden?

6 William G. Lycan, *Judgement and Justification*, Cambridge 1988, Kapitel 1-3, Zitate S. 6 und 15.

7 Ebd., S. 6.

Nach meinem Eindruck liegt dies an einer Reihe von Vorurteilen, die allzu viele Philosophen zur Zeit über einige Dinge haben und die nicht gut zu der Natur intentionaler *Zustände* passen. Eines dieser Vorurteile – ein sehr komplexes – ist metaphysischer Art: Geistige Phänomene sind nur dann wirklich vorhanden, wenn sie in einem Subjekt »manifeste« Vorkomm-nisse [*tokens*] haben, die »kausal aktiv« werden können. Ein zweites Vorurteil besagt: Intentionale Geistesphänomene sind repräsentational und involvieren also Repräsentationen. Im Lichte solcher Unterstellungen fällt es schwer, damit zurechtzukommen, daß Überzeugungen eben gar keine Zustände sind, auf die eine *type/token*-Unterscheidung anwendbar ist,[8] und vielleicht nicht einmal Zustände, die überhaupt Repräsentationen involvieren.

Die Naturalisierung von Intentionalität ist ein Projekt, das – wie mir scheint – von fast jedem, der sich ihm zurechnet,[9] unter wenigstens einer externen Prämisse betrieben wird, die ich für falsch halte. Eine solche von außen gerne herangetragene Prämisse ist die von der Wahrheit der Token-Identitätstheorie; eine andere ist die von der Wahrheit des Repräsentationalismus. Doch keine von beiden paßt auf intentionale Zustände wie Überzeugungen. Dennoch gibt es Überzeugungen – und das heißt ja nichts anderes als: Es gibt Lebewesen, die Überzeugungen haben. Diese Tatsache paßt trefflich ins naturwissenschaftliche Weltbild: nicht schlechter jedenfalls als die Tatsache, daß manchmal Vollmond ist. Der sog. Eliminativismus, dem zufolge es intentionale Zustände wie Überzeugungen in Wahrheit nicht gibt, ist eine naturalistische Reaktion auf die Einsicht in die Unvereinbarkeit von Token-Identitätstheorie, Repräsentationalismus und Intentionalitätsrealismus. Dies ist jedoch eine Fehlreaktion. Der Eliminativist ist ein Naturalist, der Intentionalität zwar ganz gerne naturalisiert sähe, sich aber vorweg auf Gedeih und Verderb andern Auffassungen als dem Naturalismus verschrieben hat. Er fühlt sich gedrängt, Überzeugungen zu eliminieren, weil

8 Siehe dazu meine beiden Arbeiten: »Zur sog. Naturalisierung von Intentionalität«, in: Axel Burri (Hg.), *Sprache und Denken*, Berlin/New York 1997, und »Überzeugungen für Naturalisten«, in: Georg Meggle (Hg.), *Analyomen 2*, Berlin/New York 1997.

9 Ich spreche von »fast jedem« nicht zuletzt deshalb, weil ich mich selbst diesem Projekt zurechne.

er die starke Überzeugung hat, die Token-Identitätstheorie müsse wahr sein und der Repräsentationalismus noch dazu.

Man muß also, so denke ich, unterscheiden zwischen dem eigentlichen Anliegen, Intentionalität zu naturalisieren, auf der einen Seite und irgendwelchen hinzukommenden Vorurteilen und Unterstellungen, die sich in sei's auch noch so vielen gutgemeinten Projektskizzen finden, auf der andern Seite. Es fragt sich: Was ist hier Kern, was verzichtbare Zutat?

Was Quine einmal als »Ablehnung des Geistes als einer zweiten Substanz, die zum Körper noch hinzukommt« bezeichnet hat,[10] ist in meinen Augen der springende Punkt des Naturalismus. Der Naturalist erkennt keine konkreten Einzeldinge in der Welt an, die zu den materiellen (von »der besten physikalischen Theorie« postulierten) noch hinzukämen. Es steht ihm jedoch frei, gewisse nicht-materielle Eigenschaften anzuerkennen, das heißt solche, die sich nicht auf physikalische Eigenschaften zurückführen lassen. Der Naturalist kann zwar nicht beliebige nicht-materielle Eigenschaften anerkennen, zum Beispiel nicht die Eigenschaft, ein immaterieller Geist zu sein. Aber er kann jede nicht-materielle Eigenschaft zulassen, die folgende Bedingungen erfüllt: (a) sie superveniert auf der Gesamtheit der physikalischen Eigenschaften und ihrer Verteilung, (b) sie kommt materiellen Einzeldingen zu (oder Entitäten, die logische Konstrukte aus naturalistisch akzeptablen Elementen sind), und (c) sie ist durch ein in seiner Anwendung intersubjektiv geregeltes Prädikat ausdrückbar, das erklärende Kraft hat. Die Bedingungen (a)-(c) reichen hin, um eine Eigenschaft naturalistisch respektabel zu machen, selbst wenn sie sich nicht auf physikalische Eigenschaften zurückführen läßt, das heißt auf diejenigen Eigenschaften, von denen in den grundlegenden Gesetzen der Physik die Rede ist.

Mit einer Unterscheidung Quines läßt sich dieser Punkt so formulieren: Der Naturalist ist Physikalist, was seine Ontologie angeht: Alle konkreten Einzeldinge, von denen seine Ganz Große Theorie (das heißt die Theorie, die alle kontingenten Tatsachen erfaßt) handelt, sind materielle Gegenstände. Aber der Naturalist ist nicht auf den Physikalismus festgelegt, was die Ideologie angeht: Nicht alle Grundprädikate seiner erträumten Ganz Großen Theorie drücken physikalische Eigenschaften aus. Die Trajekto-

10 Willard V. Quine, *Quiddities*, Cambridge, Mass. 1987, S. 133.

rien, Ladungszustände, usw. aller physikalischen Gegenstände (einschließlich derjenigen von menschlichen Körpern und ihren Teilen) sind aus ihren physikalischen Eigenschaften zu erklären. Nicht so das Benehmen, die Handlungen, Gedanken, Gefühle und intentionalen Zustände von Subjekten – obgleich auch Subjekte physikalische Gegenstände sind. Das Benehmen, Handeln, Denken, Fühlen usw. ist physikalisch nicht zu erklären, wohl aber mit nicht-materiellen Eigenschaften, die in irreduzibler Manier auf den physikalischen aufsitzen. (Dies ist natürlich nicht Quines Auffassung von Naturalismus; von ihm übernehme ich hier nur die Unterscheidung zwischen der Ontologie und der Ideologie einer Theorie: das heißt zwischen den Entitäten, über die in den Sätzen der Theorie quantifiziert wird, und den Prädikaten, die in den Sätzen der Theorie auftauchen.[11])

Nach dieser Auffassung davon, was Naturalismus ist, muß das Projekt der Naturalisierung von Intentionalität nicht notwendigerweise ein Projekt der Reduktion des Intentionalen auf das Physikalische sein. Intentionalität wäre auch dann schon naturalisiert, wenn sich folgendes zeigen ließe:

(a) Die intentionalen Eigenschaften von Individuen und ihre Verteilung in der Welt supervenieren auf der Welt-Gesamtheit der physikalischen Eigenschaften und deren Verteilung in der Welt; mithin exemplifizieren in physikalisch vollständig gleichartigen Welten die gleichen Entitäten dieselben intentionalen Eigenschaften.

(b) Intentionale Eigenschaften kommen materiellen Einzeldingen zu – oder solchen Entitäten, die logische Konstrukte aus naturalistisch akzeptablen Elementen sind. (Mit dem Zusatz habe ich folgendes im Sinn: Angenommen, manche intentionalen Eigenschaften kommen nur Personen zu; und außerdem angenommen, Personen sind nicht einfach materielle Einzeldinge; dann gibt es wenigstens drei Möglichkeiten: (i) Personen sind nicht-materielle Einzeldinge sui generis; (ii) Personen sind materielle-Einzeldinge-qua-Träger-von-Eigenschaften-des-Typs-X, wobei X ein naturalistisch inakzeptabler Eigenschaftstyp ist,

11 Zur Unterscheidung siehe Willard V. Quine, »Ontology and Ideology«, in: *Philosophical Studies* 2, 1951, 11-15. Zu Quines Auffassung von Naturalismus siehe insbesondere »Things and Their Place in Theories«, in: ders. *Theories and Things*, Cambridge/London 1981, 1-23, sowie seinen Beitrag in diesem Band.

oder (iii) Personen sind materielle-Einzeldinge-qua-Träger-von-Eigenschaften-des-Typs-Y, wobei Y ein naturalistisch akzeptabler Eigenschaftstyp ist. Der Zusatz soll (iii) zulassen und die andern beiden Möglichkeiten ausschließen.)

(c) Intentionale Eigenschaften sind durch in ihrer Anwendung intersubjektiv geregelte Prädikate ausdrückbar, die erklärende Kraft haben.

(d) Alle intentionalen Phänomene lassen sich auf intentionale Eigenschaften zurückführen; anders gesagt: zum Bereich des Intentionalen gehören keine irreduziblen konkreten Einzeldinge intentionaler Art.

Mit dem Nachweis, daß die Feststellungen (a)-(d) zutreffen, wäre die Naturalisierung von Intentionalität vollbracht. Für die Ausführung dieses speziellen Projekts – einen Nachweis für (a)-(d) zu führen – sehe ich Chancen; und da ich alle vier Behauptungen für wahr halte, halte ich Intentionalität für ein natürliches Phänomen.

Die philosophischen Positionen, mit denen ich mich anschließend auseinandersetzen werde, propagieren vehementere Naturalisierungsprojekte, in denen wenigstens die sog. Token-Identitätstheorie als wahr vorausgesetzt wird. Diese Voraussetzung läuft, grob gesagt, auf folgendes hinaus: Wann immer ein Individuum a eine intentionale Eigenschaft I exemplifiziert, exemplifiziert a ein physikalisch beschreibbares Merkmal P, so daß gilt: as I-Exemplifikation ist zum betreffenden Zeitpunkt identisch mit as P-Exemplifikation. (Anders gesagt: Zum betreffenden Zeitpunkt exemplifiziert a I dadurch, daß a P exemplifziert.) Das klingt ungebührlich kompliziert. Mit einem Beispiel läßt sich vielleicht besser verstehen, was das eigentlich soll. Nehmen wir an, daß Harvey jetzt glaubt, daß es regnet. In den Jargon übertragen: Er exemplifiziert zum jetzigen Zeitpunkt die intentionale Eigenschaft des Glaubens-daß-es-regnet. Der Anhänger der Token-Identitätstheorie behauptet nun folgendes: Dann befindet sich Harvey jetzt auch in irgendeinem bestimmten Neuro-Zustand, zum Beispiel dem Zustand, daß bestimmte neuronale Verbindungen im corticalen Areal Nr. So-und-so die-und-die Aktivitäten aufweisen; nennen wir diesen Neuro-Zustand »Zoppel«. Im Jargon: Harvey exemplifiziert zum jetzigen Zeitpunkt die physikalische Eigenschaft des Zoppelns. Und worauf es bei alledem ankommt, ist einfach, daß dann gilt: Das Zoppeln in Harvey ist sein Glauben-daß-es-regnet.[12]

Jede derartige Theorie ist im Hinblick auf intentionale Zustände falsch.[13] Auf eher ereignishafte oder vorgangsartige intentionale Phänomene (wie zum Beispiel plötzliche Einfälle oder Schritt für Schritt sich entwickelnde Überlegungen) mag sie besser passen. Doch sind intentionale Zustände wie das Glauben, das Wollen oder das Bevorzugen grundlegende intentionale Phänomene. Sie lassen sich auf keine anderen intentionalen Phänomene zurückführen, die nicht von der Art eines Zustands wären. Was es heißt zu glauben, daß es regnet, das ist nicht zurückführbar auf intentionale Ereignisse.

Es gibt bekanntermaßen Anhänger der Token-Identitätstheorie, die trotzdem zu allem bereit sind. Sie nennen sich Eliminativisten. Sie sind entschlossen, auf Biegen und Brechen an folgender These festzuhalten: »Ein intentionales Phänomen, das in keiner Token-Identitätstheorie einzufangen ist, existiert eben gar nicht. Basta.« Eliminativisten sind bereit, den Schluß zu ziehen, daß es intentionale Zustände wie das Glauben nicht gibt. Manchmal behaupten sie sogar, ihn gezogen zu haben. Wer diesen Schluß zu ziehen bereit ist, ist bereit anzunehmen, daß es intentionale Zustände nicht gibt. Diese Bereitschaft verlangt Stärke. Man müßte zum Beispiel bereit sein anzunehmen, daß es ein Annehmen eigentlich nicht gibt. Das vermag nicht jeder. – Lassen wir das.

Was Repräsentationalismus hier heißen soll

Unter Repräsentationalismus kann man allerlei verstehen. Hier meine ich damit die Auffassung, daß alle intentionalen Phänomene des Geistigen repräsentational sind. Das soll heißen, daß ein Repräsentationalist, so wie ich diese Bezeichnung hier verwende,

12 Der Vorspann: »In diesem Moment gilt« ist nicht überflüssig. Der Anhänger der Token-Identitätstheorie läßt ausdrücklich die Möglichkeit zu, daß Harvey bei anderer Gelegenheit zwar wiederum glaubt, daß es regnet, bei dieser Gelegenheit aber nicht zoppelt. Ein anderer Neuro-Zustand muß dann an Zoppels Stelle treten.

13 Siehe dazu meine beiden Arbeiten, die ich in Anmerkung 8 erwähnt habe.

folgendes behauptet: Wann immer ein intentionales Geistesphänomen I mit dem Inhalt x (also zum Beispiel die Überzeugung, daß es regnet, der Wunsch, es möge schneien, usw.) bei einem System S vorliegt, gibt es in S eine mentale Repräsentation m derart, daß m x zum Inhalt hat. Dabei sind mentale Repräsentationen irgendwelche konkreten Hirnstrukturen, deren naturalistische Dignität außer Frage steht. Der naturalistische Repräsentationalist sieht sein Hauptproblem gerne darin, eine Theorie darüber zu entwickeln, wie eine mentale Repräsentation (also eine Neurostruktur irgendeiner Art) überhaupt einen Inhalt bzw. gerade den Inhalt hat, den sie hat. Die Theorie, die er anstrebt, soll es erlauben, eine Feststellung wie zum Beispiel

> Die Neurostruktur n hat den Inhalt, daß es regnet

so zu analysieren, daß im Analysans kein semantischer oder intentionaler Begriff vorkommt. Er möchte beispielsweise den Sachverhalt, daß Harvey glaubt, daß es regnet, folgendermaßen naturalistisch analysieren: In Harveys Hirn gibt es ein konkretes Vorkommnis n des Neurostrukturtyps N, und n bedeutet, daß es regnet, und Harvey steht in der naturalistisch beschreibbaren Beziehung B zu n. Ferner gilt: Wenn Harvey in B zu einem beliebigen Vorkommnis einer Neurostruktur des Typs N steht, dann glaubt Harvey das, was jenes Vorkommnis bedeutet.

Das am Repräsentationalismus, worum es mir hier geht, betrifft keine Einzelheiten des Stils oder Formats der Repräsentation. Ob bildlich oder sprachlich, analog oder digital, parallel oder seriell, symbolisch oder konnektionistisch, amorph oder strukturiert – all das ist nebensächlich für die nachfolgenden Betrachtungen. Repräsentationalist ist, wer dieses Schlußschema als gültig unterstellt:

> Das System S weist das intentionale Phänomen I mit dem Inhalt x auf.
>
> -
>
> Es gibt in S eine konkrete Repräsentation m derart, daß m x zum Inhalt hat.

Mehr soll mit dem Terminus »Repräsentationalismus« im folgenden nicht gemeint sein.

Naturalistisch-repräsentationalistische Modelle der Selbstkenntnis

Das Wissen, das man hat, wenn man weiß, daß man die-und-die Überzeugung hat, ist ein intentionaler Zustand, der von einem intentionalen Zustand handelt. Wer weiß, daß er glaubt, daß es regnet, der weiß etwas (intentionaler Zustand #1), und sein Wissen handelt davon, daß er die Überzeugung hat, daß es regnet (intentionaler Zustand #2).

Nennen wir einen intentionalen Zustand, der von einem nicht-intentionalen Sachverhalt handelt, einen intentionalen Zustand erster Stufe, und nennen wir einen intentionalen Zustand, der von einem intentionalen Zustand n-ter Stufe handelt, einen intentionalen Zustand n+1-ter Stufe. Alle intentionalen Zustände ab der zweiten Stufe wollen wir als meta-intentional bezeichnen.

Selbstkenntnis à la Descartes, wie sie oben charakterisiert wurde, ist meta-intentional; sie ist ein intentionaler Zustand mindestens zweiter Stufe. (Den gerade für Descartes interessanten Sonderfall selbstbezüglicher intentionaler Phänomene – jemand denkt zum Beispiel »Ich habe diesen Gedanken« als einen selbstbezüglichen Gedanken – lasse ich als ungeregelte Merkwürdigkeit beiseite.[14] Für solche Phänomene ist im obigen Schema keine Intentionalitätsstufe vorgesehen. Sie sind nicht auf der ersten Stufe anzusiedeln, denn sie handeln nicht von einem nicht-intentionalen Phänomen; sie sind auf keiner höheren Stufe als der ersten anzusiedeln, denn sie handeln nicht von einem intentionalen Phänomen niedrigerer Stufe.)

Der Repräsentationalist neigt dem Fehler zu, aus der Meta-Intentionalität auf Meta-Repräsentationalität zu schließen. In Analogie zu seinem charakteristischen Schluß

(1) X glaubt, daß es regnet
\- - - - - - - - - - - - - - -
X hat in sich eine mentale Repräsentation, die zum Inhalt hat, daß es regnet

neigt er dazu, folgenden Schluß für gültig zu halten:

14 Siehe dazu Andreas Kemmerling, *Ideen des Ichs – Studien zu Descartes' Philosophie*, Frankfurt am Main 1996, Kapitel 2.

(2) X glaubt, daß er glaubt, daß es regnet

X hat in sich eine mentale Repräsentation, die zum Inhalt hat, daß er in sich eine mentale Repräsentation hat, die zum Inhalt hat, daß es regnet.

Nennen wir das dem Schluß (1) zugrunde liegende Folgerungsmuster das repräsentationalistische Schlußschema. Entsprechend liegt jedem Schluß vom Typ (2) das metarepräsentationalistische Schlußschema zugrunde; diese Bezeichnung weist darauf hin, daß in der Konklusion von (2) eine mentale Metarepräsentation postuliert wird, das heißt eine Repräsentation, die von einer Repräsentation als Repräsentation handelt. Es ist jedoch wichtig zu beachten, daß selbst dann, wenn (1) ein gültiger Schluß wäre, (2) immer noch ein ungültiger Schluß sein könnte. Der Metarepräsentationalismus folgt nicht aus dem Repräsentationalismus. Es ist völlig kohärent, (2) als ungültig abzulehnen, selbst wenn man irrigerweise (1) als gültig akzeptiert.[15]

Viele zeitgenössische Repräsentationalisten sind Metarepräsentationalisten im Hinblick auf meta-intentionale Phänomene. Genauer gesagt: Mir ist kein zeitgenössischer Repräsentationalist bekannt, der im Hinblick auf diese Phänomene nicht dem Metarepräsentationalismus anhinge. Ein sehr verbreitetes metarepräsentationalistisches Modell der Selbstkenntnis ist das Scanning-Modell, das beispielsweise von W. Lycan vertreten wird.[16] Es ist eine zeitgemäße Spielart der Lockeschen Lehre vom inneren Sinn. In der Variante von Lycan nimmt sie sich, kurz gefaßt, so aus: Subjekte, die Selbstkenntnis besitzen, haben innere Scanning-Vorrichtungen, mit denen sie ihre Geisteszustände ablesen können. Ein solcher Scanner ist »ein Aufmerksamkeitsmechanismus, der sich vermutlich auf repräsentationale Subsysteme [...] richten läßt«.[17] Introspektion besteht in solchen Ableseprozessen. Ein Subjekt hat »dieserlei inneren Zugang zu einigen seiner eigenen Geisteszustände erster Stufe und vielleicht zu einigen

15 Siehe dazu meine Arbeit »Selbstkenntnis ohne Metarepräsentationalität« (erscheint in: Julian Nida-Rümelin (Hg.), *Analyomen 3*, Berlin/New York 1999).

16 William G. Lycan, *Consciousness and Experience*, Cambridge, Mass. 1996, insbesondere Kapitel 2.

17 Ebd., S. 32.

höherer Stufe«.[18] Überzeugungen, die uns ja hier besonders interessieren, sind »innere repräsentationale Zustände des Nervensystems«.[19] Zu der von Lycan vertretenen Version des Repräsentationalismus gehört auch die These von der Existenz einer Sprache des Geistes. Eine mentale Repräsentation ist für ihn demnach ein Vorkommnis eines Ausdrucks der lingua mentis des betreffenden Subjekts, also ein konkretes Phänomen im Gehirn, das eine sprachartige Struktur aufweist (insbesondere Kompositionalitätscharakter besitzt).[20] Die Funktionsweise eines inneren Scanners beschreibt er nun folgendermaßen:

> Als unmittelbare Konsequenz der Tätigkeit eines inneren Scanners des Subjekts S erzeugt S ein Vorkommnis eines mentalen Worts für den Zustandstyp erster Stufe, der gerade abgelesen wird. Dieses Wort [...] wäre semantisch primitiv [...] es hätte gewiß nicht dieselbe Bedeutung wie irgendein primitiver oder zusammengesetzter Ausdruck der öffentlichen Sprache namens Deutsch. In diesem Sinne wäre es ein privater Name, [...] den nur sein Benutzer verwenden könnte, um das tatsächliche Bezugsobjekt zu benennen.[21]

Das sind empirische Mutmaßungen, keine philosophischen Analysen. Zudem sind sie reich an Annahmen, die selbst im Rahmen des Repräsentationalismus überflüssig sind. Als da sind: erstens die Annahme, daß der Metarepräsentationalismus wahr ist; zweitens die Annahme, daß jeder wenigstens eine Sprache des Geistes besitzt (Lycan vermutet, daß jeder mehrere solcher Sprachen besitzt; eine darunter ist das Introspektorische[22]); und drittens die Annahme, bei Selbstkenntnis sei eine prinzipiell nicht in eine öffentliche Sprache unübersetzbare Privatterminologie im Spiel.

Noch schwerer wiegt, daß gerade diejenige Selbstkenntnis, die uns hier interessiert, in solch einem Ansatz gar keinen Platz hat. Innere Scanner können, wie Lycan ausdrücklich hervorhebt,[23] falsche Ablesungen ergeben und auch das Ergebnis der Ablesung

18 Ebd., S. 48.
19 Ebd., S. 56.
20 Eine sorgfältige und in ihrem Ergebnis sehr kritische Studie zur These von der Existenz einer Sprache des Geistes hat Katia Saporiti kürzlich vorgelegt: *Die Sprache des Geistes*, Berlin/New York 1997.
21 Lycan, *Consciousness and Experience*, a. a. O., S. 60; etwa dasselbe noch einmal auf S. 100 f.
22 Ebd., S. 101.
23 Ebd., S. 33 f.

mit beeinflussen. Es ist demnach gar nicht mehr erkennbar, wie es unsere Testfall-Selbstkenntnis geben könnte, die ja nach Voraussetzung gegen Irrtum gefeit ist. Der Lycansche Denker könnte sich nicht dessen gewiß sein, daß er jetzt denkt, daß es regnet. Er müßte es als eine Möglichkeit anerkennen, daß es ihm nur so vorkommt, als denke er jetzt, daß es regnet; denn seines Erachtens könnte ja der Scanner, der ihm übermittelt, daß er jetzt denkt, daß es regnet, nicht richtig funktionieren. Ja, er müßte es wohl auch noch für möglich halten, daß es ihm nur so vorkommt, als komme es ihm jetzt so vor, daß er denkt, daß es regnet. Denn auch der Scanner, der ihm übermittelt, daß es ihm jetzt so vorkommt, als denke er, daß es regnet – auch dieser Scanner ist halt nur ein braves, kleines, fehleranfälliges Ablesemodul. Und immer so weiter. In Lycans naturalistischem Repräsentationalismus ist kein Platz für Selbstkenntnis.[24]

Aus diesen Gründen ist eine Theorie der Selbstkenntnis wie die Lycans philosophisch unattraktiv. Zur Begriffsanalyse taugt sie nicht, weil in ihr überflüssig starke empirische Annahmen gemacht werden. Und noch einschneidender ist, daß sie letztlich sogar das Phänomen selbst leugnet: jene Selbstkenntnis (à la Descartes), die wir hier als Test des Naturalismus verwenden.

Dretskes Entwurf

Fred Dretske hat vor einigen Jahren eine entschieden weniger voraussetzungsreiche Skizze eines naturalistischen Ansatzes zu einer repräsentationalistischen Theorie der Selbstkenntnis vorgelegt. Darin beschränkt er sich auf Selbstkenntnis, die es mit Sinnesempfindungen zu tun hat, die wir momentan haben.[25] Dretskes Überlegungen zum Thema »Selbstkenntnis« sind deshalb in meinen Augen, philosophisch gesehen, erheblich interessanter als die Lycans, weil er (i) das Phänomen der Selbstkenntnis nicht bestreitet und weil er Selbstkenntnis im Rahmen eines re-

24 Es sei denn, es würde ein Super-Scanner angenommen, der »garantiert« – das heißt wenigstens mit naturgesetzlicher Notwendigkeit – niemals falsch abliest. Doch solch einen Unsinn könnte ein aufrechter Naturalist wie Lycan natürlich nicht mitmachen.

25 Fred Dretske, *Naturalizing the Mind*, Cambridge/London 1995, Kapitel 2.

präsentationalistischen Naturalismus zu analysieren versucht, der (ii) mit möglichst schwachen empirischen Annahmen auskommt. Zwar ist auch sein Ansatz metarepräsentationalistisch, aber nichts hängt daran. Der Metarepräsentationalismus ist bei Dretske nur ein Flüchtigkeitsfehler, der sich leicht ausmerzen ließe.[26]

Zunächst möchte ich kurz die Theorieskizze Dretskes darstellen. Es geht, wie gesagt, um Selbstkenntnis, die sich auf »im selben Moment« stattfindende Sinnesempfindungen bezieht. (Dretske zieht den Terminus »introspektives Wissen« vor. Ich verwende diese beiden Ausdrücke im folgenden austauschbar.) Die reizvolle Idee hinter der Analyse von Dretske ist folgende: Introspektives Wissen über die eigenen momentanen Sinnesempfindungen wird nicht dadurch gewonnen, daß das Subjekt seine Aufmerksamkeit nach »innen« richtet, um dort Informationen zu gewinnen. Nach Dretskes Darstellung dieser Dinge werden keine inneren Scanner aktiviert und abgelesen; beim Erwerb dieses Wissens wird keine besondere »innere« Information verarbeitet; und schon gar nicht ist die Rede von einer besonderen »inneren« Sprache, für deren Ausdrücke es sinngleiche Ausdrükke einer öffentlichen Sprache gar nicht geben könnte. Vielmehr zieht das Subjekt, laut Dretske, aus nichts weiter als der Information, die ihm durch die Sinne geliefert wird, einen Schluß auf die einschlägige Beschaffenheit seiner eigenen momentanen Sinnesempfindung.

Ein Beispiel liefert der folgende Fall. Harvey schaut mein Hemd an und kommt auf diese Weise zu der Überzeugung, daß mein Hemd blau ist, und zu dem (Selbst-)Wissen, daß er es in diesem Moment als blau wahrnimmt. Nach Dretske gleicht dies dem folgenden Fall: Jemand richtet seine akustische Aufmerksamkeit in eine bestimmte Richtung und kommt auf diese Weise zu der Überzeugung, daß sein Hund bellt, und zu der weiteren Überzeugung, daß der Briefträger da ist. In solch einem Fall liegt das vor, was Dretske verschobene Wahrnehmung [displaced perception] nennt: Vermittels der Wahrnehmung des Hundegebells gelangt die betreffende Person zu der Überzeugung, daß der Briefträger da ist. Und angeblich ganz analog dazu: Vermittels

26 Siehe dazu meine Arbeit »How Self-Knowledge Can't be Naturalized«, in: *Philosophical Studies* 95 (1999), S. 311-328.

der Wahrnehmung meines Hemdes kommt Harvey zu der (selbstkenntniskonstitutiven) Überzeugung, daß er es als blau wahrnimmt.

Der Reiz dieser Dretskeschen Analogie liegt für mich in folgendem. In ihr werden einige Clichés zum Thema Selbstkenntnis (implizit) attackiert. Es bedarf keiner »inneren Wahrnehmung«, um zu Selbstkenntnis darüber zu gelangen, als was man die Umgebung wahrnimmt. Beim Erwerb von derlei sogenanntem »introspektivem« Wissen geht »der Blick«, das heißt die auf Informationserwerb gerichtete Aufmerksamkeit, nur nach außen. Die Hinwendung »nach innen« geschieht schlußfolgernd, im Denken. Selbstkenntnis dieser Art ist also weder »introspektiv« noch »direkt« oder »unmittelbar«.[27] Soweit sie eine Form der Wahrnehmung ist, ist sie eine (sei's auch verschobene) Außen-Wahrnehmung; und was den traditionellen Gegensatz zwischen »unmittelbar wahrgenommen« und »durch Schlußfolgerung gewonnen« angeht, gehört solcherlei Selbstkenntnis im Lichte der Analogie Dretskes deutlich in die zweite Rubrik. – Mit Dretskes Analogie lassen sich also drei (darunter zwei meines Erachtens falsche) repräsentationalistische Clichés über Selbstkenntnis vermeiden: das von der Meta-Repräsentationalität, das von der Gerichtetheit nach innen und das von der Unmittelbarkeit. Hingegen läßt sich in ihr jenes charakteristische Moment vielleicht bewahren, das in Lycans Ansatz verlorenging: jener »Cartesische« Aspekt einer unbezweifelbaren und dem Irrtum gar nicht erst ausgesetzten Einsicht in eine kontingente Wahrheit.

Doch wie reizvoll diese Analogie auch sein mag, es ist zu fragen, ob sie sich in dem Rahmen, den Dretske bietet, überhaupt ausführen läßt. Betrachten wir sie also noch einmal genauer. Da waren zwei Fälle, die Dretske zueinander in Analogie bringen möchte: der Fall mit der verschobenen Wahrnehmung der Ankunft des Briefträgers und der Fall mit dem introspektiven Erwerb von Wissen darüber, wie die Farbe eines Hemds wahrgenommen wird. Seine Analyse des ersten Falls ergibt folgendes:

27 Auch Dretske ergeht sich manchmal noch in den üblichen Floskeln über »nicht-inferentielles Bewußtsein« und »direktes Wissen«, das der Geist von dem habe, was sich in ihm gegenwärtig manifestiert (vgl. etwa: *Naturalizing the Mind*, a. a. O., S. 39). Aber seine eigenen Überlegungen weisen in eine ganz andere Richtung.

Schema I: Verschoben wahrnehmen

Beispiel

S nimmt vermittels des Hundegebells genau dann verschoben wahr, daß der Briefträger da ist, wenn gilt:

(1) S hört (»erlebt«) den Hund bellen;
(2) das Hundegebell ist ein zuverlässiges Anzeichen dafür, daß der Briefträger da ist;
(3) S glaubt, daß (2);
(4) S gewinnt – dank (1)-(3) – die Überzeugung, daß der Briefträger da ist.

Versuchen wir nun, nach diesem Vorbild die intendierte Analogie zum Selbstkenntnisfall so getreulich wie möglich nachzuzeichnen.

Schema II: Introspektives Wissen erwerben

Beispiel

S erwirbt vermittels –?– genau dann introspektives Wissen darüber, daß er das Hemd als blau sieht, wenn gilt:

(1*) S sieht (»erlebt«) das Hemd als blau;
(2*) –?– ist ein zuverlässiges Anzeichen dafür, daß S das Hemd als blau sieht;
(3*) S glaubt, daß (2*);
(4*) S gewinnt – dank (1*)-(3*) – die Überzeugung, daß er das Hemd als blau sieht.[28]

28 Dretske unterstellt, daß wenn S unter solchen Umständen glaubt, daß er das Hemd als blau sieht, er dann auch weiß, daß er das Hemd als blau sieht. (Ebd., S. 53 ff.) Deshalb spricht Dretske in diesem Zusammenhang von introspektivem Wissen. Ich halte diese Redeweise, wie eingangs erwähnt, für verfehlt. Doch auch schon (4*) selbst, worin es ja nur um die Überzeugung und noch nicht um Wissen geht, ist eher befremdlich als klarerweise wahr. Wer ein Hemd als blau sieht, würde zwar Fragen wie »Ist das Hemd blau?«, »Kommt dir das Hemd blau

Das ist Dretskes Analogie. Sie wirft gewiß mehr als eine Frage auf. Ich möchte mich auf folgende konzentrieren: Was genau entspricht dem Hundegebell, von dem im Beispiel für verschobenes Wahrnehmen die Rede ist, beim Erwerb introspektiven Wissens?

Gesucht ist nicht einfach ein sprachlicher Ausdruck, der an die Stelle von »–?–« im Beispiel für Schema II paßt. Ein Wort mag sich alsbald einstellen. Doch müßte es, um für unsere Zwecke dienlich zu sein, etwas bezeichnen, für das in Dretskes theoretischem Rahmen ein Platz vorgesehen ist. Dreierlei kommt in Frage:

(a) das visuelle Erlebnis, von dem in (1*) die Rede ist;
(b) der Inhalt dieses visuellen Erlebnisses;
(c) die Tatsache, daß S dieses visuelle Erlebnis hat.

Ein weiterer Kandidat für die Ersetzung der Leerstelle in (2*) ist in Dretskes Ansatz nicht zu erkennen. Und die drei genannten Möglichkeiten schlagen fehl.

(a) ist nicht das Gesuchte, und zwar aus wenigstens zwei Gründen. Erstens ist jenes visuelle Erlebnis kein Analogon zum Hundegebell, von dem in (2) die Rede ist, obwohl die Einsetzung für »–?–« ja gerade dem Hundegebell aus dem Beispiel für Schema I entsprechen müßte. Dem visuellen Erlebnis beim Als-blau-Sehen in Schema II müßte in Schema I ein auditives Erlebnis beim Hören des Hundegebells entsprechen. Aber Hundegebell und Hörerlebnis sind, auch für Dretske, sehr verschiedene Dinge. Eine Analogie der Schemata I und II käme also mit (a) nicht

vor?« und auch »Hältst du das Hemd für blau?« wohl mit einem Ja beantworten – aber »Glaubst du, daß du das Hemd als blau siehst?« ist eine ganz andere und recht merkwürdige Frage. Fragte man mich das, während ich unter Normalbedingungen auf ein Hemd blicke, würde ich ohne weiteres weder mit einem Ja noch mit einem Nein antworten. In gewissem Sinne verstünde ich die Frage nicht, obwohl ich die strikt wörtliche Bedeutung des Fragesatzes natürlich verstehe. Doch normalerweise gilt: Wenn ein gewöhnlicher Sprecher des Deutschen nicht die Neigung hat, die Frage »Glaubst du, daß p?« ohne weiteres bejahend zu beantworten, dann hat er auch nicht die Überzeugung, daß p. – Kurz, ich halte schon (4*) für falsch und erst recht, daß die darin erwähnte Überzeugung Wissen konstituiert. Aber ich werde dieserlei Vorbehalte beiseite lassen.

zustande. – Zweitens wäre das Ergebnis einer (a)-entsprechenden Ausfüllung von (2*) auch abgesehen von jedweder intendierten Analogie inakzeptabel. Betrachten wir:

(2*a) Das Erlebnis, das S beim Das-Hemd-als-blau-Sehen hat, ist ein zuverlässiges Anzeichen dafür, daß S das Hemd als blau sieht.

Dies wäre auch für Dretske schwer zu schlucken. Denn der (angeblich) angezeigte Sachverhalt und das (angeblich) anzeigende Erlebnis stehen hier in einer begrifflich zu engen Beziehung. Anzeige in einem interessanten Sinn liegt hier nicht vor. Man vergleiche:

> Der Zustand, in dem Harvey sich beim Einen-Schnupfen-Haben befindet, ist ein zuverlässiges Anzeichen dafür, daß Harvey einen Schnupfen hat.

In diesen Beispielen laufen Anzeigendes und Angezeigtes – wenn wir von metaphysischen Feinheiten absehen – auf dasselbe hinaus. Es sind Fälle von Selbstanzeige vom Schema »p zeigt an, daß p«. Ist jedoch Selbstanzeige überhaupt echte Anzeige? Diese Frage ist berechtigt. Wir müssen sie hier jedoch gar nicht beantworten. Es reicht die unkontroverse Beobachtung, daß (2) klarerweise von echter Anzeige handelt. Das Bellen des Hundes ist eines, die Ankunft des Briefträgers ist etwas klarerweise anderes. Solche Deutlichkeit des Unterschieds zwischen Indicans und Indicatum ginge mit (a) verloren – und damit vielleicht die Wahrheit von (2*), gewiß jedoch wiederum die intendierte Analogie.

(b) ist ebenfalls nicht das Gesuchte. Denn der Inhalt des visuellen Erlebnisses, das S beim Anblick des Hemdes hat, ist für Dretske das Blausein des Hemds. Aber das Blausein des Hemds ist nicht – wie eine entsprechende Ausfüllung der Leerstelle von (2*) es verlangen würde – ein zuverlässiges Anzeichen dafür, daß S das Hemd als blau sieht. Im Rahmen des Ansatzes von Dretske wäre so etwas in grotesker Weise falsch. Zuverlässige Anzeige ist eine Beziehung der objektiven Abhängigkeit: Das Indicans hängt vom Indicatum ab.[29] Aber das Blausein des Hemds hängt klarer-

29 Siehe dazu: Fred Dretske, *Explaining Behavior*, Cambridge/London 1988, S. 54 ff.

weise nicht davon ab, ob und wie das einzelne Subjekt S dieses Hemd sieht.

(c) liefert nur Notationsvarianten zu (a). Anders gesagt, gegen

(2*c) Die Tatsache, daß S das Hemd als blau sieht, ist ein zuverlässiges Anzeichen dafür, daß S das Hemd als blau sieht

sind inhaltlich – also wiederum von allen metaphysischen Schlaumeiereien abgesehen – dieselben Einwände zu erheben wie gegen (2*a).[30]

Schluß

Die beiden betrachteten Ansätze versagen vor jener kaum zu bestreitenden Form von Selbstkenntnis, die wir hier betrachtet haben. Sie sind, soweit ich sehe, die beiden derzeit philosophisch instruktivsten Spielarten des naturalistischen Repräsentationalismus, die sich diesem Thema überhaupt stellen. Man mag sich nun fragen, was am naturalistischen Repräsentationalismus dasjenige ist, das fehlgeht. Meine Antwort ist: Der Erzfehler liegt darin, intentionalen Zuständen im Rahmen des Repräsentationalismus beikommen zu wollen.

30 Zu einer weniger hastigen Darstellung meiner Kritik an Dretskes Analogie von Selbstkenntnis und verschobener Wahrnehmung siehe meine in Anmerkung 26 erwähnte Arbeit.

Lynne Rudder Baker
Die Perspektive der ersten Person: Ein Test für den Naturalismus

Viele Philosophen sind sich darin einig, daß für das Personsein Selbstbewußtsein wesentlich ist. Weniger Übereinstimmung besteht jedoch darüber, wie Selbstbewußtsein zu verstehen ist. Philosophen im Umkreis der Kognitionswissenschaften neigen dazu, das Selbstbewußtsein als unproblematisch abzutun. Ihnen zufolge ist die wirkliche Schwierigkeit für den Kognitionswissenschaftler das phänomenale Bewußtsein – die Tatsache, daß wir (und andere Organismen) Zustände haben, die sich auf eine bestimmte Art und Weise anfühlen. Sie glauben, daß sich das Selbstbewußtsein leicht mit Hilfe funktionalistischer Modelle handhaben ließe, wenn sie erst das phänomenale Bewußtsein im Griff hätten. Ned Block zum Beispiel bemerkte kürzlich: »It is of course [phenomenal] consciousness rather than [...] self-consciousness that has seemed such a scientific mystery.«[1] Und David Chalmers behauptet, daß Selbstbewußtsein einer derjenigen psychischen Zustände sei, die »pose no deep metaphysical enigmas.«[2] Ich halte diese Annahme, das Selbstbewußtsein ließe sich problemlos in die Wissenschaft integrieren, für voreilig. Denn wie ich versuchen werde zu zeigen, stützt sich Selbstbewußtsein auf das, was ich »die Perspektive der ersten Person« nennen werde. Und es ist keineswegs ausgemacht, wie man die Perspektive der ersten Person wissenschaftlich behandeln soll.

In diesem Aufsatz werde ich die Perspektive der ersten Person beschreiben, die Philosophen und Kognitionswissenschaftler zu ihrem eigenen Schaden vernachlässigt haben. Im Anschluß daran werde ich eine Herausforderung für den Naturalismus präsentieren: Entweder muß gezeigt werden, wie die Perspektive der ersten Person naturalistisch verstanden werden kann oder daß sie entbehrlich ist. Meine Untersuchung der Perspektive der ersten

1 Ned Block, »On a Confusion about a Function of Consciousness«, in: *Behavioral and Brain Sciences* 18 (1995), S. 230.

2 David J. Chalmers, *The Conscious Mind: Toward a Fundamental Theory*, Oxford 1996, S. 24.

Person ist ›begrifflich‹, oder zumindest vorwissenschaftlich. Obwohl unter dem Begriff ›Selbstbewußtsein‹ Verschiedenes verstanden worden ist, setzen alle Formen von Selbstbewußtsein die Perspektive der ersten Person voraus. Ich werde propädeutisch argumentieren, daß angemessene Erläuterungen unterschiedlicher Formen von Selbstbewußtsein die Perspektive der ersten Person auf keinen Fall unberücksichtigt lassen können. Mein Ziel ist nicht, den Leser davon zu überzeugen, daß sie sich auf immer der Wissenschaft entziehen wird, sondern eher davon, daß keine Wissenschaft mit Vollständigkeitsanspruch es sich leisten kann, sie zu ignorieren. So ist die Perspektive der ersten Person ein guter Test für den Naturalismus.

Es gibt viele Fragen in der gegenwärtigen Literatur, die ich nicht behandeln werde. Zum Beispiel bin ich nicht daran interessiert, ›Bewußtsein‹ zu definieren.[3] Ich beschäftige mich nicht mit der Frage, ob alle mentalen Zustände bewußt sind oder nicht.[4] Mir geht es auch nicht darum, ob Introspektion nach dem Modell der Wahrnehmung verstanden werden kann;[5] noch darum, ob es eine Wissenschaft vom Bewußtsein geben kann oder nicht.[6] Es geht mir weder um die vermeintliche »Erklärungslücke« zwischen den Prozessen im Gehirn und der Art, wie Dinge schmekken, aussehen, sich anfühlen, riechen und sich anhören;[7] noch um

3 Einige Philosophen sagen, daß eine nicht-zirkuläre Definition nicht möglich ist. Siehe zum Beispiel John R. Searle, *Die Wiederentdeckung des Geistes*, München 1993, S. 102, und Block, »On a Confusion about a Function of Consciousness«, a. a. O., S. 230.

4 Für Argumente beider Seiten in dieser Frage, siehe Searle, *Die Wiederentdeckung des Geistes*, a. a. O., und David M. Rosenthal, »Two Concepts of Consciousness«, in: *Philosophical Studies* 94 (1986), S. 329-359.

5 Für eine Diskussion dieser Fragestellung siehe Sydney Shoemakers Royce Lectures, »Self-Knowledge and the ›Inner Sense‹«, publiziert in Shoemakers *The First-Person Perspective and Other Essays*, Cambridge 1996, S. 201-268.

6 Für Argumente beider Seiten in dieser Frage siehe Owen Flanagan, *Consciousness Reconsidered*, Cambridge, Mass. 1992, und Colin McGinn, *The Problem of Consciousness*, Oxford 1991.

7 Für Diskussionen dieser Fragestellung siehe Joseph Levine, »On Leaving Out What It's Like«, in: *Consciousness: Psychological and Philosophical Essays*, Oxford 1993, S. 121-136, und Robert van Gulick, »Understanding the Phenomenal Mind«, in: ebd., S. 137-154.

das sogenannte »hard problem« des Bewußtseins: »Why is all this processing accompanied by an experienced mental life?«[8] Keine dieser Fragestellungen, so aktuell jede von ihnen ist, interessiert mich hier. Ich möchte vielmehr etwas beschreiben, das von den Philosophen, die sich als Kognitionswissenschaftler verstehen, in der Flut all jener gerade erwähnten Fragen beinahe vollständig vernachlässigt worden ist, mit unglücklichen Folgen für unser Verständnis von menschlichen Personen.[9]

Zwei Grade von Ich-Phänomenen

Ein bewußtes Wesen wird selbstbewußt mit dem Erwerb der Perspektive der ersten Person – der Perspektive, von der aus man an sich selbst als an ein Individuum denkt, das der Welt gegenübersteht, als an ein von allem übrigen unterschiedenes Subjekt.[10] Alle empfindungsfähigen Wesen sind Subjekte der Erfahrung (i. e., sind bewußt), aber nicht alle haben einen Begriff ihrer selbst als Subjekte. Nur diejenigen, die diesen Begriff haben – diejenigen mit einer Perspektive der ersten Person –, sind vollständig selbstbewußt. Ausgehend von nichtmenschlichen, empfindungsfähigen Wesen werde ich zwei Grade von Ich-Phänomenen beschreiben: einen schwachen und einen starken.

Das Beispiel für den schwachen Grad sind die problemlösenden Lebewesen, deren Verhalten – inklusive der Art, wie die Dinge für sie aussehen – mittels praktischer Syllogismen erklär-

8 David J. Chalmers, *The Conscious Mind: In Search of a Fundamental Theory*, Oxford 1996, S. xii.

9 Verschiedene Philosophen haben unterschiedliche Aspekte des Selbstbezugs aufgegriffen und hervorgehoben, aber niemand hat die Bedeutung von Hector-Neri Castañedas Ich*-Phänomenen herausgestellt. Siehe Thomas Nagel, »Wie ist es, eine Fledermaus zu sein«, in: Peter Bieri (Hg.), *Analytische Philosophie des Geistes*, Königstein/Ts. 1981, S. 261-275; McGinn, *The Problems of Consciousness*, a. a. O.; Searle, *Die Wiederentdeckung des Geistes*, a. a. O.

10 In den letzten Jahren hat es viele Diskussionen über Subjektivität und verwandte Fragen gegeben. Eine der bekanntesten ist Thomas Nagels Charakterisierung der Perspektive der ersten Person als »wie es ist, x zu sein«. Siehe sein »Wie ist es, eine Fledermaus zu sein?«, a. a. O., siehe auch *Der Blick von Nirgendwo*, Frankfurt am Main 1992.

bar ist. Wir schreiben nichtmenschlichen Tieren, die von einer bestimmten Perspektive aus zu schlußfolgern scheinen, Überzeugungen und Wünsche zu (möglicherweise im Vokabular von Abneigungen, Bedürfnissen und Lernstufen). Zum Beispiel: Die Hündin gräbt dort, weil sie dort jemanden einen Knochen hat vergraben sehen und sie den Knochen haben will. (Die Tatsache, daß sie aufhört zu graben, wenn sie ihn findet, ist der Beleg dafür, daß die Erklärung richtig war.) Oder: Ein Kleinkind-Forscher schaltet ein Licht so, daß es an- und ausgeht, wenn das Neugeborene den Kopf zweimal nach rechts dreht; wenn das Neugeborene herausbekommen hat, wie es das Licht kontrollieren kann, hört es bald darauf auf. (Es wird ihm langweilig.) Ändert der Forscher das Schema für das Anschalten des Lichts, probiert das Kleinkind neue Kombinationen aus, bis es das neue Schema trifft.[11]

Durch solche Erklärungen wird dem Hund oder dem Kleinkind nicht zugeschrieben, einen Begriff seiner als seiner selbst zu haben. Vielmehr nehmen sie nur an, daß jeder Organismus eine bestimmte Perspektive auf seine Umwelt hat, mit ihm selbst als dem »Ursprung«. Der Hund denkt nicht an sich als an sich selbst oder an sich als an irgend etwas anderes; vielmehr könnten wir sagen, daß er das Zentrum seiner Welt ist. Er erlebt die Dinge von seiner eigenen ichzentrierten Perspektive aus. Wenn der Hund sprechen könnte, würde er sagen: »Hier vor meiner Nase ist ein Knochen vergraben, und ich will ihn haben.«[12] Zwei Punkte sind hinsichtlich der schwachen Ich-Phänomene zu beachten: (i) Sie treten bei empfindungsfähigen Organismen auf, die mittels perspektivischer Einstellungen Probleme lösen; diese Einstellungen erklären dann das problemlösende Verhalten. (Dies gilt unabhängig von jeder Theorie darüber, wie oder ob die Einstellungen im Gehirn explizit repräsentiert werden.) (ii) Es bedarf keines Begriffs von einem Ich, damit Wunsch, Überzeugung und Verhalten demselben Organismus zugehören. Da er ausschließlich

11 Siehe I. G. Bower, *Development in Infants*, San Francisco 1974. Dieses Beispiel wird von Gareth B. Matthews besprochen in: »The Idea of a Psychological Organism«, in: *Behaviourism* 13 (1985), S. 37-51.

12 Diese hypothetische Bemerkung des Hundes sei so verstanden, daß sie gegenüber den Theorien neutral ist, was für Repräsentationen (wenn es denn welche gibt) im Gehirn des Hundes instantiiert sein mögen.

perspektivische psychische Zustände hat, mit ihm als dem Ursprung, gehören Überzeugung, Wunsch und Verhalten sozusagen aufgrund dieses Mangels sämtlich zu demselben Individuum. Obwohl solch ein Tier Wünsche und Überzeugungen hat, hat es weder einen Begriff von Wünschen und Überzeugungen noch einen Begriff seiner selbst als eines Subjekts oder Trägers von Wünschen und Überzeugungen. Es handelt aus seiner eigenen Perspektive heraus, ohne einen Begriff davon, daß es eine von anderen verschiedene Perspektive besitzt.

Es ist das Kennzeichen eines schwachen Ich-Phänomens, perspektivisch zu sein. (John Perrys Arbeit über Indikatoren erhellt diese erste Stufe von Ich-Phänomenen. Ich vermute, daß diejenigen, die die Perspektive der ersten Person so geringschätzig behandeln, alle Ich-Phänomene für lediglich perspektivisch halten.)[13] Mit einem Wort, Tiere, deren Verhalten nur mit ihrer ichzentrierten Perspektive erklärbar ist, zeigen den schwachen Grad von Ich-Phänomenen. [...]

Ein bewußtes Wesen, das starke Ich-Phänomene zeigt, kann an sich als an sich selbst denken. Es ist nicht ausreichend für ein starkes Ich-Phänomen, daß man zwischen erster Person und dritter Person *unterscheiden* kann; man muß zudem fähig sein, die Unterscheidung zu *konzeptualisieren*, also einen Begriff seiner als seiner selbst zu haben. Die Fähigkeit, an sich als an sich selbst zu denken, ist die Fähigkeit, unabhängig von einem Namen, einer Kennzeichnung oder einem Demonstrativpronomen

13 Für eine Diskussion (lediglich) perspektivischer Phänomene siehe John Perry, »Das Problem der wesentlichen Indexwörter«, in: Manfred Frank (Hg.), *Analytische Theorien des Selbstbewußtseins*, Frankfurt am Main 1994, S. 402-424. David Lewis und Roderick Chisholm werden oft gemeinsam genannt, so als würden beide von allen Einstellungen im Sinne von Selbstzuschreibungen sprechen. Ich habe den Verdacht, daß es einen wichtigen Unterschied zwischen ihnen gibt. Da Lewis alle indexikalischen Einstellungen, seien es nun solche der ersten Person oder nicht, auf dieselbe Art behandelt, vermute ich, daß für ihn zur Perspektive der ersten Person nicht mehr gehört als Perspektivität (das, was ich schwache Ich-Phänomene nenne). Ich denke, daß Chisholm demgegenüber annimmt, daß seine direkte Zuschreibung das benötigt, was ich starke Ich-Phänomene nenne. Siehe Roderick Chisholm, *The First Person: An Essay on Reference and Intentionality*, Minneapolis 1981, und David Lewis, »Attitudes *De Dicto* and *De Se*«, in: *Philosophical Review* 88 (1979), S. 513-543.

der dritten Person an sich zu denken. Es ist die Fähigkeit, die Unterscheidung zwischen sich und allem anderen in der Welt zu konzeptualisieren. Sie beinhaltet nicht nur, Gedanken zu haben, die sich unter Gebrauch von ›ich‹ ausdrücken lassen, sondern auch, sich als den Träger dieser Gedanken zu begreifen. Nichtmenschliche Tiere, die schwache Ich-Phänomene zeigen, haben subjektive Standpunkte. Aber der Besitz einer Perspektive oder eines subjektiven Standpunkts allein genügt nicht für ein starkes Ich-Phänomen. Man muß sich vielmehr als jemanden mit einer Perspektive oder einem subjektiven Standpunkt begreifen können.

Wir können die Unterscheidung zwischen schwachen und starken Ich-Phänomenen grammatikalisch erläutern. Grammatikalisch können wir zwischen einfachen Ich-Sätzen unterscheiden, in denen jemand mit ›ich‹ auf sich *Bezug nimmt* (etwa wenn Smith sagt: »Ich bin groß«), und solchen, in denen jemandem *zugeschrieben* wird, mit ›ich‹ auf sich Bezug zu nehmen (etwa wenn Smith sagt: »Jones wünscht sich, daß sie groß wäre«).[14] Im zweiten Fall schreibt Smith Jones einen Wunsch zu, den Jones mit dem Satz »Ich wünschte, daß ich groß wäre« ausdrücken würde. Die *Zuschreibung* des Selbstbezugs tritt in indirekter Rede auf, in einem daß-Satz, der auf ein psychologisches (oder indirekte Rede einleitendes) Verb folgt. Jedoch – und dies ist der entscheidende Punkt – schreiben wir solchen Selbstbezug nicht nur anderen zu, sondern auch uns selbst – etwa wenn Jones sagt: »Ich wünschte, daß ich groß wäre«. Wer denkt: »Ich bin groß«, kann sich von anderen unterscheiden; wer denkt: »Ich wünschte, daß ich groß wäre«, kann diese Unterscheidung konzeptualisieren, kann sich als sich selbst begreifen. Im ersten Satz *nimmt* Jones mit ›ich‹ auf sich *Bezug*; im zweiten *schreibt* sie *sich* einen Selbstbezug *zu* (und nimmt auf sich Bezug). Die Fähig-

14 Lynne Rudder Baker trifft hier die Unterscheidung zwischen »*making* first-person reference« und »*attributing* first-person reference«. Im folgenden habe ich »making first-person reference« mit »mit ›ich‹ auf sich Bezug nehmen« übersetzt und »attributing first-person reference« mit »jemandem zuschreiben, daß er/sie mit ›ich‹ auf sich Bezug nimmt«. An den Stellen, wo diese Übersetzung zu umständlich würde, habe ich abkürzend »making first-person reference« mit »Selbstbezug« und »attributing first-person reference« mit »Zuschreibung eines Selbstbezugs« übersetzt [Anm. d. Übers.].

keit, sich in indirekter Rede Selbstbezug zuzuschreiben (»Ich wünschte, daß ich groß wäre«), ist ein Zeichen starker Ich-Phänomene.

In Anlehnung an Hector-Neri Castañeda werde ich ein Pronomen mit einem Asterisk, einem Sternchen, versehen, um kenntlich zu machen, daß es sich um eine Zuschreibung von Selbstbezug handelt.[15] Ich nenne einen Satz von dieser Form einen Ich*-Satz: »Ich f, daß ich*...«. Hier steht ›f‹ für ein psychologisches oder ein indirekte Rede einleitendes Verb und ›ich*...‹ für einen Satz, der einen Selbstbezug enthält. Der Gebrauch eines Ich*-Satzes – zum Beispiel »Ich denke (hoffe, fürchte etc.), daß ich* F bin«[16] – ist ein Indikator für den Besitz eines Ich*-Gedankens. (Aber es ist kein unfehlbarer Indikator; ein Computer könnte so programmiert werden, daß er Ich*-Sätze erzeugt, ohne daß er überhaupt irgendwelche Gedanken hätte.) In einem Ich*-Gedanken denkt eine Person an sich als an sich selbst*, ohne zu ihrer Identifikation ein Mittel der Bezugnahme in der dritten Person zu gebrauchen, wie etwa einen Namen, eine Beschreibung oder ein Demonstrativum. ›Ich‹ ist kein Name für mich; ich kann jeden Namen kompetent verwenden und mich trotzdem darüber irren, wessen Name er ist. Aber ich irre mich niemals darin, wer mit meinen kompetenten Verwendungen von ›ich‹ herausgegriffen wird. Wenn ich einen Ich*-Gedanken habe, muß ich die Person, an die ich denke, nicht erst identifizieren; noch kann ich irrtümlicherweise glauben, daß ich an jemand anderen denke. Die Fähigkeit, sich als sich selbst* zu begreifen, ist die

15 Castañeda leistete Pionierarbeit zu Selbstbezug und der Zuschreibung von Selbstbezug. Er benutzte ›he*‹, um den reflexiven Gebrauch von ›er (selbst)‹ zu markieren. Siehe seine Aufsätze » ›Er‹: Eine Studie zur Logik des Selbstbewußtseins«, in: Frank (Hg.), *Analytische Theorien des Selbstbewußtseins*, a. a. O., S. 172-209; »Indicators and Quasi-Indicators«, in: *American Philosophical Quarterly* 4 (1967), S. 85-100. Als eine Untersuchung über philosophisches Denken, das die Perspektive der ersten Person zum Ausgangspunkt nimmt, siehe Gareth B. Matthews, *Thought's Ego in Augustine and Descartes*, Ithaca 1992.

16 Es ist nicht wichtig, welches Prädikat an die Stelle von ›F‹ tritt. »Ich denke, daß ich groß bin« zeigt genauso an, daß die Sprecherin an sich als an sich selbst* denken kann wie »Ich denke, daß ich Alpträume bekommen werde«.

Fähigkeit, Ich*-Gedanken zu haben – Gedanken, die einem in indirekter Rede einen Selbstbezug zuschreiben. Ich werde die Verwendung des Asterisk auf alle Kontexte ausdehnen, in denen eine Denkende an sich als an sich selbst* denkt, auch wenn ein daß-Nebensatz fehlt.

Kurz, S kann nur dann an sich als an sich selbst* denken, wenn S sich in der grammatischen ersten Person als Trägerin von Ich-Gedanken artikulieren kann. »Ich bin groß« drückt einen einfachen Ich-Gedanken aus. S kann ihren Gedanken, daß sie die Trägerin des Gedankens »Ich bin groß« ist, mit dem Satz »Ich habe den Gedanken, daß ich* groß bin« formulieren. Dieser letzte Satz zeigt an, daß S an sich als an sich selbst* denkt.

Die Fähigkeit dazu bringt eine Reihe verwandter Fähigkeiten mit sich. Wenn man sich als einen Träger von Ich-Gedanken begreifen kann, dann hat man den Begriff eines Subjekts von Gedanken und kann andere als Subjekte von Gedanken verstehen. Wenn man an sich als an sich selbst* denken kann, hat man nicht nur (zum Beispiel) Wünsche, sondern kann auch an diese Wünsche *als an seine eigenen* denken. Umgekehrt gilt: ohne diese Fähigkeit könnte man jene Einstellungen zu seinen Wünschen nicht haben (›Volitionen zweiter Ordnung‹), die manche als entscheidend für Personsein annehmen.[17] An sich als an sich selbst* denken zu können bedeutet nicht nur, eine Perspektive oder einen subjektiven Standpunkt zu haben – das haben auch Hunde –, sondern es bedeutet, seine Perspektive als seine eigene und die subjektiven Standpunkte anderer als verschieden vom eigenen zu verstehen.

Jeder, der die Fähigkeit hat, sich als sich selbst* zu begreifen, hat die Fähigkeit, an andere Dinge als an von einem selbst verschiedene zu denken. Von einem begrifflichen Standpunkt aus scheint es, daß man keinen Begriff seiner als seiner selbst* haben kann, wenn man sich nicht als verschieden von anderen Dingen begreifen kann. Und dies kann man nur, wenn man Begriffe von Dingen als etwas von einem selbst Verschiedenem besitzt. (Die Fähigkeit, an Dinge als an von einem selbst verschiedene zu denken, benötigt man für den Zweifel, daß solche Dinge existieren.) Dieser begriffliche Punkt wird von den Entwicklungspsycho-

17 Siehe Harry Frankfurt, »Freedom of the Will and the Concept of a Person«, in: *Journal of Philosophy* 68 (1971), S. 5-20.

logen bestätigt – oder vielmehr als selbstverständlich angenommen –, die den Erwerb von Selbstbegriffen stets in Zusammenhang mit dem Erwerb von Begriffen anderer, von einem selbst verschiedener Dinge beschreiben.[18]

Die Fähigkeit, in dem eben beschriebenen Sinne einen Begriff seiner als seiner selbst* zu haben, ist sowohl notwendig als auch hinreichend für den starken Grad von Ich-Phänomenen: Ein Individuum, das der Ort von starken Ich-Phänomenen ist, kann sich als Träger von Ich-Gedanken verstehen. Es offenbart nicht nur die Fähigkeit zum Selbstbezug, sondern auch die zur Selbstzuschreibung von Selbstbezug. Starke Ich-Phänomene scheinen nicht reduzierbar zu sein auf Phänomene, die keine Ich-Phänomene sind. Beispielsweise ist der durch den Satz »Ich bedaure, daß ich* es bin, die dir die Nachricht überbringen muß, daß deine Professur nicht verlängert wird« ausgedrückte Gedanke mit »L. B. bedauert, daß L. B. es ist, der/die ...« nicht angemessen paraphrasiert (er ersetzt die Zuschreibung eines Selbstbezugs mit ›ich‹ durch die Zuschreibung einer Bezugnahme in der dritten Person). Eine angemessene Wiedergabe des Gesagten wäre: »L. B. bedauert, daß sie* (er*) es ist, die (der) ... .« In diesem Satz wird beibehalten, daß mir vom Sprecher zugeschrieben wird, daß ich mit ›ich‹ auf mich selbst Bezug nehme. Wenn ich mir einen Selbstbezug zuschreibe, kann mein Satz nicht in angemessener Weise durch einen Satz wiedergegeben werden, in dem mir kein Selbstbezug zugeschrieben wird: Die Selbstzuschreibung scheint nicht eliminierbar zu sein.[19]

Wir können die Stufen von Ich-Phänomenen so zusammenfassen: Schwache Ich-Phänomene zeigen problemlösende Wesen, deren Verhalten durch perspektivisch verstandene, von ihrem Standpunkt ausgehende Einstellungen erklärbar ist. Wenn ein Hund, der schwache Ich-Phänomene zeigt, seine Einstellungen auf deutsch ausdrücken könnte, würde er die Dinge relativ zu seinem eigenen raum-zeitlichen Ort lokalisieren (zum Beispiel: »Dort ist Gefahr«). Aber dadurch würde er nicht zeigen, daß er einen Begriff seiner selbst hätte oder auch nur die Fähigkeit, sich als sich selbst wiederzuerkennen. Er handelt einfach aus

18 Daniel N. Stern, *The Interpersonal World of the Infant*, New York 1985.

19 Hierfür habe ich argumentiert in »Why Computers Can't Act«, in: *American Philosophical Quarterly* 18 (1981), S. 157-163.

seiner Perspektive heraus, von sich als Zentrum ausgehend. Alle Erfahrung eines empfindungsfähigen Wesens ist perspektivisch; es macht sie von seinem Standpunkt aus. Für schwache Ich-Phänomene ist es charakteristisch, in dieser Weise perspektivisch zu sein.

Dagegen ist es für starke Ich-Phänomene erforderlich, daß das Subjekt die Unterscheidung zwischen der Perspektive der dritten Person und der Perspektive der ersten Person auf sich konzeptualisiert; das Subjekt von starken Ich-Phänomenen kann nicht nur Ich-Gedanken haben (wobei es typischerweise ›ich‹ verwendet), sondern sie sich auch zuschreiben (wobei es typischerweise ›ich*‹ verwendet). Eine Person kann nicht nur an sich, sondern an sich als an sich selbst* denken und an ihre Gedanken als an ihre eigenen*.

Wer die Fähigkeit hat, starke Ich-Phänomene zu zeigen, hat eine Perspektive der ersten Person. Ich werde den Ausdruck ›Perspektive der ersten Person‹ für die Subjekte von starken Ich-Phänomenen reservieren. Man hat demzufolge nur dann eine Perspektive der ersten Person, wenn man die Fähigkeit besitzt, sich als sich selbst* zu begreifen, wobei diese Fähigkeit durch die sprachliche Fähigkeit zur Selbstzuschreibung von Selbstbezug (sowie zum Selbstbezug selber) angezeigt wird.

Kurz gesagt, eine Perspektive der ersten Person zu haben heißt eine bestimmte *Fähigkeit* zu besitzen. Diese Fähigkeit manifestiert sich typischerweise, aber nicht ausschließlich im Gebrauch von Ich*-Sätzen. Sie manifestiert sich auch in den Fällen, in denen jemand einen Gedanken hat, den er nicht mit einem Ich*-Satz ausdrücken würde – wie zum Beispiel »Oh, die reden ja über *mich*!« oder in einer Frage wie »Bin ich die Gewinnerin?« Denn diese Frage könnte man nicht stellen, wenn einem die begrifflichen Ressourcen für den Gedanken fehlten: »Ich frage mich, ob ich* die Gewinnerin bin.« Obwohl also ein Satz wie »Werde ich bald sterben, Doktor?« kein Ich*-Satz ist, zeigt er doch an, daß der Fragende eine Perspektive der ersten Person hat. Sie manifestiert sich in jedem Gedanken einer Person, wie immer er auch ausgedrückt sein möge, den jemand nicht haben könnte, der nicht an sich als an sich selbst* denken kann.

Obwohl ich in der Perspektive der ersten Person auf eine besondere Weise auf mich Bezug nehmen kann, gibt es keinen seltsamen Gegenstand, der da Ich-als-ich-selbst wäre; es gibt keine

Entität, die das »Selbst« wäre – außer der Person, die ich bin.[20] Das Referenzobjekt von ›ich‹ und ›ich*‹ ist die Person: weder der Körper noch ein körperloses Ego. ›Ich*‹ bezeichnet keine gespenstische Entität, das »Selbst«, zu der ich allein direkten Zugang habe. Wenn ich sage »Ich frage mich, ob ich* in zehn Jahren noch davon träumen werde, für eine Seminarsitzung unvorbereitet zu sein«, dann beziehe ich mich zweimal auf mich selbst – auf die Person, L. B., in meiner körperlichen Konkretheit. Wenn ich mit ›ich*‹ auf mich selbst Bezug nehme, so ist das, *worauf* ich mich beziehe, nichts anderes als das, worauf andere sich mit ›L. B.‹ beziehen. Das Besondere an ›ich*‹ ist, daß ich diese Person auf eine Art begreifen kann, in der andere es nicht können, »von innen« heraus sozusagen. Descartes' Entdeckung des »Innen« – oder vielmehr seine Wiederentdeckung, nach Augustinus – ist der wirkliche Beitrag der Zweiten Meditation.[21] Was ich ablehne, ist Descartes' Vergegenständlichung der Innerlichkeit: Das Charakteristische am Personsein muß nicht durch eine logisch private Entität gesichert werden, zu der außer mir niemand Zugang hat.

Demnach beziehen sich ›ich‹ und ›ich*‹ auf dasselbe. Sind sie auch der Ausdruck desselben Begriffs? Wenn wir überhaupt annehmen, daß ›ich‹ oder ›ich*‹ Ausdruck eines Begriffs sind, dann drückt ein Kleinkind (das noch keine starken Ich-Phänomene zeigt) mit der Verwendung von ›ich‹ nicht aus, daß es über einen vollentwickelten Begriff seiner selbst* verfügt, wie es dies später mit ›ich*‹ als auch mit ›ich‹ tut, wenn es die vollentwickelte Perspektive der ersten Person erworben hat. In bezug auf ein Wesen, das nicht über den Begriff seiner selbst verfügt, kennzeichnet ›ich‹ lediglich eine Perspektive. Erst der Erwerb einer Perspektive der ersten Person bringt einen vollentwickelten Begriff seiner selbst mit sich – einen Begriff seiner als seiner selbst*. Ein Wesen, das diesen Begriff erlangt hat, bringt demnach mit ›ich‹ und ›ich*‹ denselben Begriff seiner selbst zum Ausdruck. Aber vor dem Erwerb der Perspektive der ersten Person besitzt ein Wesen, das

20 Strawson hat recht damit, daß Bewußtseinszustände genau denselben Dingen zugeschrieben werden wie körperliche Merkmale; und dieses Ding ist die Person. Siehe Peter F. Strawson, *Einzelding und logisches Subjekt. Ein Beitrag zur deskriptiven Metaphysik* (1959), Stuttgart 1972, S. 114.

21 Siehe Matthews, *Thought's Ego in Augustine and Descartes*, a. a. O.

›ich‹ verwendet, keinen vollentwickelten Begriff seiner selbst. Ein solches Kind beherrscht die Verwendung von ›ich‹ noch nicht vollständig. Eine vollständige Beherrschung schließt die Fähigkeit ein, ›ich*‹ zu verwenden.

Zwischen Selbstbewußtsein und der Perspektive der ersten Person besteht folgende Beziehung: Die Perspektive der ersten Person ist eine notwendige Bedingung für jede Form von Selbstbewußtsein und eine hinreichende Bedingung für eine bestimmte Form von Selbstbewußtsein. Denn ein bewußtes Wesen mit einer Perspektive der ersten Person kann seine Gedanken, Einstellungen, Gefühle und Empfindungen als seine eigenen* begreifen. Und diese Fähigkeit ist eine Form echten Selbstbewußtseins. Jede andere mir bekannte Form von Selbstbewußtsein setzt Selbstbewußtsein in diesem basalen Sinne voraus. Also hat jedes selbstbewußte Wesen – selbstbewußt in welchem Sinne auch immer – eine Perspektive der ersten Person.

Der relationale Charakter der Perspektive der ersten Person

Die Perspektive der ersten Person besitzt mehrere ungewöhnliche Merkmale. Die Tatsache, daß die Bezugnahme auf sich selbst mit ›ich‹ gegen fehlerhaften Bezug immun ist, ist weithin diskutiert worden.[22] Hier möchte ich auf ein anderes und wahrscheinlich kontroverseres Merkmal der Perspektive der ersten Person aufmerksam machen. Diese Perspektive ist relational. Für ein Wesen, das sich ganz allein im Universum befände, wäre es unmöglich, eine Perspektive der ersten Person zu haben. Man kann nicht an sich als an sich selbst* denken, wenn man keine Begriffe von anderen Dingen hat, mit deren Hilfe man sie als von einem selbst verschieden abgrenzen kann; und man kann keinen Begriff

22 Siehe Ludwig Wittgenstein, *The Blue and Brown Books*, Oxford 1958, S. 66 f. Siehe auch Sydney Shoemaker, »Selbstbezug und Selbstbewußtsein«, in: Frank (Hg.), *Analytische Theorien des Selbstbewußtseins*, a. a. O., S. 43-59; sowie ders., »Introspection and the Self«, in: Peter A. French, Theodore E. Uehling und Howard K. Wettstein (Hg.), *Studies in the Philosophy of Mind. Midwest Studies in Philosophy* X, Minneapolis 1986, S. 101-120.

anderer Dinge haben ohne deren Anwesenheit.[23] Nur gegenüber anderen Dingen in der Welt hat man den Standpunkt eines Subjekts mit einer Perspektive der ersten Person.[24] Hier ist ein einfaches Argument für den relationalen Charakter der Perspektive der ersten Person:

(1) X hat eine Perspektive der ersten Person gdw sie an sich als an sich selbst* denken kann.

(2) X kann nur an sich als an sich selbst* denken, wenn X Begriffe hat, die auf von X verschiedene Dinge zutreffen können.

(3) X hat nur dann Begriffe, die auf von X verschiedene Dinge zutreffen können, wenn X Interaktionen mit von X verschiedenen Dingen hatte.

Ergo:

(4) Wenn X eine Perspektive der ersten Person hat, dann hat X Interaktionen mit von X verschiedenen Dingen gehabt.

Demnach hängt X'ens Besitz einer Perspektive der ersten Person von X'ens Beziehung zu anderen Dingen ab. In einem Sinne ist darum die Eigenschaft, eine Perspektive der ersten Person zu besitzen, eine relationale Eigenschaft. X hat nur dann eine Perspektive der ersten Person, wenn X in eine Welt von Dingen eingebettet ist, von der X sich als sie selbst* abgrenzen kann. Das Argument ist logisch gültig, aber ist es überzeugend?

Prämisse (1) ist lediglich eine Wiederholung der Definition der Perspektive der ersten Person. Bei Prämisse (2) handelt es sich nach meiner obigen Argumentation um eine begriffliche Wahrheit, die von Entwicklungspsychologen für selbstverständlich angenommen wird. Die kontroverse Prämisse ist die anti-cartesianische Prämisse (3). (3) ist eine entschiedene Zurückweisung

23 Für eine ausführliche Behandlung dieses Themas siehe Jean-Paul Sartre, *Das Sein und das Nichts*, Hamburg 1953.

24 In diesem Punkt stimme ich mit Strawsons Auffassung überein: »Man kann sich selbst nur dann Bewußtseinszustände zuschreiben, wenn man sie anderen zuschreiben kann« (*Einzelding und logisches Subjekt*, a. a. O., S. 129).

des »Internalismus« in der Philosophie des Geistes, gegen den ich an anderer Stelle ausführlich argumentiert habe.[25] Hier werde ich nur auf die Konsequenzen einer Ablehnung von (3) hinweisen. Die wichtigste Konsequenz ist, daß man daraufhin ohne plausible Erklärung für den Erwerb von Begriffen dastünde. Descartes, der (3) bestreiten würde, hat sich niemals die Frage gestellt, ob sein eigener Gebrauch von Begriffen in den *Meditationes* nicht im Widerspruch zu seinen ontologischen Annahmen steht. Er nahm einfach an, daß er seine Überzeugungen über von ihm selbst verschiedene Dinge einklammern und immer noch entsprechende empirische Begriffe (zum Beispiel ›vor dem Kaminfeuer sitzen‹) wie auch die zum Denken von ›Ich bin mir gewiß, daß ich* existiere‹ zur Verfügung haben könnte. Descartes hat sich nicht gefragt, wie er die für all diese Gedanken notwendigen Begriffe hätte erwerben können, wenn er das einzige endliche Wesen wäre.

Ein Cartesianer könnte einwenden, daß Descartes möglicherweise den Begriff von ›sitzen‹, ›vor‹ und ›Kaminfeuer‹ aufgrund der Tatsache erworben hat, daß es *ihm so schien*, als würde er vor dem Kaminfeuer sitzen. Aber damit ist nichts gewonnen: Wenn Descartes aus der Prämisse, daß es ihm so schien, als säße er vor dem Kaminfeuer, Schlußfolgerungen ziehen konnte, dann muß er den Begriff von ›vor dem Kaminfeuer sitzen‹ und somit die Begriffe von ›sitzen‹ und ›vor‹ und ›Kaminfeuer‹ *bereits gehabt* haben. Aber es ist gerade der Erwerb dieser Begriffe, über den wir uns Gedanken machen.

Der Cartesianer könnte des weiteren einwenden, daß alle Begriffe angeboren seien; in diesem Falle wäre Descartes mit den Begriffen von ›sitzen‹, ›vor‹ und ›Kaminfeuer‹ zur Welt gekommen. Doch dies kann nicht richtig sein: Die Hypothese der Angeborenheit kann nicht in einem solch starken Sinne aufgefaßt werden. Denn in diesem allzu starken Sinn würde jeder nicht nur mit dem Begriff von ›sitzen‹ usw., sondern auch mit dem Begriff von ›Quarks‹ zur Welt kommen. Doch das ist falsch; Descartes war ein Genie, aber er hatte keinen Begriff von Quarks. Darüber hinaus wäre gemäß diesem Sinn der Angeborenheitshypothese

25 Siehe meine Bücher *Saving Belief: A Critique of Physicalism*, Princeton 1987, S. 23-105, sowie *Explaining Attitudes: A Practical Approach to the Mind*, Cambridge 1995, S. 42-56.

(wenn es einer ist) Descartes mit dem Begriff von ›vor dem Kaminfeuer sitzen‹ zur Welt gekommen, ohne daß ihm dieser für den Gebrauch im Denken zur Verfügung gestanden hätte. (Er konnte erst Jahre nach seiner Geburt über das Sitzen vor dem Kaminfeuer nachdenken.) Es scheint jedoch zum Verfügen über einen Begriff zu gehören – ob Begriffe nun mentale Repräsentationen, Fähigkeiten oder etwas anderes sind –, daß er für den Gebrauch im Denken verfügbar ist. Wir können also nicht sagen, daß Descartes bereits mit einem Begriff von ›vor dem Kaminfeuer sitzen‹ zur Welt gekommen ist.[26]

Darauf könnte ein Cartesianer schließlich einwenden, daß Descartes sozusagen mit Begriffs-Keimen zur Welt kam, die in ihm wuchsen (wie Zehennägel) ohne irgendeine Interaktion mit endlichen Dingen außer ihm selbst. Möglicherweise behauptet er auch, daß Gott Descartes' Geist alle relevanten Begriffe zur richtigen Zeit einflößte. Ich finde solche Vorschläge völlig unplausibel. Darauf könnte der Cartesianer entgegnen: »Sicher sind diese Vorschläge empirisch unplausibel, aber immerhin sind sie metaphysisch möglich.« Ich weiß nicht, wie ich darauf antworten soll – es sei denn, mit der Frage: Aufgrund von was besitzt jemand den Begriff von *Feuer*, unabhängig von seinen Interaktionen mit anderen Dingen (vielleicht nicht mit Kaminfeuer, sondern mit brennenden Zigaretten oder elektrischen Herden)? Ich frage nicht nach Belegen; ich frage danach, was unabhängig von den Interaktionen einer Person mit anderen Dingen festlegen könnte, daß sie den einen Begriff hat und nicht den anderen. Ein bestimmter Gehirn- oder Seelenzustand oder eine bestimmte mentale Repräsentation? Aber diese Antwort macht die ursprüngliche Frage nicht gegenstandslos: Was könnte unabhängig von Interaktionen mit der Umwelt festlegen, daß ein bestimmter Gehirn- oder Seelenzustand ein Begriff von ›sitzen‹ oder ›vor‹ oder ›Feuer‹ ist oder daß eine bestimmte mentale Repräsentation irgendeines dieser Dinge repräsentiert? Diese Fragen betreffen nicht einfach nur kontingente Tatsachen über den Begriffserwerb, sondern vielmehr (nichtkontingente) Tatsachen darüber, was es heißt, empirische Begriffe zu haben. Und ich sehe keine

26 Dieser Punkt würde von der Wahrheit derjenigen Angeborenheits-Hypothesen nicht berührt werden, die von Kognitionswissenschaftlern, darunter Chomsky und Fodor, vorgeschlagen werden.

mögliche Antwort auf solche Fragen, ohne auf die Umwelt zurückzugreifen.

Ein moderner Cartesianer würde vielleicht sogar darin zustimmen, daß man auch in einer bestimmten kausalen Beziehung zu den Dingen in der Außenwelt (wie Feuer) stehen muß, und hinzufügen, daß man für den Besitz des Begriffs des Feuers gewillt sein muß, aus gewissen Arten von Sinneswahrnehmungen bestimmte Schlüsse zu ziehen. Aber der Cartesianer könnte fortfahren, daß wir uns zusätzlich zum Begriff des Feuers einen alternativen Begriff ›$Feuer_2$‹ vorstellen können – einen Begriff, der dieselbe inferentielle Rolle innehat wie ›Feuer‹, den man aber besitzen kann, ohne daß er irgendeine externalistische kausale Anforderung erfüllt. Dann könnte man behaupten, daß Descartes den Begriff des ›$Feuers_2$‹ besaß und daß Begriffe wie ›$Feuer_2$‹ genügen, um die Prämisse (2) des Arguments für den relationalen Charakter der Perspektive der ersten Person zu erfüllen. So könnte der moderne Cartesianer folgern, daß die Prämisse (3) falsch ist und das Argument daher nicht überzeugt.

Nun ist die Prämisse (3) nur dann falsch, wenn eine Person den Begriff von ›$Feuer_2$‹ ohne jede Interaktion mit von ihr verschiedenen Dingen erwerben könnte. Dann aber kommt dieselbe alte Frage auf: Unter welchen Bedingungen würde sie einen Begriff von ›$Feuer_2$‹ haben? Der moderne Cartesianer kann sich nicht einfach des Konzepts der inferentiellen Rolle bedienen.[27] Denn wenn die Person die einzige Bewohnerin des Universums wäre, was würde als Schluß, daß p, gelten im Unterschied zu dem Schluß, daß q? Aufgrund von was würde etwas überhaupt als ein Schluß gelten? Der moderne Cartesianer kann sich auch nicht darauf berufen, daß es der Person so *scheint*, als schlösse sie, daß p, oder als schlösse sie überhaupt auf irgend etwas. Denn dafür, daß sie schließt (im Gegensatz zu dem Fall, in dem es ihr so scheint, als schlösse sie), ist es nicht nur nicht erforderlich, daß sie den Begriff des Schließens besitzt; vielmehr erfordert gerade, daß

27 Die Annahme, daß ein bestimmter Begriff durch eine solipsistisch verstandene inferentielle Rolle individuierbar wäre, mag auf einer Vorstellung wie dieser beruhen: Ein Homunculus in meinem Kopf schaut auf einen internen Monitor, wobei die Interpretation der Erscheinungen auf dem Monitor unabhängig davon feststünde, woran der Monitor angeschlossen ist. Eine solche Vorstellung wäre vollkommen irreführend.

es ihr so scheint, als schlösse sie, den Besitz dieses Begriffs, für dessen Erwerb wir keine Cartesianische Erklärung haben. Ebensowenig kann sich der moderne Cartesianer auf Instantiierungen von »mentalesischen« Zeichen oder auf Gehirnzustände berufen. Denn *ex hypothesi* ist *keines* dieser Zeichen (wenn es sie denn überhaupt gibt) interpretiert. Mit dem Begriff von ›Feuer$_2$‹ verhält es sich nicht so wie bei Hume mit der fehlenden Idee für eine bestimmte Abstufung des Blau, für die sozusagen durch die anderen Farbeindrücke ein Platz geschaffen wurde. Wenn die Person allein im Universum wäre, wäre es ein unergründliches Geheimnis, was als der Besitz des einen Begriffs und nicht eines anderen gelten würde.[28] So liefert das Fingieren von alternativen Begriffen wie ›Feuer$_2$‹ keinen guten Grund, (3) abzulehnen.

Ich beanspruche nicht, jene widerlegt zu haben, die (3) bestreiten, aber ich hoffe, daß ich die Schwierigkeiten dieses Aspekts des Cartesianismus deutlich gemacht habe. Obwohl ich keine – cartesianische oder nichtcartesianische – Theorie über Begriffe oder Begriffserwerb habe, würde ich mich für die erstere an Wittgenstein halten und für die letztere an die Entwicklungspsychologen. Beide Quellen – Wittgenstein wie auch die Entwicklungspsychologen – machen das Urteil darüber, ob jemand über einen bestimmten Begriff verfügt, in starkem Maße von seinen Interaktionen mit der Umwelt abhängig.

Es ist beachtenswert, daß durch (3) die Drohung des Solipsismus, verstanden als die Ansicht, daß nichts außer mir existiert, hinfällig wird. Denn (3) verschiebt das Problem des Solipsismus von der Frage, die oft von Studienanfängern gestellt wird: »Mit welchem Grund läßt sich der Solipsismus zurückweisen?« zu einer Frage, die dieser vorausgeht: »Ist es denkbar, daß der Solipsismus wahr ist?« Wenn ich die These des Solipsismus formulieren kann, dann habe ich Begriffe, die auf andere Dinge außer mir anwendbar sind. Und wenn ich solche Begriffe habe, dann ist (gegeben (3)) der Solipsismus begrifflich falsch; und wenn der Solipsismus begrifflich falsch ist, dann bedarf es keiner weiteren

28 Vergleiche: Was würde als die Lösung einer »Gleichung« gelten, die nur aus Variablen bestünde? Oder noch schlimmer: Was macht ein bestimmtes Zeichen zu einer Variablen? Oder aufgrund von was würde die Zeichenkette als die eine Gleichung gelten und nicht als die andere oder überhaupt als eine Gleichung?

Zurückweisung. Das Argument für den relationalen Charakter der Perspektive der ersten Person impliziert, daß Descartes seine skeptische Frage nicht einmal aufwerfen kann, es sei denn, eine nicht-skeptische Antwort darauf steht schon fest.

Die Unentbehrlichkeit der Perspektive der ersten Person

Zwei Arten von Überlegungen legen nahe, daß die Perspektive der ersten Person für unser Theoretisieren über die Wirklichkeit unentbehrlich ist. Die erste (I) betrifft die Sprache: Aus Ich*-Sätzen läßt sich der Selbstbezug nicht eliminieren, wie auch immer es sich damit bei einfachen Ich-Sätzen in direkter Rede verhalten mag. Die zweite (II) betrifft psychologische Erklärungen: Bestimmte psychologische Verhaltenserklärungen erfordern es, der Person, deren Verhalten erklärt werden soll, die Perspektive der ersten Person zuzuschreiben.

(I) Obwohl die Perspektive der ersten Person nicht an natürliche Sprache gebunden ist, manifestiert sie sich, wie wir gesehen haben, oft darin, daß eine Person Ich*-Sätze verwendet. Ich möchte zeigen, daß sich Ich*-Sätze von einfachen Ich-Sätzen in direkter Rede dadurch unterscheiden, daß der Selbstbezug aus Ich*-Sätzen nicht eliminierbar ist, mag dies nun bei einfachen Ich-Sätzen möglich sein oder nicht. Betrachten wir die Kontexte der Verwendung von ›ich‹, für die wir einigen Philosophen zufolge ohne die grammatische erste Person auskommen können. Nach Peter Geach zum Beispiel dient das Pronomen ›ich‹ dazu, die Aufmerksamkeit auf den Sprecher zu lenken, während ›ich‹ im Monolog »müßig, überflüssig« sei. Wenn Descartes gesagt hätte: »Ich gerate in eine furchtbare Verwirrung«, so behauptet Geach, dann hätte er sich ebenso gut mit dem Satz »Das ist eine furchtbare Verwirrung« ausdrücken können.[29] Bertrand Russell sagt etwas Ähnliches: Die Prämisse »Ich denke« könne als »Es wird gedacht« reformuliert werden (und stütze daher, so Russell,

29 Peter Geach, *Mental Acts*, New York 1957, S. 118. In »On Beliefs About Oneself« (in: *Logic Matters*, Oxford 1972, S. 128 f.) erörtert Geach das indirekte Reflexivpronomen in ›believes that he himself is clever‹.

nicht die Konklusion »Ich existiere«, in der ›Ich‹ sich auf ein substantielles Selbst bezieht).[30]

Russell und Geach geben Grund zu der Annahme, daß die Verwendung von ›ich‹ in einfachen Sätzen zusammen mit der Unfähigkeit, Ich*-Sätze zu verwenden, ein Kennzeichen schwacher Ich-Phänomene sein könnte. Stellen wir uns vor, daß ein Hund, dem die Perspektive der ersten Person fehlt, sprechen könnte. Als Subjekt schwacher Ich-Phänomene könnte dieser durchaus einfache Ich-Sätze wie »Ich sehe einen potentiellen Sexualpartner« äußern. Eine solche Äußerung könnte genauso gut mit »Dort drüben ist ein potentieller Sexualpartner« wiedergegeben werden. Da ihm aber die Perspektive der ersten Person fehlt, könnte er nicht sinnvoll äußern: »Ich hoffe, daß ich* einen passenden Sexualpartner finden werde.« Auf der Basis von Geachs und Russells Bemerkungen nehme ich an, daß bei den schwache Ich-Phänomene aufweisenden Wesen, denen indes die Perspektive der ersten Person fehlt, die grammatische erste Person vollständig eliminiert werden kann.

Anders verhält es sich dagegen bei Wesen, die eine vollentwikkelte Perspektive der ersten Person haben und eine Sprache wie Deutsch sprechen. Denn solche Sprecher sind fähig, sinnvoll Ich*-Sätze zu äußern, aus denen der Selbstbezug nicht eliminierbar ist. Ein mit ›ich*‹ formulierter Gedanke kann nicht ebenso gut durch einen ohne jenen Selbstbezug ausgedrückt werden.[31] Zum Beispiel gibt es keine Möglichkeit, den cartesianischen Gedanken »Ich bin mir gewiß, daß ich* existiere« in der dritten Person zu artikulieren. Descartes erhob Anspruch auf die Gewißheit, daß *er** existiere, nicht auf die Gewißheit, daß *Descartes*

30 Bertrand Russell, *A History of Western Philosophy*, New York 1945, S. 567.

31 Zum Cogito: Wenn wir Descartes' Prämisse im Cogito nicht als ›Ich denke‹, sondern als ›Ich bin mir gewiß, daß ich* denke‹ interpretieren, dann stützt sie die Konklusion, daß ich existiere. Aber: (1) Descartes war bei seinen skeptischen Annahmen über kontingente Dinge außerhalb seiner zu keiner der Prämissen berechtigt. Er kann sich nicht einfach des Begriffs des Denkens bedienen. (2) Selbst wenn ich ein Ding bin, das denkt (darin stimme ich Descartes zu), bin ich keine immaterielle Seele. (3) ›Ich‹ und ›ich*‹ beziehen sich auf dasselbe Ding: mich, eine Person. Eine Person ist in einem gewissen Sinne eine Substanz: eine verkörperte denkende Substanz mit einer Perspektive der ersten Person.

existiere. Und diese Gewißheitszustände sind nicht äquivalent.[32] Deshalb kann »Ich bin mir gewiß, daß ich* existiere« nicht genauso behandelt werden wie Russell es für »Ich denke« vorgeschlagen hat, was plausiblerweise mit »Es wird gedacht« wiedergegeben werden kann. Das ›ich*‹ ist nicht eliminierbar. Summa summarum: Ob Geach und Russell nun in bezug auf die Verwendung von ›ich‹ in direkter Rede recht haben oder nicht, ihr Punkt träfe auf die Verwendung von ›ich‹ in indirekter Rede nicht zu. Die Bezugnahme auf sich selbst mit ›ich‹ ist nicht eliminierbar, wenn ›ich‹ als ›ich*‹ in indirekter Rede verwendet wird und solche Verwendung die Perspektive der ersten Person anzeigt.

(II) Zweitens muß die Perspektive der ersten Person wohl als unentbehrlich für die psychologische Erklärung angesehen werden. Einige psychologische Erklärungen erfordern sie insofern, als sie einem Akteur Einstellungen zuschreiben, die ihm ohne eine Perspektive der ersten Person gar nicht verfügbar wären. Zum Beispiel: Ein Teil der Erklärung, warum Ödipus sich die Augen ausstach, ist, daß ihm klar wurde, daß er* der Mörder von Laios ist. Ödipus hätte dies auch ohne Verwendung eines Ich*-Satzes etwa mit dem einfachen Satz »Ich habe Laios getötet« ausdrücken können. Aber der psychische Zustand, der erklären hilft, warum er sich blendete – die Erkenntnis, daß er* Laios getötet hat –, erfordert, daß Ödipus an sich als an sich selbst* denken kann.

Wir können dies auf zweierlei Weise einsehen. (i) Als Ödipus nach dem Mörder von Laios suchte, wußte er nicht, daß er dieser Mörder war, bis es ihm schließlich aufging. Wir haben oben gesehen, daß eine Person, die sich fragt, ob sie* die Gewinnerin ist, die begrifflichen Ressourcen besitzen muß, um den mit »Ich frage mich, ob ich* die Gewinnerin bin« ausdrückbaren Gedanken zu haben. In der gleichen Weise erfordert Ödipus' Erkenntnis, daß er* der Mörder von Laios ist, den Besitz der begrifflichen Ressourcen, um den mit »Obwohl mir das vorher nicht klar war, erkenne ich nun, daß ich* der Mörder von Laios bin« ausdrückbaren Gedanken zu haben. Wer keine Perspektive der ersten Person besitzt, könnte diesen Gedanken nicht haben. So erfordert Ödipus' Erkenntnis, ob sie nun tatsächlich mit einem Ich*-Satz

32 Vgl. Castañeda, »›Er‹: Eine Studie zur Logik des Selbstbewußtseins«, a. a. O., und »Indicators and Quasi-Indicators«, a. a. O.; sowie Baker, »Why Computers Can't Act«, a. a. O.

ausgedrückt wird oder nicht, daß er sich als sich selbst* begreifen kann.

(ii) Nach einer plausiblen Interpretation mußte Ödipus an sich als an sich selbst* denken, damit seine Erkenntnis, daß er* Laios getötet hat, ihn dazu motivierte, sich zu blenden. Ich wiederhole hier nicht bloß John Perrys Punkt, daß Handlungen durch indexikalisch verstandene Überzeugungs-Zustände erklärt werden.[33] Derartige Zustände (manchmal ›selbst-lokalisierende Überzeugungen‹ genannt) situieren einen Akteur perspektivisch in einer Umwelt. Diese Fähigkeit zur Selbst-Lokalisierung, die, wie wir oben sahen, von allen problemlösenden Tieren (die Subjekte schwacher Ich-Phänomene sind) geteilt wird, genügt nicht für eine Perspektive der ersten Person. Auch erklären die bloß selbst-lokalisierenden Überzeugungen nicht, warum Ödipus sich blendete. So würde etwa der folgende Gedankengang, der selbst-lokalisierende Überzeugungen mit einschließt, als angemessene Erklärung für Ödipus' Verhalten nicht genügen: »Wer immer Laios getötet hat, sollte geblendet werden; ich habe Laios getötet; also sollte ich geblendet werden.« Ödipus blendete sich vielmehr aufgrund seines Entsetzens angesichts der Erkenntnis, daß *er selbst* Laios getötet hatte. Nichts Geringeres als die Perspektive der ersten Person würde Ödipus' Motivation gerecht. Wenn dies richtig ist, dann müssen wir für die Erklärung von Ödipus' Verhalten annehmen, daß er nicht nur Subjekt schwacher Ich-Phänomene ist, die selbst-lokalisierende Überzeugungen zulassen würden, sondern auch, daß er einen Begriff seiner selbst von einem Standpunkt der ersten Person aus hat. Da die richtige psychologische Erklärung erfordert, daß Ödipus die Fähigkeit hat, an sich als an sich selbst* zu denken, kann die Perspektive der ersten Person von keiner Psychologie ignoriert werden, die eine vollständige Theorie des Verhaltens sein will. [...]

33 Es geht mir hier auch nicht um die Semantik der Ich-Sätze. John Perry zum Beispiel würde den Wandel von der Dritte-Person- zu der Erste-Person-Perspektive als einen Wandel des Überzeugungs-Zustands, nicht als einen Wandel der geglaubten Proposition beschreiben. Steven Boer und William Lycan haben dafür argumentiert, daß es keine semantische Differenz zwischen Erster-Person- und Dritter-Person-Perspektive gibt, nur eine pragmatische Differenz. Siehe Perry, »Das Problem der wesentlichen Indexwörter«, a. a. O., sowie Steven E. Boer und William G. Lycan, *Knowing Who*, Cambridge, Mass. 1986.

Eine Herausforderung für den Naturalismus

Kann der Naturalismus der Perspektive der ersten Person Rechnung tragen? Die Antwort hängt davon ab, was mit ›Naturalismus‹ gemeint ist. Wenn der Naturalismus nur fordert, daß man an nichts Übernatürliches oder Immaterielles appellieren darf, dann ist die Perspektive der ersten Person naturalistisch. Es erscheint nicht weniger wahrscheinlich, daß die Fähigkeit zu einer Perspektive der ersten Person von der Evolution hervorgebracht worden ist, als die Sprachfähigkeit oder die Fähigkeit zum Lösen von Differentialgleichungen. Nennen wir diesen Sinn von Naturalismus ›schwachen Naturalismus‹. Es gibt hingegen robustere Auffassungen von ›Naturalismus‹, die mit dem lockeren ontologischen Pluralismus unvereinbar sind, der mir plausibel erscheint. Ein robusterer Naturalismus wäre die Position, daß nur das existiert, was die Unterstützung der Naturwissenschaften hat. Dieser robustere Naturalismus ist oft mit verschiedenen Programmen der »Naturalisierung« verbunden, die eine vollständige und hinreichende Erklärung verschiedener intentionaler, semantischer und mentaler Phänomene mit Hilfe von nichtintentionalen, nichtsemantischen und nichtmentalen Begriffen anstreben. Für diesen robusten Naturalismus, in seinen erkenntnistheoretischen wie in seinen ontologischen Versionen, stellt die Perspektive der ersten Person eine Herausforderung dar.

Auf den ersten Blick mag es so aussehen, als hätte ein robuster oder reduktiver Naturalist keine Schwierigkeiten mit der Perspektive der ersten Person. Ein Funktionalist könnte zum Beispiel annehmen, daß jemand mit einer Perspektive der ersten Person einfach ein mentales Symbol besitzt, das die funktionale Rolle von ›ich*‹ spielt. Wenn der Funktionalismus also im übrigen akzeptabel wäre,[34] könnte man meinen, daß die Perspektive der ersten Person keine weitere Schwierigkeit für ihn darstellt. Als Alternative könnte der reduktive Naturalist auch vorschlagen, die höherstufigen Gedanken über einen selbst so aufzufassen, daß sie irgendeine Art selbstbezüglicher Begriffe enthalten.

34 Ich habe aus anderen Gründen gegen den Funktionalismus argumentiert. Siehe meinen Aufsatz »A Farewell to Functionalism«, in: *Philosophical Studies* 48 (1985), S. 1-13; und mein Buch *Saving Belief. A Critique of Physicalism*, a. a. O.

Diese Vorschläge reformulieren das Problem jedoch lediglich und lösen es nicht. Es ist weder eines von Begriffen im allgemeinen noch von indexikalischen Begriffen (wie ›hier‹ und ›jetzt‹) im besonderen. Hier geht es um eine bestimmte *Fähigkeit* – die Fähigkeit, sich als sich selbst* zu begreifen. Wie wir am Beispiel von Ödipus' Motivation dafür, sich zu blenden, gesehen haben, geht diese über die Fähigkeit hinaus, selbst-lokalisierende Überzeugungen der Art zu haben, wie Perry sie diskutiert hat. Um zu zeigen, wie ein robuster oder reduktiver Naturalismus der Perspektive der ersten Person Rechnung tragen könnte, müßte man eine nichtintentionale und nichtsemantische Beschreibung der Bedingungen liefern, unter denen ein Individuum diese Fähigkeit besitzt. Ich behaupte nicht, daß dies nicht möglich ist, sondern lediglich, daß dies eine Herausforderung ist, auf die die robusten Naturalisten bislang nicht eingegangen sind.

Die Herausforderung für die Naturalisten besteht also darin: Entweder müssen sie sich mit dem schwachen Naturalismus zufriedengeben oder zeigen, wie der Perspektive der ersten Person von einem robusten Naturalismus Rechnung getragen werden kann, oder zeigen, wie man ohne die Perspektive der ersten Person auskommt. Ich habe einige Gründe dafür genannt, daß eine vollständige Theorie des menschlichen Verhaltens die Perspektive der ersten Person anerkennen muß. So denke ich, daß sich die Optionen auf zwei reduzieren: sich entweder mit dem schwachen Naturalismus zufriedenzugeben oder zu zeigen, wie der Perspektive der ersten Person von einem robusten Naturalismus Rechnung getragen werden kann. Aber möglicherweise habe ich unrecht; und so warte ich auf die Antwort des Naturalisten.[35]

Übersetzt von Marianne Schark

35 Ich danke Gareth B. Matthews und Katherine Sonderegger, die mehrere Fassungen dieses Aufsatzes gelesen und hilfreiche Vorschläge gemacht haben.

Holm Tetens
Der gemäßigte Naturalismus der Wissenschaften

1. Der ambitionierte Naturalismus der Philosophen und die Praxis der Wissenschaften

Natürlich, Naturalismus ist nicht wohldefiniert, und unter dem Schlagwort »Naturalismus« verbergen sich ganz unterschiedliche philosophische Projekte. Aber diese Art von Unübersichtlichkeit ist ja nichts Neues in der Philosophie. Bei aller Unübersichtlichkeit, eines eint sicher die meisten Naturalisten, sie alle halten große Stücke auf die Wissenschaften. Zugleich sind viele dieser philosophischen Naturalismusprojekte ambitioniert, ja ich habe den Verdacht, daß sie zu ambitioniert sind. Viele der Naturalismuskonzeptionen in der Philosophie, so meine These, haben oft mehr mit Wunschdenken als mit der Realität der Wissenschaften zu tun. Die Wissenschaften praktizieren einen gewöhnlichen Naturalismus, der viel bescheidener, viel gemäßigter ist als der Naturalismus, den so mancher Philosoph mit Berufung auf ebendiese Wissenschaften verkündet.

Oftmals wollen die Naturalisten unter den Philosophen nicht wahrhaben, daß die Wissenschaften weit hinter dem zurückbleiben, was sie in sie hineinlesen. Einige dieser Philosophen reagieren auf diese Diskrepanz, wie Philosophen oft auf den Widerspruch zwischen Philosophie und Realität reagieren: Sind die Wissenschaften anders, als wir Philosophen sie uns denken und gerne wünschen, um so schlimmer für die Wissenschaften. So denke ich nicht. Daher werde ich die gemäßigte naturalistische Praxis der Wissenschaften gegen die weit über das Ziel hinausschießenden Ambitionen naturalistischer Programme in der Philosophie verteidigen. Wie die gemäßigte naturalistische Praxis der Wissenschaften den ambitionierten Naturalismus in der Philosophie in Frage stellt, soll im folgenden unser Thema sein.

Ich werde so vorgehen: Zunächst formuliere ich die programmatische Kernaussage eines Naturalismus, der sich direkt auf die alltägliche Praxis der Wissenschaften berufen kann. Um diese

Kernaussage weiter auszubuchstabieren, werde ich im dritten Teil Anleihen bei der theoretischen Philosophie Kants machen. So durch Kant belehrt, läßt sich das Maßvolle des von mir in den Blick genommenen Naturalismus schnell auf den Punkt bringen. Es ist ein Naturalismus ohne Physikalismus, davon handelt Abschnitt 4, und es ist, griffig, aber mißverständlich gesagt, ein Naturalismus ohne Kausalität, davon handelt Abschnitt 5. Die Kernaussage des gemäßigten Naturalismus ist fast ein Gemeinplatz, das haben nichtexzentrische Thesen in der Philosophie nun einmal so an sich. Doch ist die Kernaussage nur fast ein Gemeinplatz, denn Zündstoff birgt sie gleichwohl, und zwar metaphilosophischen. Mit der Aussicht auf weiteren Streit über die Rolle der Philosophie im Konzert der Wissenschaften enden meine Überlegungen.

2. Der Naturalismus der empirischen Forschung

Ich möchte gleich mit der Tür ins Haus fallen. So viel scheint mir klar zu sein: Was immer man unter Naturalismus versteht, es geht dabei um uns Menschen. In einer ersten Annäherung und noch in enger Tuchfühlung mit dem Ausdruck »Naturalismus« könnte man dem Naturalismus die Generalthese zuschreiben: Mit allem, was Menschen sind, tun und können, sind sie ein Teil der natürlichen Welt. Interpretationsbedürftig ist dabei klarerweise die Wendung »Teil der natürlichen Welt sein«. Viele Philosophen lesen diese Wendung als »Teil der physischen Welt sein«. Der Naturalismus besagt dann: Mit allem, was Menschen sind, tun und können, sind sie ein Teil der physischen Welt. Obwohl daran viel Wahres ist, ist diese These gleichwohl problematisch. Denn für die physische Welt ist die Physik zuständig, es ist die Welt, die wir mit den Mitteln der Physik beschreiben. Dürfen oder müssen Naturalisten also sagen: Mit allem, was Menschen sind, tun und können, sind sie ein Teil der physischen Welt, die (im Prinzip) durch die Physik vollständig beschrieben werden kann? Und das läßt sich drastischer formulieren: Alles, was Menschen sind, tun und können, läßt sich im Prinzip durch die Physik beschreiben. Diese These firmiert unter dem Titel des Physikalismus, und der Physikalismus wird von vielen Philosophen rundheraus abgelehnt.

Allein, die Wendung, von der wir ursprünglich ausgegangen sind, nämlich die Wendung »Teil der natürlichen Welt sein«, läßt sich auch auf eine sehr schlichte und harmlose Weise lesen, die sich an das hält, was in den Wissenschaften unbestreitbar geschieht: *Mit allem, was Menschen sind, tun und können, sind sie ein Teil der einen Erfahrungswelt, und diese eine Erfahrungswelt wird arbeitsteilig von den empirischen Einzelwissenschaften erforscht.* Das ist die Kernaussage des gemäßigten Naturalismus, zu dem sich die Wissenschaften vielleicht nicht immer philosophisch-programmatisch ausdrücklich bekennen, den sie dafür aber um so entschiedener und erfolgreicher praktizieren. Gegen diese naturalistische Generalthese rührt sich vermutlich selbst von seiten der Philosophen kaum Widerstand, zumal dann, wenn man den Begriff »empirische Einzelwissenschaften« empirisch versteht, also als Sammelbezeichnung für die verschiedenen Wissenschaften. Die Physik gehört natürlich immer noch dazu, aber sie beherrscht das Feld nun nicht mehr alleine, die Chemie, die Biologie, die Psychologie, die Soziologie, die Wirtschaftswissenschaften, die Jurisprudenz, die Geschichtswissenschaften, und selbst die Kunst- und Literaturwissenschaften, sonst oft in der Kontroverse um den Naturalismus vergessen, sind dann mit von der Partie.

Bei einer so großzügigen Lesart scheint sich die These des Naturalismus fast in eine Binsenwahrheit aufzulösen: Es sind die empirischen Einzelwissenschaften, die uns am besten darüber informieren, was Menschen sind, tun und können. Was ließe sich dagegen sagen? Daß sich fast alle mit einem so formulierten Naturalismus einverstanden erklären können, ist freilich nicht unbedingt ein Einwand. »Naturalismus – ja was denn sonst?«, ist das nicht schon lange die einzig richtige Haltung gegenüber der Aufregung unter Philosophen über den Naturalismus?

Bevor man dieser scheinbar völlig harmlosen Version von Naturalismus zustimmt, sollte die Kernaussage des gemäßigten Naturalismus in einer, wie wir sehen werden, folgenreichen Hinsicht noch erläutert werden. Was heißt es genauer, daß etwas Teil der *einen* Erfahrungswelt ist. Die Betonung liegt hier auf der Einheit der Erfahrungswelt. Denn daß es ein und dieselbe Welt ist, in der alle Gegenstände ausnahmslos unterzubringen sind, von den Gegenständen der Physik bis zum Mentalen bei Tier und Mensch, ist das Minimum an anti-dualistischer Tendenz, das kein

Naturalismus unterschreiten kann, ohne aufzuhören, Naturalismus zu sein. »Einheit der Erfahrung(swelt)« ist jetzt auch das Stichwort für den vielleicht anfänglich etwas paradox anmutenden Versuch, dem anti-aprioristisch eingestellten Naturalismus mit Überlegungen des Aprioristen Kant auf die Sprünge zu helfen.

3. Die Einheit der Erfahrungswelt – eine kantische Perspektive

Kant hat wie kaum ein anderer betont, daß unsere Erfahrungswelt ein Ganzes, daß sie, wie Kant sagt, eine »Einheit« ist. Niemand macht isolierte Erfahrungen. Die Erfahrungen eines Menschen sind durchgängig miteinander verknüpft. Erst aus den miteinander zur »Einheit der Erfahrung« verknüpften Einzelerfahrungen entsteht objektivierte Erfahrungserkenntnis, objektiviertes empirisches Wissen.[1] Das sollten wir ein wenig genauer betrachten.

Wenn jemand eine Einzelerfahrung macht, werden immer wieder einmal bei ihm selbst oder bei anderen Zweifel auftauchen, ob tatsächlich der Fall ist, was er zu erfahren glaubt. Subjektive Erfahrungen gilt es zu objektivieren. Wenn jemand glaubt, einen bestimmten Sachverhalt erfahren zu haben, und andere die Objektivität dieser Sachverhalte bezweifeln, wie werden solche Zweifel ausgeräumt? Ein erster Schritt kann darin bestehen, so genau wie möglich anzugeben, wann und wo man den strittigen Sachverhalt glaubt erfahren zu haben. Andere können dann den

1 Kant umgibt seinen Grundsatz der synthetischen Einheit der Erfahrung mit einer Reihe höchst bemerkenswerter Thesen. So ist Kant der Meinung, daß es auf unsere eigenen Aktivitäten zurückgeht, wenn wir die einzelnen Erfahrungen miteinander verknüpfen. Und weiter glaubt er, daß die obersten Prinzipien, nach denen wir unsere Erfahrungen miteinander vernetzen, synthetische Aussagen a priori darstellen. Schließlich sieht Kant die synthetische Einheit der Erfahrung unauflöslich verknüpft mit der Einheit des Selbstbewußtseins. Für uns einschlägig ist jedoch nur die eine These Kants, daß etwas erst dann zu einem objektiven Bestandteil der einen Erfahrungswelt wird, wenn es in geeigneter Weise mit den Inhalten anderer Erfahrungen zusammensteht.

Ort des Geschehens aufsuchen, um den behaupteten Sachverhalt dort ebenfalls zu beobachten. Erfahrungssachverhalte müssen sich so räumlich lokalisieren und zeitlich datieren lassen, daß sie von verschiedenen Beobachtern aufgefunden werden können, und dazu müssen sie in einem durchgängigen raum-zeitlichen Zusammenhang untereinander stehen.[2]

Selbstverständlich ist die Lage um einiges komplizierter. Nicht immer reicht es zu wissen, wo und wann ein Erfahrungssachverhalt stattfindet. Oftmals kommt ein Beobachter, der den behaupteten Erfahrungsinhalt eines anderen nachprüfen will, zu spät, der Sachverhalt ist längst verschwunden, ohne daß das sofort gegen die Objektivität dieses Sachverhalts sprechen muß. Der Beobachter wird sich statt dessen daran halten, daß jeder objektive Sachverhalt sowohl seine kausale Vorgeschichte hat als auch seine kausalen Spuren hinterlassen wird. Er wird also schließen: Wenn am Ort x zum Zeitpunkt t der Sachverhalt p besteht, so wird am Ort x′ zum Zeitpunkt t′ der Sachverhalt p′ bestehen. Wenn dieser aus p erschlossene Sachverhalt p′ seinerseits schon objektiviert worden ist, hat der Beobachter Evidenzen, nun auch den ursprünglich in Zweifel gezogenen Sachverhalt p für ein objektives Geschehen zu halten, andernfalls wird er sich in der kausalen Vor- und Nachgeschichte des Sachverhalts p weiter umschauen, bis er auf schon bestätigte oder bestätigungsfähige andere Daten stößt, aus denen er schließen kann, ob der Sachverhalt p besteht. Für Kant ist das Kausalprinzip deshalb eine der wichtigsten Regeln, um das Mannigfaltige zunächst bloß subjektiver Anschauung zur synthetischen Einheit objektiver Erfahrungserkenntnis zu verbinden, um in der einschlägigen Terminologie Kants zu reden.

Nach Kant machen Menschen keine isolierten Erfahrungen. Das darf man jetzt nach den voranstehenden Überlegungen wohl so verstehen: Beschreibt E den Inhalt einer objektiven Erfahrung, so gibt es weitere Erfahrungssätze $E_1, \ldots, E_n$ derart, daß diese Sätze ebenfalls objektivierbare Erfahrungsinhalte beschreiben und zwischen diesen Sätzen inferentielle Beziehungen bestehen, in denen E als Prämisse oder Konklusion vorkommt. Jede Erfahrung muß sich an andere Erfahrungen inferentiell anschlie-

2 Das ist unter anderem Sinn und Inhalt von Kants Theorie von Raum und Zeit.

ßen lassen oder selber im Verein mit anderen Erfahrungen weitere inferentiell nach sich ziehen. Man kann von »Holismus« reden: Unsere Erfahrung ist holistisch organisiert.

Der eben skizzierte Holismus ist noch zu schwach, um die Einheit der Erfahrung zu garantieren. Er wäre damit verträglich, daß unsere Erfahrungen zum Beispiel in n verschiedene Teilklassen zerfallen. Erfahrungen innerhalb einer Teilklasse lassen sich inferentiell miteinander verbinden, nicht jedoch Erfahrungen aus verschiedenen Teilklassen. Dann bildeten die n verschiedenen Teilklassen von Erfahrungen jeweils eine eigene »Erfahrungswelt«, die in keinem Zusammenhang mit den übrigen Erfahrungswelten stünde. Keine »Erfahrungswelt« ließe sich von einer der übrigen »Erfahrungswelten« aus erreichen. Für Kant zerfallen unsere Erfahrungen aber klarerweise nicht in disparate Erfahrungen innerhalb von Erfahrungswelten, die gegeneinander abgeschottet sind. Es ist also ein starker Holismus zu verteidigen: Zu zwei beliebigen Aussagen E und E′, die objektivierbare Erfahrungsinhalte beschreiben, gibt es stets weitere wahre Erfahrungssätze $E_1, \ldots, E_n$ derart, daß von E und $E_1, \ldots, E_n$ auf E′ geschlossen werden kann. In unserer Erfahrung hängt alles mit allem zusammen.

Um mich auf diesen Sachverhalt terminologisch kurz beziehen zu können, möchte ich davon sprechen, daß die eine Erfahrungswelt *inferentiell dicht* beschrieben wird und beschrieben werden kann. Eine Menge M von Beschreibungen ist inferentiell dicht, wenn es zu zwei Beschreibungen B und B′ aus M stets weitere Beschreibungen $B_1, \ldots, B_n$ aus M gibt, so daß aus B und $B_1, \ldots, B_n$ schließlich B′ folgt. Die Einheit der Erfahrungswelt, wonach jeder Erfahrungsinhalt immer mit allen anderen Erfahrungsinhalten zusammenhängen muß, verlangt inferentiell dichte Beschreibungen ebendieser Erfahrungswelt.

Kommen wir zum gemäßigten Naturalismus zurück: Alles, was Menschen sind, tun und können, ist ein Teil der einen Erfahrungswelt, die von den verschiedenen empirischen Einzelwissenschaften erforscht wird. In der kantischen Perspektive wissen wir jetzt: In dem Maße, wie sich Beschreibungen einzelner Objekte oder Sachverhalte immer besser mit anderen Beschreibungen zu einem inferentiell dichten, empirisch adäquaten und prognostisch erfolgreichen Netz von Beschreibungen verknüpfen lassen, in dem Maße werden wir die besagten Objekte und Sachverhalte als objektive und integrale Bestandteile der einen Erfahrungswelt anerkennen.

Die Erfahrungswissenschaften liefern ein solches inferentiell dichtes, empirisch adäquates und prognostisch erfolgreiches Netz von Beschreibungen der Welt. Wissenschaftliche Theorien beschreiben Phänomene auf eine Weise, daß mit wenigen Daten über diese Phänomene sehr viele andere Daten, die ebenfalls diese, aber auch andere Phänomene betreffen, hergeleitet und insbesondere deshalb auch erfolgreich prognostiziert werden können.[3]

4. Naturalismus ohne Physikalismus

Inwiefern ist der eben skizzierte Naturalismus gemäßigt? Im Vergleich zu ihm ist der Naturalismus vieler Philosophen deshalb ambitionierter, weil er physikalistisch ist. Die naturalistische Praxis der Wissenschaften ist es nicht. Das sei an einem Beispiel illustriert. Ich wähle die Farben und das Farbensehen, eines der Beispiele, die zwischen Naturalisten und Anti-Natura-

3 Man kann sogar generell sagen, daß jemand über eine Theorie verfügt, wenn folgendes gilt:
- *Er kennt Phänomene P: er kann sie (zunächst umgangssprachlich) so weit beschreiben, daß er sie auffinden, gegebenenfalls herstellen und beobachten kann;*
- *Er kennt allgemeine Schemata S, wie Phänomene des Typs P unter bestimmten Rahmen- und Anfangsbedingungen zu beschreiben sind;*
- *Er kann je nach den Rahmen- und Anfangsbedingungen und wenigen Daten (Informationen) über ein konkretes Phänomen P_k vom Typ P das Schema S zu einer Beschreibung $B(P_k)$ von P_k spezifizieren;*
- *Mit Hilfe der Beschreibung $B(P_k)$ kann er mit nur wenigen zusätzlichen Daten (Informationen) über P_k sehr viele weitere andere Daten (Informationen) über P_k erschließen;*
- *Damit ist er in der Lage, viele Aufgaben und Probleme in bezug auf Phänomene der Art P bzw. in bezug auf P_k zu lösen.*

Herzstück einer wissenschaftlichen Theorie sind also diese allgemeinen *Beschreibungsschemata*. Sie sollen vor allem eine Eigenschaft aufweisen: Sei DMP eine Menge von logisch unabhängigen Daten (Beschreibungen von Sachverhalten), die auf bestimmte Phänomene P zutreffen. Dann soll das Beschreibungsschema S einer Theorie bzw. seine Anwendung $S(P_k)$ auf ein konkretes Phänomen P_k eine *möglichst hohe inferentielle Dichte in DMP* stiften. Das bedeutet: Für möglichst

listen in der Philosophie des Geistes besonders umstritten sind. Farben sprechen wir Dingen in der Welt zu. Deshalb beschäftigen sich Physiker und auch andere Wissenschaften mit den Farben und dem Farbensehen. Fast jeder weiß heutzutage, daß Physiker Licht als elektromagnetische Welle deuten und den verschiedenen Farben bestimmte Wellenlängenbereiche zuordnen. Dadurch kann die Physik eine Fülle von Farbphänomenen in der Welt erklären und verständlich machen, zum Beispiel unter welchen Bedingungen weißes Licht beim Durchgang durch ein Prisma in die Spektralfarben zerlegt wird, unter welchen Bedingungen wir einen Regenbogen beobachten, wie man aus der Spektralzerlegung des Sonnenlichts auf chemische Prozesse in der Sonne zurückschließen kann, wann Körper bei welchen Temperaturen rot zu glühen beginnen und eine beeindruckende und nicht mehr zu überblickende Fülle anderer Phänomene, in denen Farben essentiell vorkommen.

Manche liebäugeln deshalb mit der Vorstellung, man könne Farben mit bestimmten Wellenlängen elektromagnetischer Wellen gleichsetzen, man könne die Farben durch Wellenlängen definieren. Allein, solche Reduktionsbehauptungen sind umstritten, und gerade Anti-Naturalisten lehnen sie rundheraus ab. Ist ein Physiker überhaupt zu solchen Reduktionsbehauptungen gezwungen? Geht er mit einer solchen Reduktionsbehauptung nicht weit über das hinaus, was er als Physiker tatsächlich tut?

Als Physiker verknüpft er inferentiell Farbbeschreibungen unter anderem mit Aussagen über Wellenlängen elektromagnetischer Wellen. Der Physiker kann weiter darauf verweisen, daß sich unter dieser Beschreibung eine Fülle von Phänomenen, unter anderem auch Farbphänomene verstehen und erfolgreich vorhersagen lassen, daß man dann weiß, wie man bestimmte Farbphänomene technisch erzeugen kann und ähnliches mehr. Deshalb sind Farben für den Physiker klarerweise etwas Objektives in der Welt. Deshalb waren und sind Farben ein legitimer Untersuchungsgegenstand der Physik.[4]

viele verschiedene Daten $d_1 \in DMP$ und $d_2 \in DMP$ soll es möglich sein, mit ganz wenigen weiteren Daten $d_3, \ldots, d_n \in DMP$ d_2 aus d_1 und $d_3, \ldots, d_n$ mit Hilfe von S bzw. $S(P_k)$ logisch zu folgern.

4 Deshalb gehören die Farbwörter zwar nicht zentral, wohl aber randständig durchaus zum Vokabular der Physik. Man konsultiere nur einmal ein einschlägiges Standardlehrbuch der physikalischen Optik.

Trotzdem muß ein Physiker nicht so weit gehen wie einige harte Physikalisten und daran glauben, alle Farbbeschreibungen ließen sich auf andere, zum Beispiel Beschreibungen der Physik reduzieren. Man kann als Physiker durchaus zugestehen, daß die Farbwörter undefinierbare Wörter sind, die richtig zu verwenden man nur anhand entsprechender Beispiele von farbigen Gegenständen lernen kann. Ein Physiker muß nicht abstreiten, daß man zum Beispiel das Wichtigste an der Farbe Rot so lange nicht kennt, solange man nicht einen roten Gegenstand zum ersten Mal selber gesehen hat.

Die Wissenschaften untersuchen nicht nur Farben, sie untersuchen auch die Wahrnehmung der Farben sehr intensiv. Daran beteiligen sich die Physik und die Chemie, die Sinnesphysiologie, die Neurophysiologie, die Neuroinformatik, die kognitive Psychologie, die Sozialpsychologie, die Sprachpsychologie und andere. Im Kern erforscht man die Wahrnehmung auf der Basis der folgenden Grundannahmen: Gegenstände in der Welt mit ihren objektiven Eigenschaften wirken auf den Sinnesapparat eines Menschen ein, die Veränderungen an den Sinneszellen lösen wiederum komplizierte elektrochemische Vorgänge im Gehirn aus, die schließlich Wahrnehmungen erzeugen. Von den Wahrnehmungen bekommen natürlich die äußeren Beobachter nicht mehr mit als das sichtbare Verhalten der untersuchten Person. Das sichtbare Verhalten schließt Mitteilungen der Person darüber, welche Farbe sie an einem Gegenstand sieht, ebenso ein wie das typische nicht-sprachliche Verhalten, das eine Person an den Tag legt, die gerade bewußt eine bestimmte Farbe an einem Gegenstand diskriminiert.

Wir wissen dank der Wissenschaft bereits sehr viel über die Wahrnehmung. Dabei begegnen wir wieder der methodologischen Tatsache, daß die Wahrnehmungsforschung Aussagen über das Farbensehen systematisch mit anderen Beschreibungen inferentiell verknüpft, unter anderem manchmal mit mathematisch-neuroinformatischen Aussagen, manchmal mit physiologischen, manchmal mit Aussagen über ganze Neuronenareale, manchmal mit Aussagen über physiologisch-chemische Vorgänge an einzelnen Zellmembranen und so weiter. Das klingt in einem bekannten Lehrbuch der biologischen Psychologie so: »Die Tatsache, daß für den normal Farbtüchtigen alle Farbtöne selbstleuchtender Farben durch drei Primärfarben hinreichend und eindeutig beschreibbar sind und daß die Mehrheit der Bevölkerung zur Mischung eines vorgegebenen Farbtones praktisch identische Anteile der Primärfarben mischt, hat zu der Auffassung geführt, daß die Netzhaut des Auges über drei unterschiedlich farbempfindliche Sensortypen verfügt, so daß unser Farbensehen auf der zunächst unterschiedlichen Aktivierung und der anschließenden gemeinsamen Verrechnung der Erregung dieser drei Farbsysteme im visuellen System aufbaut. Diese *trichromatische Theorie des Farbensehens* [...] findet heute unter anderem eine starke Stütze in dem [...] Befund, daß sich in der Netzhaut des Menschen mit mikrospektrophotometrischen Methoden in der Tat drei Zapfentypen mit unterschiedlicher spektraler Empfindlichkeit nachweisen lassen.«[5] In diesem Zitat wird das Farbensehen teils durch numerisch induktive Schlüsse, teils durch abduktive Schlüsse auf die beste Erklärung, teils durch Analogien und so weiter an das angebunden, was es sonst noch in der Welt gibt, und genau auf diese Weise ist das Farbensehen zu einem objektiven, durch die Wissenschaften zu erforschenden Vorgang in der Welt geworden.[6]

Ich ziehe aus dem Beispiel eine allgemeine Konsequenz: Dem Physikalismus zufolge läßt sich alles, was sich überhaupt sinnvoll über die empirische Welt sagen läßt, in der Sprache der Physik und innerhalb physikalischer Theorien sagen. Die anderen empirischen Wissenschaften lassen sich auf die Physik reduzieren oder ohne Verlust durch die Physik ersetzen, jedenfalls im Prinzip, wie viele Physikalisten schnell hinzusetzen. Hinter dem Physikalismus steht der Traum von der Einheitswissenschaft, für viele Philosophen ein Alptraum. Nun kann gegenwärtig keine Rede davon sein, daß auch nur eine einzige der anderen Einzelwissenschaften erfolgreich auf die Physik reduziert oder durch die Physik ersetzt worden wäre, selbst die Chemie nicht, obwohl

5 N. Birbaumer/R. F. Schmidt, *Biologische Psychologie*, Berlin u.a. 1989, S. 371 f. (Hervorh. i. Original).

6 Daran ändert sich auch dann nichts, sollte sich herausstellen, daß sich Sätze wie »Sie sieht eine blaue Kornblume«, »Mir erscheint die Blüte der Kornblume blau« und ähnliche nicht auf andere Sätze reduzieren oder durch sie ohne Informationsverlust ersetzt werden können. Zur Zeit behandeln alle Wahrnehmungsforscher solche Sätze faktisch als nicht reduzierbar, und vieles spricht dafür, daß das so bleiben wird.

sie doch der Physik immer noch am nächsten steht.[7] Sicher, die eine oder andere Theorie mag sich in Zukunft sehr wohl auf die Physik teilweise oder vollständig reduzieren lassen, Phänomene, die heutzutage für die Physik gänzlich unzugänglich sind, mögen sich eines schönen Tages problemlos durch die Physik erklären lassen. Zum Beispiel ist nicht ausgemacht, wieviel von der Alltagspsychologie mit Hilfe der Neurophysiologie auf die Physik reduziert oder durch sie ersetzt werden kann. Doch wie auch immer, trotzdem ist kein Prophet, wer voraussieht, daß sehr vieles von dem, was Menschen über sich und ihre Welt in Erfahrung bringen, niemals Gegenstand der Physik im engeren Sinne werden wird und doch ein objektiver Bestandteil der einen Erfahrungswelt ist, die von den verschiedenen Einzelwissenschaften arbeitsteilig erforscht wird.

5. Naturalismus ohne Kausalität

Die Wahrnehmungsforschung setzt zum Beispiel bestimmte elektromagnetische Wellen in der Umgebung eines menschlichen Organismus und elektro-chemische Aktivitäten in der Retina oder der Sehrinde in Beziehung zu den Farben, die eine bestimmte Person sieht oder erlebt. Wenn es gutgeht, entdeckt die Wahrnehmungsforschung also Zusammenhänge der Art »Wenn die und die elektro-chemischen Aktivitäten im Sinnesapparat und im Gehirn, dann sieht eine Person die blaue Farbe einer Kornblume« und viele andere. Es ist unter Philosophen die Überzeugung weit verbreitet, mit solchen zeitlichen Korrelationen habe man eigentlich nichts oder zumindest nicht viel verstanden. Man erinnere sich nur an die einschlägigen Einwände aus der Debatte um phänomenales Bewußtsein: Wir verstünden den Mechanismus nicht, der im Gehirn aus feuernden, das heißt aus elektro-chemisch aktiven und miteinander agierenden Neuronen Farberlebnisse entstehen lasse, und das sei das eigentliche Problem. Im Gehirn liefen doch nur physikalische Vorgänge ab, und das Gehirn reagiere auch nur auf elektromagnetische Wellen. Warum

7 Außerdem ist keineswegs hinreichend klar, nach welchen logischen Verfahren und nach welchen logischen Standards man Theorien auf andere zu reduzieren hat.

erleben wir Farben und nicht elektromagnetische Wellen? Und diese Frage treibt mancher Philosoph gerne auf die Spitze: Warum erleben wir überhaupt Farben und nicht Nichts? Das Rätsel des phänomenalen Bewußtseins ist geboren.

Das sind zwar Einwände der Anti-Naturalisten, adressiert an die Naturalisten, jedoch machen sich viele Naturalisten eine Unterstellung in diesen anti-naturalistischen Einwänden zu eigen: Bloße Wenn-dann-Beziehungen, bloße inferentielle Beziehungen, selbst wenn sie empirisch adäquat sind und sich prognostisch bewähren, seien zu wenig. Der Naturalist brauche ein stärkeres Kriterium dafür, wann etwas Teil der physischen Welt ist, und dieses stärkere Kriterium könne nur ein kausales Kriterium sein: Objekte oder Sachverhalte sind Teil der objektiven Erfahrungswelt, wenn sie hinreichend kausal mit physischen Objekten oder Sachverhalten vernetzt sind.

Kausalerklärungen einzufordern ist eine Sache, eine andere, Kausalität befriedigend zu explizieren, und nochmals eine andere, ob die von Philosophen in Umlauf gebrachten Kausalitätsbegriffe in den Wissenschaften tatsächlich zum Zuge kommen oder kommen können. Die notorischen Definitionsprobleme mit der Kausalität, an sich verräterisch und heikel genug, können wir beiseite lassen. Wir werfen jetzt nur einmal einen kurzen Blick auf die Praxis der Wissenschaften. An einer anderen Stelle aus dem schon zitierten Lehrbuch der biologischen Psychologie heißt es: »Wenn Sie aus einem sehr hellen in einen nur schwach erleuchteten Raum treten, nehmen Sie zunächst kaum etwas wahr. Erst allmählich paßt sich Ihr Auge an die verringerte Helligkeit an, die Sehschärfe nimmt wieder zu, und Sie können einzelne Gegenstände mindestens in Umrissen erkennen. Offensichtlich waren die Sensoren der Netzhaut durch die Lichtfülle des hellen Raumes so stark in ihrer Empfindlichkeit vermindert worden, daß sie längere Zeit benötigten, um ihre maximale Empfindlichkeit zurückzugewinnen. Der Zeitverlauf dieser *Dunkeladaption* kann beim Menschen leicht bestimmt werden [...]. Die *Dunkeladaptionskurve* zeigt, daß die größte Empfindlichkeit erst nach einem Dunkelaufenthalt von über 30 min erreicht wird. [...] Hat das Auge nach einem längeren Aufenthalt im Dunkeln seine maximale Empfindlichkeit erreicht, so kommt es beim abrupten Übergang in eine sehr helle Umgebung zunächst zu einer sehr starken Aktivierung der Netzhautsensoren, die sich subjektiv als *Blendung* bemerkbar macht. Danach paßt sich das Sehsystem in weniger als einer Minute an die Umgebungshelligkeit an. Die *Helladaption* verläuft also wesentlich schneller als die Dunkeladaption.«[8]

Das Zitat ist ein schönes Beispiel für eine inferentiell dichte Beschreibung. Eine genauere Analyse zeigt zudem, daß numerische Induktionen, anspruchsvollere Schlüsse auf die beste Erklärung, Analogien, statistische Verallgemeinerungen nebeneinander verwendet werden. Eine Stelle ist besonders aufschlußreich, wenn es dort heißt: Beim abrupten Übergang von einer dunklen in eine helle Umgebung werden die Netzhautsensoren sehr stark aktiviert, und dies wird subjektiv als Blendung erlebt. Die Autoren gehen ohne jede Skrupel wie selbstverständlich von physiologischen Beschreibungen der Sinneszellen in der Netzhaut über zu alltagspsychologischen Beschreibungen, zum Beispiel daß jemand geblendet wird und er dies auch so erlebt. Den Zusammenhang zwischen Helligkeitswechseln in der Umgebung, Aktivitätsverstärkung der Sinneszellen in der Retina und dem subjektiven Erleben, geblendet zu sein, mögen Philosophen einen bloß zeitlichen und damit letztlich unverstandenen Zusammenhang nennen. Doch wo Philosophen Rätsel des kausalen Zusammenhangs zwischen neurophysiologischen Zuständen und subjektiven Erlebnissen und daher deprimierende Erklärungslücken diagnostizieren, gehen die Wissenschaftler ruhig ihrem Forschungsgeschäft nach. Sie schlagen unbekümmert inferentielle Brücken zwischen Sätzen über subjektive Erlebnisse und Sätzen über sinnesphysiologisches Geschehen, und der prognostische, der technologische, der medizinische Erfolg gibt ihnen hierin recht.[9]

Philosophen, Naturalisten wie Anti-Naturalisten, tragen an die Wissenschaften Konzepte wie zum Beispiel das Konzept der Kausalität heran, die dort offensichtlich auf wenig Gegenliebe stoßen. So ist es geradezu ein Dogma der analytischen Philosophie des Geistes, daß »bloße« Korrelationsgesetze, zum Beispiel psycho-physische Gesetze, eigentlich nicht für Erklärungen

8 Birbaumer/Schmidt, a. a. O., S. 365 (Hervorh. i. Original).

9 Auch hat man nicht den Eindruck, daß die Autoren des zitierten Lehrbuchs der Meinung sind, es klaffe eine rätselhafte Erklärungslücke, der Zusammenhang zwischen dem Erleben und dem neuronalen Geschehen entziehe sich jedem tieferen Verständnis.

taugen. Diese Sicht vieler Philosophen teilen die Wissenschaften nicht. Ohne Zweifel, manchmal verlangen die Wissenschaftler mehr als zeitliche Korrelationen. Manchmal verlangen sie, kleinteilig einen raum-zeitlich lückenlosen Mikromechanismus zu beschreiben, um so verständlich werden zu lassen, warum stets ein Ereignis B auf ein Ereignis A folgt. Manchmal soll die zeitliche Abfolge zweier Ereignisse damit erklärt werden, daß Partikel oder Wellen Energie übertragen und umwandeln. Aber solche anspruchsvollen Beschreibungen verlangen die Wissenschaften eben nur manchmal. Die Wissenschaften sind flexibel genug, sich zum Beispiel dort mit Korrelationsgesetzen zufriedenzugeben, wo sich andere Beschreibungen nicht finden lassen.

Zum Beispiel bei der wissenschaftlichen Erforschung des Bewußtseins einen ambitionierten und dabei letztlich doch nicht klar definierten Kausalitätsbegriff ins Spiel zu bringen scheint jedenfalls greifbar nur die zweifelhafte Wirkung zu haben, daß Philosophen eine rätselhafte Erklärungslücke sehen, die die Wissenschaftler nicht sehen, eben weil die letzteren sich, offensichtlich mit guten Gründen, einem solch ambitionierten und letztlich doch unklaren Kausalitätsbegriff gar nicht erst verschreiben. Die Wissenschaften lassen es damit genug sein, daß man von Beschreibungen wie etwa der, daß sich jemand geblendet fühlt, inferentiell Brücken schlagen kann zu Beschreibungen über Netzhautsensoren und Helligkeitswechseln in der Umgebung. Sobald dies gelungen ist, ist das subjektiv erlebte Geblendetsein, selbst wenn es sich als unreduzierbar erweisen sollte, ein objektiver und integraler Bestandteil unserer Erfahrungswelt, den die Wissenschaften erfolgreich erforschen können. Wenn Philosophen das zu wenig ist, müßten sie Erklärungs- und Beschreibungsstandards nennen, die hier nicht erfüllt sind, obwohl sie eigentlich in den Wissenschaften unbestritten gang und gäbe sind. Es ist zu bezweifeln, daß Philosophen solche Standards nennen können, ohne auf einmal doch viel mehr zu verlangen, als in den Wissenschaften zu Recht verlangt wird.

6. Gemäßigter Naturalismus ohne Philosophie?

Der gemäßigte Naturalismus besagt: Alles, was Menschen sind, tun und können, ist Teil der einen Erfahrungswelt, und diese eine Erfahrungswelt wird von den empirischen Einzelwissenschaften erforscht. Der Philosoph wird fragen: Und die Philosophie? Was wird dann aus der Philosophie? Wird sie für die Erforschung der empirischen Welt nicht gebraucht? Wird sie damit überhaupt überflüssig?

Quine, unbestritten einer der Gründungsväter des jüngeren Naturalismus, hat der philosophischen Erkenntnistheorie in Aussicht gestellt, was von ihr noch übrigbleibt, wird sie naturalisiert. »Die Erkenntnistheorie oder etwas Ähnliches erhält ihren Platz innerhalb der Psychologie und somit innerhalb der empirischen Wissenschaften. Sie studiert ein empirisches Phänomen, nämlich ein physisches menschliches Subjekt. Diesem menschlichen Subjekt wird ein bestimmter, experimentell kontrollierter Input gewährt – zum Beispiel Bestrahlungsmuster in ausgesuchten Frequenzen –, und zur rechten Zeit liefert das Subjekt als Output eine Beschreibung der dreidimensionalen Außenwelt und ihres Verlaufs. Die Beziehung zwischen dem mageren Input und dem überwältigenden Output ist die Beziehung, zu deren Untersuchung uns, grob gesprochen, die Gründe anspornen, die die Erkenntnistheorie immer motiviert haben: nämlich herauszufinden, in welcher Beziehung die Beobachtung zur Theorie steht und auf welche Weise jemandes Theorie über die Natur über alle Beobachtungen, die man je machen könnte, hinausgeht.«[10] Naturalisiert wird die Erkenntnistheorie ein Teil der empirischen Psychologie, sagt Quine. Beschert der Naturalismus nicht dieses Schicksal der Philosophie insgesamt?

Was aus der Philosophie werden soll, wenn die Einzelwissenschaften das Regiment übernehmen, darüber sind sich die Naturalisten nicht einig. Einig sind sie sich nur in einer Einschätzung: Zusätzlich und anders als die empirischen Einzelwissenschaften steuert die Philosophie jedenfalls *keine apriorischen Antworten* zu der Frage bei, was Menschen sind, tun und können. Was im-

10 Willard Van Orman Quine, *Naturalisierte Erkenntnistheorie*, in: ders., *Ontologische Relativität und andere Schriften*, Stuttgart 1971, S. 115.

mer die Philosophie über die empirischen Einzelwissenschaften hinaus zu sagen hat, aus naturalistischer Sicht darf sie dafür keine besonderen Erkenntnisquellen beanspruchen. Im Gegenteil, aus der Sicht der Naturalisten hat es die Philosophie bitter nötig, sich von den Einzelwissenschaften und ihren Ergebnissen belehren zu lassen, vor allem, wenn es um Antworten auf die Frage geht, was Menschen sind, tun und können. Und was immer die Philosophie Eigenständiges zu den Fragen zu sagen hat, denen auch die empirischen Einzelwissenschaften nachgehen, die Resultate der Philosophie sollten nicht den Ergebnissen der empirischen Forschung widersprechen.

Es steht nicht zu erwarten, daß sich Philosophen, noch nicht einmal Naturalisten über die Zukunft der Philosophie einig werden. Der Streit der Philosophen über die Philosophie ist sprichwörtlich, und er dauert an. Derweil geht die empirische Forschung weiter den sicheren Gang einer Wissenschaft. Und aus der Sicht der allermeisten gemäßigt naturalistischen Forscher fällt das Urteil über die Philosophie wohl folgendermaßen aus: Mit allem, was Menschen sind, tun und können, sind sie ein Teil der Erfahrungswelt, die von uns, den empirischen Einzelwissenschaften, mit Erfolg erforscht wird. Wie die Erfahrung lehrt, haben wir für diese Aufgabe nennenswerten Beistand, nicht zu reden von Vorschriften, von seiten der Philosophen, gar solchen mit apriorischen Erkenntnisansprüchen nicht nötig. Ist dies nicht bereits eine erste negative Antwort auf die Frage, wozu der ambitionierte Naturalismus oder Anti-Naturalismus der Philosophen angesichts des gemäßigten und durch nichts zu erschütternden Naturalismus der Wissenschaften noch gut sein könnte? So wird am Ende sichtbar: Naturalismus ist vor allem eine metaphilosophische These, und in der steckt innerphilosophischer Zündstoff.

Peter Janich
Szientismus und Naturalismus

Irrwege der Naturwissenschaft als philosophisches Programm?

Einleitung

Was heutzutage unter der Überschrift »Naturalismus« diskutiert wird, spielt sich praktisch ausschließlich unter Philosophen ab. Dort geht es um die Aufstellung und Ausformulierung unterschiedlicher Naturalisierungsprogramme sowie ihre Kritik. Dabei weist schon die grammatische Form des Wortes »Naturalisierung« und seines englischen Pendants »naturalized« darauf hin, daß es da etwas vormals nicht Naturalisiertes gibt, das nun neuerdings zu naturalisieren sei.

Wohl unter der Meinungsführung von W. V. O. Quine in seiner Kritik an der Philosophie R. Carnaps ist dies neuerdings das nur noch naturalistisch zu betreibende Geschäft der Erkenntnistheorie.[1] Sie wird bei Quine so verstanden, daß ihr die Wissenschaftstheorie (als Theorie einer speziell wissenschaftlichen Erkenntnis) als Teil angehört, sofern auf die Unterscheidung von vor- und außerwissenschaftlicher zu wissenschaftlicher Erkenntnis überhaupt noch Wert gelegt wird. Über die unterschiedlichen Formen und Reichweiten der im Anschluß an Quine diskutierten philosophischen Naturalisierungsprogramme ist unter ihren Anhängern selbst eine lebhafte Debatte in Gang gekommen. Hiervon legen andere Beiträge dieses Bandes ein beredtes Zeugnis ab. Bei allen Verschiedenheiten ist diesen Programmen durchgängig und, soweit ich sehen kann, ohne jede Ausnahme eine bestimmte Haltung gegenüber den Naturwissenschaften gemeinsam: die der zustimmenden Nichteinmischung in naturwissenschaftliche Forschung und Theorienbildung. Ob es am Ende nur noch die Physik oder doch die Neurowissenschaften oder eine experimentelle Psychologie sind oder vielleicht alle experimentellen oder

1 Willard Van Orman Quine, »Epistemology naturalized«, in: *Ontological Relativity and other Essays*, New York/London 1969, S. 69-90.

beobachtenden Erfahrungswissenschaften, ein Naturalist (wie im folgenden kurz die philosophischen Vertreter von Naturalisierungsprogrammen jedweder Art genannt werden sollen) geht von Verläßlichkeit und Verbindlichkeit naturwissenschaftlicher Resultate aus und übernimmt sie einfach bei Bedarf. Naturalisten sind, kurz, affirmativ gegenüber Naturwissenschaften.

Das ist nicht weiter überraschend, betrachtet man die Traditionen, aus denen Naturalisten kommen: In aller Regel genügt das kontingente historische Faktum, die Alternative nichtaffirmativer Philosophien der Naturwissenschaften schlichtweg nicht zu kennen.[2] Es ist also nicht etwa selbst das Ergebnis einer bis zur Theorie gediehenen philosophischen Reflexion, den Naturwissenschaften in ihren Resultaten begründet zuzustimmen, sondern es ist eine philosophische Herkunft, den Naturwissenschaften nur beschreibend und analysierend gegenüberzutreten, die zur Grundhaltung eines Naturalisten gehört.

Es kann, braucht aber hier auch nicht weiter wissenschaftstheoriehistorisch nachgeforscht zu werden, woher – vor allem im angelsächsischen Bereich – diese Grunddezision kommt und ob sie sich dem Programm einer Metaphysikkritik, der Suche nach empiristischen Sinnkriterien, einer Auseinandersetzung mit der Transzendentalphilosophie Kants, der Verbindung von Humeschem Empirismus und linguistic turn oder anderem verdankt. Solange kein Naturalist die These aufstellt, es sei zunächst einmal philosophisch zu reflektieren, ob Resultate der Naturwissenschaften als Erkenntnisse, als gültig oder sonst zustimmungsfähig erwiesen werden können, bevor sich ein Naturalisierungsprogramm für die Erkenntnistheorie unter anerkennender Bezugnahme auf Naturwissenschaften formulieren und vertreten läßt, ist die Behauptung einer affirmativen Grunddezision für alle Naturalisten einschlägig. (Häufig werden darüber wissenschaftstheoretische Fragen vergessen – wiederum wenig verwunderlich, wenn dafür nur affirmative Kandidaten bekannt sind.)

Man mag noch als eine Form von Bescheidenheit und Augen-

2 Einen eindrucksvollen Beleg für diese Behauptung liefert zum Beispiel Dirk Koppelberg in seinem Versuch, den naturalistischen Charakter einer Erkenntnistheorie zu bestimmen. Vgl. »Was macht eine Erkenntnistheorie naturalistisch?«, in: *Journal for General Philosophy of Science* 27 (1996), S. 71-90.

maß akzeptieren, die Expertise der Naturwissenschaften anzuerkennen, zumal wenn man sich der Mühe unterzieht, Lehrbücher der Physik, der Chemie und der Biologie zu lesen oder gar den Forschungsbetrieb in den Labors mit dem Bemühen um Verständnis zu beobachten. Dennoch ist diese affirmative Grundhaltung von Philosophen gegenüber den Naturwissenschaften eine höchst überraschende: sie betrifft nämlich in der Sache nichts Naturwissenschaftliches, sondern etwas selbst Philosophisches.

Es ist ja selbst kein naturwissenschaftlicher Satz (oder eine naturwissenschaftliche Theorie), solche für gültig, bewährt und verläßlich zu halten oder ähnlich Zustimmendes zu behaupten. Mit anderen Worten, jede Form der Affirmation naturwissenschaftlicher Resultate ist selbst schon philosophisch, ist selbst schon in sprachlich expliziter Form nur als Philosophem und nicht als Theorem objektsprachlich gefaßter naturwissenschaftlicher Resultate möglich.

Einem Naturwissenschaftler wäre nachzusehen, diesen Unterschied nicht zu bemerken. Er hat sein Metier durch Studium und Forschungspraxis gelernt, vertraut auf seine Methoden oder modifiziert sie pragmatisch kritisch, findet sich im Austausch der Lehrmeinungen mit der Fachwelt und würde, von Betrugsfällen abgesehen, seine Resultate nicht publizieren, wenn er sie nicht für die jeweils bestmöglichen Resultate, also für gültig hielte. Man hat hier die Trivialität vor sich, daß man nicht zugleich etwas produzieren und die Möglichkeit des Produzierens in Frage stellen kann, wie es auch zwei verschiedene Tätigkeiten sind, eine Rechnung auszuführen und Zweifel an der Richtigkeit des Ergebnisses zu verfolgen oder zu malen und eine Kunstgeschichte der Malerei zu schreiben.

Affirmation von Fach-Philosophen gegenüber naturwissenschaftlichen Resultaten kann dieses Pardon nicht gewährt werden: Wer zustimmt, muß sich entscheiden, ob er sich damit einfach in das Faktum der Zustimmung durch die Naturwissenschaftler selbst (gleichsam sozialpsychologisch) einreiht oder ob er ein eigenes philosophisches Urteil, sozusagen unabhängig vom naiven Selbstverständnis des Naturwissenschaftlers, fällt.

Im ersten Falle ist der Naturalist wie ein Fan einer erfolgreichen Fußballmannschaft, der sich dieser beim Siegeszug durch die Stadt anschließt, sei es mit oder ohne dabei die Kleider anzulegen, wie sie auch die Spieler beim erfolgreichen Spiel getragen haben. Der Fan spielt nicht selbst, geschweige denn, daß er gewinnt. Im anderen Fall muß der Naturalist ein philosophisches Urteil begründen.

Damit ergibt sich für philosophische Naturalisierungsprogramme ein ebenso unbemerkter wie unkomfortabler Ausgangspunkt: Entweder man betätigt sich gleichsam als naiver, begeisterter Mitläufer in der Atmosphäre gesellschaftlicher Anerkennung der Naturwissenschaften, obwohl es dabei um eine philosophische These geht, oder man hat bereits eine Philosophie, genauer eine Erkenntnis- und Wissenschaftstheorie zur Hand, die die Resultate der Naturwissenschaften als Erkenntnisse auszuweisen gestatten. Dies ist selbst für Freunde zirkulärer Argumente nicht ganz einfach, soll damit doch eine naturalisierte Erkenntnistheorie erst gefunden werden.

Diese idealtypische Zuspitzung zur Alternative hat allerdings bisher einen Bereich übergangen, nämlich die philosophischen Selbstverständnisse der Naturwissenschaftler selbst. Sie müssen sich immer wieder artikulieren, weil ja der Gang der naturwissenschaftlichen Forschung nicht nur historisch, sondern prinzipiell unabweisbar immer von den Philosophien ihrer eigentlichen Träger wesentlich mitbestimmt ist. Und es sind insbesondere Umbrüche, Revolutionen, Paradigmenwechsel, Neuorientierungen in den naturwissenschaftlichen Entwicklungen, die sich vor allem auf dem Feld philosophischer Umorientierung abspielen, seien es die bis zur Ermüdung behandelten Umbrüche von der klassischen zur relativistischen und Quantenphysik, von der Phlogiston- zur Oxidationstheorie, vom Lamarckismus zum Darwinismus, oder seien es die unzähligen, für den Gang der Naturwissenschaften aber höchst wichtigen »kleineren« Veränderungen, in denen sich das Umdenken in den Naturwissenschaften abspielt. Historiker der einzelnen naturwissenschaftlichen Disziplinen ebenso wie der wissenschaftstheoretischen Traditionen können mühelos Beispiele nennen, in denen philosophierende Naturwissenschaftler Grundsätze, Prinzipien, Hintergründe und dergleichen für neue naturwissenschaftliche Entwicklungen explizit erläutern und dabei den Bereich objektsprachlicher, naturwissenschaftlicher Theorien verlassen, um *über* Theorien, *über* Methoden und *über* Resultate zu sprechen.

Damit hat der naturwissenschafts-affirmative Naturalist – neben den Möglichkeiten des naiven Mitlaufens oder der eigenen philosophischen Begründung naturwissenschaftlicher Resultate – eine dritte Möglichkeit: Er übernimmt die Selbstverständigungsphilosophie der Naturwissenschaftler. Ob und wie weit dies für einzelne Naturalisierungsprogramme tatsächlich geschehen ist und weiterhin geschieht, wird man überhaupt nur dann beurteilen können, wenn geklärt ist, ob dabei etwa nicht schon *innerhalb der Naturwissenschaften* philosophische Überzeugungen des *Naturalismus entwickelt* und vertreten werden, denen sich letztlich auch die aktuellen Naturalisierungsprogramme der Philosophen verdanken. Ziel der folgenden Diskussion soll es deshalb sein, einen Naturalismus der Naturwissenschaften zu benennen und zu diskutieren, um stillschweigende, aber unverzichtbare Prämissen herauszuarbeiten, denen heutige Naturalisten ihren Glauben an Naturalisierungsprogramme verdanken. Explizites Ziel dieser Überlegung ist es, dem Leser eine Beurteilungsmöglichkeit zu eröffnen, ob Naturalisten sich in ihrer Affirmation in Wahrheit nicht an naturwissenschaftlichen Resultaten, sondern an (möglicherweise falschen) Populär- und Vulgärphilosophien von Naturwissenschaftlern orientieren.

Dabei sollen weder »Naturwissenschaftler« noch »Philosoph« (und die entsprechenden Adjektive) in einem soziologischen Sinne auf einzelne Personen oder Personengruppen bezogen gemeint sein, um beiden »Schuster, bleib bei deinen Leisten!« zuzurufen. Vielmehr sollen »Naturwissenschaft« und »Philosophie« als Praxen oder Forschungsbereiche unterschieden werden, die verschiedenen Gegenstandsgebieten und Methoden, verschiedenen Zwecken und Mitteln geschuldet werden, so daß sich daraus keine Kennzeichnung von Personen, a fortiori kein Qualitätsurteil über die Philosophie eines professionellen Naturwissenschaftlers und die Naturwissenschaft eines professionellen Philosophen ableiten lassen. Wer eigenständige naturwissenschaftliche Forschung treibt, wird nicht ohne Philosophieren auskommen. Und wer eigenständiges Philosophieren im Bereich der Erkenntnis- und Wissenschaftstheorie betreibt, wird nicht ohne das Treiben von Naturwissenschaft auskommen – auch wenn dazu nicht selbst experimentiert oder mit Instrumenten beobachtet werden muß: Auch der empirisch arbeitende Naturwissenschaftler stellt ja nicht alle Geräte selbst her, führt nicht alle Experimente oder Beobachtungen selbst durch und zählt das Interpretieren von Experimenten, das Formulieren von Resultaten und das Bilden von Begriffen und Theorien zum Treiben von Naturwissenschaft – an dem auch der Philosoph ohne Labor sich beteiligen kann.

1. Der Szientismus der Naturwissenschaften

Das Wort »Szientismus« hat in der philosophischen Diskussion eine große Fülle verschiedener Bedeutungen und argumentativer Rollen übernommen, von Kants Gegenüberstellung einer »szientifischen« und einer »naturalistischen« Methode bis zur Szientismus-Kritik der Frankfurter Schule und den wissenschaftstheoretischen Gegenentwürfen des »Methodischen« Konstruktivismus, so daß hier mit dem Ausdruck »Szientismus der Naturwissenschaften« nur ein sehr spezieller, eingeschränkter Erklärungsanspruch gemeint sein soll: Naturwissenschaften erklären ihre Methoden und Erkenntnismittel wiederum mit naturwissenschaftlichen Mitteln. Daß dabei das Wort »Natur«, vor allem in den Verbindungen von »Naturwissenschaft« und »Naturgesetz« (und entsprechenden Adjektiven) vorkommt, soll hier noch keinerlei Rolle spielen. Ob, philosophisch betrachtet, Naturwissenschaften nicht viel eher als Technikwissenschaften oder Bewirkungswissenschaften bezeichnet werden sollten, kommt hier also noch nicht in Betracht.

Der Szientismus der Naturwissenschaften taucht systematisch auf, wo die klassische Naivität der Klassischen Physik zusammenbricht.[3] War die Galileische Mechanik in ihrem Optimismus, die antike Philosophie in Gestalt des Aristotelismus durch eine neue Erkenntnisform überwunden zu haben, bezüglich ihrer experimentellen Mittel noch ungebrochen naiv, hat sie doch den entscheidenden Wendepunkt gegenüber der aristotelischen Unterscheidung von Physis und Techne vollzogen: Es ist zum Topos der Geistesgeschichtsschreibung geworden, daß (im Sinne der aristotelischen Unterscheidung) an die Stelle der *Naturwidrigkeit* künstlich vom Menschen hervorgerufener Bewegungen die *Naturgemäßheit* der Fall- und Wurfbewegungen getreten ist.

3 Für eine genauere Darstellung vgl. Peter Janich, »Natürlich künstlich«, in: Peter Janich, Christoph Rüchardt (Hg.), *Natürlich, technisch, chemisch. Verhältnisse zur Natur am Beispiel der Chemie*, Berlin/New York 1996, S. 53-79.

Von diesem erkenntnistheoretischen Mißgriff konnte sich die Leitdisziplin Physik in den ersten 250 Jahren ihrer Geschichte nicht mehr erholen. Alles, was den Physikern (und später auch den Chemikern) mit großem Erfolg technisch herzustellen gelang, auch außerhalb der Mechanik, wurde als Ausdruck von Naturgesetzlichkeit interpretiert. Technisches Know-how als experimentell gewonnenes Bewirkungswissen galt in dem Sinne als »objektiv«, als darin vermeintlich die Regularitäten des Objekts zum Ausdruck kamen. Die herrschende Erkenntnistheorie war die einer auf Naturwissenschaften zugeschnittenen Adäquations- oder Abbildtheorie der Geltung naturwissenschaftlicher Sätze, wie sie prototypisch (und mit Wirkung bis zu Ludwig Wittgenstein) in der Einleitung zu Heinrich Hertz' »Prinzipien der Mechanik« (Leipzig 1894) vorgestellt wird:

»Es ist die nächste und in gewissem Sinne wichtigste Aufgabe unserer bewußten Naturerkenntnis, daß sie uns befähige, zukünftige Erfahrungen vorauszusehen, um nach dieser Voraussicht unser gegenwärtiges Handeln einrichten zu können. Als Grundlage für die Lösung jener Aufgabe der Erkenntnis benutzen wir unter allen Umständen vorangegangene Erfahrungen, gewonnen durch zufällige Beobachtungen oder durch absichtlichen Versuch. Das Verfahren aber, dessen wir uns [...] stets bedienen, ist dieses: Wir machen uns innere Scheinbilder oder Symbole der äußeren Gegenstände, und zwar machen wir sie von solcher Art, daß die denknotwendigen Folgen der Bilder stets wieder Bilder seien von den naturnotwendigen Folgen der abgebildeten Gegenstände. Damit diese Forderung überhaupt erfüllbar sei, müssen gewisse Übereinstimmungen vorhanden sein zwischen der Natur und unserem Geiste. Die Erfahrung lehrt uns, daß die Forderung erfüllbar ist und daß also solche Übereinstimmungen in der Tat bestehen.«

Dieser für die Naturwissenschaften im 19. Jahrhundert wohl prototypische Empirismus erklärt sogar die Möglichkeit von (empirischer) Wissenschaft im Sinne einer Entsprechung von abbildender Theorie und natürlicher Wirklichkeit selbst wieder empirisch. Das heißt, die Erkenntnistheorie für physikalische Erkenntnisse wird selbst als empirisch bezeichnet.

Dieser Empirismus ist bekanntlich in die Krise geraten, als die schöne Passung von Bild und Wirklichkeit in der Elektrodynamik gestört wurde, als die – selbst für empirisch gehaltenen – raum-zeitlichen Transformationseigenschaften physikalischer Gesetze nicht mehr die der Klassischen Mechanik waren. Diesen gordischen Knoten der Physik, die davon unbeeindruckt ihre Erfolgsgeschichte des technischen Know-hows fortsetzen konnte, wurde bekanntlich durch die relativistische Physik Albert Einsteins durchschlagen, die eine Uminterpretation der Begriffe von Raum, Zeit und später Kausalität brachte. Entscheidend ist, daß diese Uminterpretation – in bewußter Absetzung von philosophischen Prämissen der Klassischen Mechanik bei Newton – sekundär mit einer Operationalisierungsmaxime verbunden wurde, wonach Strukturen von Raum und Zeit durch die Meßkunst gestiftet werden sollten. Wie Galilei sich gegen den Aristotelismus, so wandte sich nun Einstein gegen das Kantische Apriori und dekretierte als »eine der verderblichsten Taten der Philosophen, daß sie gewisse begriffliche Grundlagen der Naturwissenschaft aus dem der Kontrolle zugänglichen Gebiete des Empirisch-Zweckmäßigen in die unangreifbare Höhe des Denknotwendigen (Apriorischen) versetzt haben«. Und: »Dies gilt im besonderen auch von unseren Begriffen über Zeit und Raum, welche die Physiker – von Tatsachen gezwungen – aus dem Olymp des Apriori herunterholen mußten, um sie reparieren und wieder in einen brauchbaren Zustand setzen zu können« – wobei »die Begriffe nicht aus den Erlebnissen durch Logik (oder sonstwie) abgeleitet werden können, sondern in gewissem Sinn freie Schöpfungen des menschlichen Geistes sind, [...] doch ebensowenig unabhängig von der Art der Erlebnisse, wie etwa die Kleider von der Gestalt der menschlichen Leiber«,[4] mit anderen Worten also: angemessen. Diese Angemessenheit sollte nicht nur durch die Operationalisierung der Grundbegriffe von Raum und Zeit durch die Meßkunst erreicht werden, sondern durch die Kompatibilität der anerkannten elektrodynamischen Theorie mit ebenjener Meßkunst, auf der sie aufbaute. Kurz, die Semantik zur Beschreibung der Meßpraxis sollte durch die anerkannte physikalische Theorie geliefert werden. In genau diesem Sinne ist hier von »Szientismus der Naturwissenschaften« die Rede. Die Naturwissenschaft beansprucht, ihre eigenen *Grundlagen* aus ihren *Ergebnissen beschreiben und erklären* zu können. Von »Na-

4 Albert Einstein, *Grundzüge der Relativitätstheorie*, Braunschweig, 4. Aufl. 1956, S. 2.

tur« oder »Naturgesetzen« muß hier an keiner Stelle die Rede sein. Es genügt, auf physikalische Gesetze im Sinne ihrer Anerkennung durch die Physiker Bezug zu nehmen.

Für diese Form des Szientismus ist nicht nur charakteristisch, daß Naturwissenschaft in ihren Methoden und Geltungsgründen wieder mit Naturwissenschaft erklärt werden soll, sondern auch, daß eine spezifische Vertauschung stattfindet und zum Selbstverständnis der Naturwissenschaften zu werden beginnt: daß nämlich *Erkenntnismittel und Geltungsgründe Gegenstand der Naturwissenschaften* werden in der Form, daß sie aus den anerkannten Theorien abgeleitet, erklärt und begründet werden sollen, mit den seit R. Carnap und H. Reichenbach in der Literatur breit diskutierten Problemen und Lösungsvorschlägen, wie eine klassische, euklidisch-galileische Meßkunst im Lichte einer einsteinschen, nicht-galileisch und nicht-euklidischen Raum-Zeit-Struktur nachträglich uminterpretiert wird.

Vor dem Hintergrund der Aufgabe, das Verhältnis des klassischen und des relativistischen Paradigmas zu klären, ist bei Einstein wie in der Folge durch die gesamte Physik ein wichtiges Problem übersehen worden, das erst in der methodischen Philosophie *als erkenntnistheoretisches Problem* formuliert werden konnte: Physikalische Gesetze können niemals erschöpfend die Funktion von Meßgeräten erklären. Das Kriterium der Ungestörtheit ist nämlich normativ. In der Protophysik[5] wird dazu bis zur Ermüdung der Beteiligten, aber ohne Einwände und Widerlegungen durch Gegner, das Beispiel von der defekten Uhr wiederholt: Bleibt eine Uhr stehen und liefert mithin keine brauchbaren Meßwerte, gleich ob im Rahmen der klassischen oder der relativistischen Physik, wird dadurch kein physikalisches Gesetz falsifiziert; lediglich die menschliche Zwecksetzung des Zeitmessens wird verfehlt. Klassische wie relativistische Physiker und die gesamte empiristische Wissenschaftstheorie einschließlich ihrer Historisierung und Relativierung bis in die Gegenwart hinein haben diesem erfolglosen Szientismus unwissend oder ratlos gegenübergestanden: Am Beispiel der Physik, genauer der physikalischen Meßkunst, liegt ein Prototyp der generalisierbaren Tatsache vor, daß Resultate der empirischen Naturwissenschaft nicht

5 Vgl. Peter Janich, *Das Maß der Dinge. Protophysik von Raum, Zeit und Materie*, Frankfurt am Main 1997.

ausreichen, die Funktion der Erkenntnismittel in Beobachtung, Messung und Experiment hinreichend zu erklären. Es bleibt immer ein normativer Erklärungsrest, der sich nur aus der Zwecksetzungsautonomie des handelnden Forschers und aus den Geltungsansprüchen der Forschergemeinschaft gewinnen läßt.

Dieser Szientismus der Naturwissenschaften hatte andererseits, trotz seines Mißerfolgs, den von Szientisten und Empiristen aller Fächer hochgeschätzten Vorzug, Naturwissenschaften (scheinbar) von jeder Art philosophischer, normativer Methodenlehre oder Erkenntnistheorie unabhängig zu machen. Die Umkehrung der methodischen Reihenfolge von Grundlage und darauf aufbauender Wissenschaft wurde zur kleinen Münze jeder erkenntnis- und wissenschaftstheoretischen Erklärung: Was auch immer in Frage stand, wurde durch Analyse anerkannter Theorien zu beantworten versucht. Diese Art des Szientismus immunisiert die Naturwissenschaften gegen philosophische Kritik. Allerdings benötigt sie in der Folge auch eine eigene Selbstbestätigungsphilosophie. Diese ist in der wechselvollen Geschichte vor allem der Philosophie des Wiener Kreises geliefert worden: Am Ende stehen ein semantischer und ein bestätigungstheoretischer Holismus, der historisch und sozial relativiert wird und schließlich gefeiert ist als Einsicht, daß absolute Wahrheit, Letztbegründung und metaphysischer Dogmatismus zugunsten eines Relativismus überwunden seien, der nur noch Raum für Dezisionen der Zugehörigkeit zu gläubigen Scientific Communities offenläßt. Dies ist, immer noch frei von aller Rede über Natur, Naturgesetz, den Menschen als Teil der Natur usw., der Hintergrund, vor dem eine weitere, viel einflußreichere, weil leichter popularisierbare Selbstverständigungsphilosophie entstand: der Naturalismus der Naturwissenschaften.

2. Der Naturalismus der Naturwissenschaften

Selbstverständlich ist die Vielfalt der Selbstverständigungsphilosophien, die von Naturwissenschaftlern entwickelt wurden, nicht zu übersehen. Dabei darf nicht vergessen werden, daß nicht nur die Physik, sondern auch die Chemie und die Biologie sowie in einzelnen Fällen Spezialdisziplinen wie die Physiologie, in Betracht zu ziehen sind. Deshalb ist auch hier zuerst das für die folgende Diskussion entscheidende Charakteristikum zu nennen, im Blick auf welches von »Naturalismus der Naturwissenschaften« gesprochen werden soll.[6]

Ob eine rekonstruierende oder auch nur usurpierende Übernahme älterer naturphilosophischer Ansichten durch die jüngeren Naturwissenschaften intendiert war, wo (in den modernen Naturwissenschaften) nicht nur von naturwissenschaftlichen Theorien oder Lehrsätzen, sondern von »Naturgesetzen« und »der Natur« die Rede war, mag hier offenbleiben. Selbstverständlich waren immer auch Bemühungen im Spiel, die neuesten Fortschritte der Naturwissenschaften in eine Kulturgeschichte des Erkenntnisfortschritts einzubeziehen und ältere Formen des Mensch-Natur-Verhältnisses durch jüngere Ergebnisse abzudekken. Historische Beispiele für dieses Faktum können systematisch mit der Unterscheidung von Motivationspsychologie und Erkenntnistheorie interpretiert werden: Bekenntnissen leitender Naturforscher, den Geheimnissen der Natur auf der Spur zu sein, kann man durchaus Glauben schenken. Sie leisten aber mit Bezugnahme auf Natur keine erkenntnistheoretische Unterscheidung von gültigen und ungültigen Resultaten, von erfolgreicher und erfolgloser Forschung oder eine Konstitutionstheorie für naturwissenschaftliche Gegenstände. Vielmehr dienen sie – übrigens bis heute – eher der Rechtfertigungskultur im Kontext individueller Sinngebung des Forscherlebens. Eine unterscheidende Kraft für wahr und falsch hat dagegen die Rede von Natur nicht. Denn sonst müßten – ein Dilemma aller Abbildtheorien der Wahrheit[7] – die Eigenschaften der Natur ja schon außerwissenschaftlich bekannt und beschrieben sein, damit die Adäquatheit naturwissenschaftlicher Begriffe, Modelle und Theorien belegt werden kann.

Um Naturalismus von Szientismus in den Naturwissenschaften zu unterscheiden, muß »die Natur« an einer wesentlichen Stelle ins Spiel gebracht werden. Diese Stelle wird weniger dort liegen, wo unbesorgt und unbedacht die künstlichen Objekte und Mittel

6 Damit ist insbesondere eine ganz spezielle Form von Naturalismus gemeint. Für eine eindrucksvolle und kritische Darstellung naturalistischer Auffassungen außerhalb der hier gemeinten, speziellen Form vgl. Geert Keil, *Kritik des Naturalismus*, Berlin/New York 1993.

7 Für eine Kritik von Abbildtheorien der Wahrheit vgl. Peter Janich, *Was ist Wahrheit?*, München 1996.

der technikabhängigen Laborforschung für Naturstücke gehalten werden oder grundlegende Gesetze naturwissenschaftlicher Theorien, deren empirisches Scheitern im Rahmen anerkannter Paradigmen nicht gedacht werden kann (weil sie nämlich deren apriorische Prinzipien sind), »Naturgesetze« genannt werden. Vielmehr ist die entscheidende Stelle, an der eine menschenunabhängige Natur ins Spiel kommt, die Evolutionsbiologie und deren Vorstellung, daß der Mensch als eine Art höheres Tier aus einem Entwicklungsgeschehen hervorgegangen ist, in dem es die längste Zeit keine Menschen gegeben hat. Der *Mensch* wird dabei in seiner Abstammung und Entwicklung als Spezies ein *Teil der Natur*.

Diese gern als »Darwinsche Kränkung« (nach der Kopernikanischen und vor der Freudschen) beschriebene Entthronung des Menschen in seinem vor allem durch die christliche Religion behaupteten Sonderstatus wäre jedoch im Rahmen einer bloßen naturhistorischen Hypothese kaum so erfolgreich gewesen, hätte sich nicht bereits unabhängig von naturhistorischen Fragestellungen eine Naturwissenschaft vom Menschen etabliert, die eine medizinische, vor allem anatomische und physiologische Tradition bildete und sich später in einer Psychologie fortsetzte, die naturwissenschaftlich sein wollte und bis heute, bis hinein in die Neurowissenschaften, diesen Anspruch verfolgt.

Naturwissenschaftler wie J. P. Müller und seine berühmten Schüler E. Haeckel, H. von Helmholtz, E. Du Bois-Reymond und L. R. C. Virchow begründeten eine empiristisch-naturwissenschaftliche Tradition höchsten Ansehens, die nicht nur enorme Fortschritte für Medizin und Naturforschung brachte, sondern auch eine grundlegende Veränderung des Menschenbildes. Und einer der wichtigsten Naturwissenschaftler, der, als guter Kenner dieser Tradition, wegweisend für eine Philosophie wurde, ist Ernst Mach. In seinen Schriften, vor allem seinem Buch »Die Analyse der Empfindungen« (1. Auflage 1886), ist der vielleicht wirkmächtigste Versuch unternommen, die menschliche Erkenntnisfähigkeit naturwissenschaftlich zu bestimmen – mit noch höchst moderaten Anleihen bei darwinistischen, evolutionsbiologischen Anpassungshypothesen. Für eine naturalistische Betrachtungsweise des Menschen, dem ja Sprach-, Denk- und Kulturfähigkeit zuerkannt wird, ist der (ausdrücklich als metaphysikkritisch charakterisierte) Ansatz bei Empfindungen als letzte oder grundlegendste »Tatsachen« gemacht. Es ist die gleichsam an der räumlichen Grenze des menschlichen Körpers stattfindende Wechselwirkung zwischen einem Individuum und der Außenwelt, die in der Machschen Reflexion zu einer naturalistischen Konstitutionstheorie sowohl der Außen- wie der Innenwelt, sowohl der Gegenstände der Physik wie der Gegenstände der Psychologie wird. Dieser naturalistischen Konstitutionstheorie kann man zwar ein höheres Reflexionsniveau zuerkennen als zum Beispiel den heutigen Ansätzen von Kognitionswissenschaften und Analytischer Philosophie des Geistes, die von einer Gegebenheit einer körperlichen Außenwelt naiv ausgehen. Aber eine Nachfrage, welcher Gewißheit sich die Machschen »Tatsachen« als Grundelemente verdanken und ob diese vielleicht selbst im Rahmen handelnder und redender menschlicher Praxis konstituiert sind, findet bei Mach nicht statt.

Die Entwicklungen, die sich an den physiologischen und evolutionsbiologischen Fortschritt des 19. Jahrhunderts anschlossen, sind weit verzweigt und haben auch innerhalb der Naturwissenschaften eine große Fülle verschiedener Formen von Naturalismus hervorgebracht. Unter ihnen sind so verschiedene Frageperspektiven und Ansätze anzutreffen wie eine Weber-Fechnersche Psychophysik, eine Eibl-Eibesfeldtsche Verhaltensbiologie des Menschen, eine evolutionäre Erkenntnistheorie (von Konrad Lorenz bis Gerhard Vollmer), kybernetische Theorien in der Tradition Norbert Wieners, aber auch verschiedene Formen von (Rückkoppelungsschleifen einbauende) Naturalismen, wie die Theorie des Funktionskreises von Jakob von Uexküll, die »genetische Erkenntnistheorie« von Jean Piaget und schließlich der »Radikale Konstruktivismus« vor allem in den Formen von H. Maturana und J. Varela, letztlich aber auch bei E. von Glasersfeld und H. von Förster.

Bei aller Verschiedenheit der Fragestellungen, investierten Mittel und verfolgten Ansätze läßt sich so etwas wie eine Zentralthese eines Naturalismus der Naturwissenschaften festhalten, die sich im Bereich einer Naturwissenschaft vom Menschen ausbildet: Der Mensch läßt sich danach nicht nur de facto einer Untersuchung mit naturwissenschaftlichen Methoden unterwerfen, wie sie auch auf andere Objektklassen des täglichen und wissenschaftlichen Lebens angewandt werden können (wie Tiere, Pflanzen, Steine, Sterne usw.), sondern er *ist* de facto ein Naturgegenstand, weil er sich in seiner Abstammung einer Entwicklung verdankt, die nicht aus seinen Handlungen, nicht aus Kultur, sondern entsprechend den naturwissenschaftlich gesuchten und behaupteten Gesetzmäßigkeiten entstanden ist. Der Mensch ist Natur insofern, als er aus ihr – einer menschenunabhängigen Natur – entstammt. Daß dies selbst eine These im Unternehmen »Naturwissenschaft« ist, bleibt dabei unberücksichtigt.

Besonderes Gewicht, das zeigen schon die oben genannten Namen und Theorien, gewinnt für die Naturwissenschaft vom Menschen dessen menschlichste Fähigkeit, nämlich Erkenntnisse einer Form zu produzieren, die in begrifflicher, logischer, mathematischer und allgemein theoretischer Form entwickelt und kommuniziert werden kann. So ist etwa schon im oben erwähnten Buch von E. Mach mit der dort vorgetragenen Abgrenzung von Physik, Physiologie und Psychologie eine Naturwissenschaft vom menschlichen Erkenntnisvermögen entworfen, die nicht etwa auf Sinnesreize oder Wahrnehmungen beschränkt bleibt, sondern bis in die Philosophie der Wissenschaften hinein ausgreift. Und in den jüngsten Formen der evolutionären Erkenntnistheorie, des Radikalen Konstruktivismus, konstruktivistischer Entwicklungspsychologie und kybernetisch-informationstheoretischer Kognitionstheorien der KI-Forschung wird die Naturwissenschaft vom Menschen immer wieder bis in wissenschaftliche Erkenntnisvermögen hinein projektiert.

Die Verschiebung vom Szientismus zum Naturalismus, die ja schon chronologisch keine historische Folge, sondern gleichsam eine Parallelentwicklung zweier hier systematisch unterschiedener Perspektiven der Wissenschaft ist, läßt sich damit folgendermaßen charakterisieren: Der Szientismus wird zum Naturalismus dadurch erweitert, daß unter Hinzuziehung physiologischen Wissens der Mensch, in die Naturgeschichte gestellt, selbst zum Naturstück wird, das Erkenntnisse (einschließlich der wissenschaftlichen) hervorbringt. Daß sich in diesem Rahmen der *Allzuständigkeit der Naturwissenschaften vom Menschen* noch einmal die vielfältigsten Differenzierungen ereignen, darf als bekannt unterstellt werden. Bei all diesen Differenzierungen aber setzt sich eine spezifische Eigenschaft naturwissenschaftlicher Betrachtung der Welt durch: An die Stelle eines ontischstatisch gedachten Typs von Erkenntnis, die durch Teilhabe an unveränderlicher Wahrheit gekennzeichnet sein soll, tritt eine operativ-prozedurale Vorstellung. Erkenntnisse sind nur noch das Ergebnis von Erkenntnisvorgängen. Vorgänge zu beschreiben und kausal zu erklären aber ist das Geschäft der Naturwissenschaften. Über alle Differenzierungen von Ansätzen hinweg wird deshalb nach Beschreibungen und Erklärungen von Vorgängen gesucht, die als Naturvorgänge gleichsam eine kognitive Teilklasse bilden. Damit mag der Naturalismus der Naturwissenschaften so weit bestimmt sein, daß seine erkenntnistheoretischen Defizite benennbar werden.

3. Naturwissenschaftlicher Naturalismus als Irrweg

Die Schwierigkeit einer Kritik am philosophischen Selbstverständnis der Naturwissenschaften liegt weniger in dem Problem, ihm durch Pauschalierung nicht unrecht zu tun. Denn es lassen sich sicher grundlegende Auffassungen benennen, auf die letztlich kein Naturwissenschaftler vom Menschen und seinen Erkenntnisvermögen verzichten kann. Vielmehr liegt die Schwierigkeit darin, relativ zu welchem Bezugspunkt, zu welchen Argumentationsgrundlagen eine solche Kritik ihren Adressaten erreichen kann. Selbstverständlich wäre es wenig produktiv, das naturalistische Selbstverständnis einfach mit axiomatischen oder dogmatischen Gegenthesen zu konfrontieren. Deshalb ist zu fragen, ob sich im Selbstverständnis aller Naturwissenschaften nicht etwas ausfindig machen lassen kann, auf das kein Naturwissenschaftler wird verzichten können und das dennoch den Irrtum des Naturalismus nachzuweisen gestattet.

Solche Versuche sind bereits mehrfach unternommen worden. Ein Weg bedient sich des probaten Mittels zu fragen, was ein naturalistischer Naturwissenschaftler bereits anerkannt haben muß, wenn er in seinem Selbstverständnis Naturwissenschaft vom Menschen treibt, und a fortiori, wenn er die dabei unterstellte Philosophie explizit redend verteidigt.

Eine spezielle Form dieses Weges, der von seinem prinzipiellen Ansatz her bereits in den Naturwissenschaften selbst beschritten wurde, betrifft die *Rolle des Beobachters*: Gegen den klassisch naiven Objektivitätsbegriff der Mechanik des 17. Jahrhunderts und der Naturwissenschaften mechanistischer Tradition haben A. Einstein und N. Bohr (mit wichtigen theoretischen Konsequenzen bei W. Heisenberg) den physikalischen Beobachter gesetzt – allerdings nur mit szientistischer Halbherzigkeit: Das Wechselspiel von Beobachtung und Beobachtetem wird selbst nur wieder im Lichte und mit den Mitteln der anerkannten Theorie beschrieben, eben szientistisch (siehe oben). Chemie und Biologie haben diesen Schritt bis heute noch gar nicht bzw. nicht ernsthaft vollzogen, noch nicht einmal halbherzig.[8] Über das stoffliche Geschehen wird in der Chemie naiv naturalistisch gesprochen; und erst recht über vergangenes, vor der Entstehung des Menschen als Spezies abgelaufenes Geschehen handelt die Biologie, als wäre man persönlich dabeigewesen. Und in physikalischer Kosmologie wird, in völliger Verkennung des Anspruchs, mit dem Aufstellen naturwissenschaftlicher Hypothesen Kontrollmöglichkeit und Geltung zu verbinden, der relativistisch und quantenphysikalisch gewonnene Beobachter wieder unterschlagen: Urknall- und Expansionsmodelle des Kosmos sind nur noch hypothetische Differentialgleichungssysteme, bei denen der handelnde Wissenschaftler so weit zurückgenommen ist, daß zum Beispiel der philosophiefeindliche S. Hawking die Reichweite seines theoretischen Modells in die Vergangenheit zurück als »Voraussage der Theorie« bezeichnet, also die menschliche Zeitordnung der Vorhersage durch den Beobachter für den »vorhergesagten« Gegenstand irrelevant wird. Kurz, eine Kritik des Naturalismus der Naturwissenschaften könnte sich zwar des Nachweises bedienen, daß die Einführung des Beobachters in das naturwissenschaftliche Kognitionsgeschehen zwar immer wieder als erforderlich erkannt, aber nie den Erkenntnisansprüchen der Naturwissenschaften genügend geleistet wurde. Diskussionserfahrungen mit einer Kritik am zu kurz greifenden Konzept des Beobachters in den Naturwissenschaften zeigen (wenn damit auch keine wissenschaftlichen Ansprüche auf Repräsentativität verbunden werden können), daß die üblichen Verweise auf den »Erfolg« naturwissenschaftlicher Forschung nach dem Selbstverständnis von Szientisten und Naturalisten jeden Einwand gegen methodische Schwächen des Beobachterbegriffs als irrelevant erscheinen lassen.

8 Vgl. hierzu etwa: Peter Janich, *Grenzen der Naturwissenschaft. Erkennen als Handeln*, München 1992.

Der beste, wenn selbstverständlich auch nicht voraussetzungsfrei zwingende Versuch, einem Naturalisten die Defizite seiner Selbstverständigungsphilosophie anzudemonstrieren, besteht meines Erachtens darin, an die (moralische) Selbstzuschreibung zu appellieren, daß durch die Naturwissenschaft des jeweiligen Dialogpartners tatsächlich *Erkenntnisse gewonnen* werden. Weil »Erkenntnisse« hier selbstverständlich der fragliche Begriff ist, für den kein Konsens bezüglich Bestimmung und Reichweite vorausgesetzt werden darf, genügt hier ein de facto erhobener *Geltungsanspruch*, mit der bescheidenen Operationalisierung, daß sein Urheber wohl kaum zustimmt, in die sprachliche Formulierung seiner Resultate nach Belieben Negationen einzustreuen. Das heißt, der Naturwissenschaftler *behauptet* seine Resultate. Dem Zyniker und dem Schwachsinnigen ist natürlich so nicht beizukommen. Aber Szientisten und Naturalisten sind, insofern sie diese Positionen vertreten, weder das eine noch das andere, sondern vertreten de facto durchaus engagiert Erkenntnisansprüche einschließlich ihrer philosophischen Rechtfertigung – sonst könnten sie nämlich keine Szientisten oder Naturalisten sein.

Wer sich überhaupt an einer Diskussion über die Geltung von naturwissenschaftlichen Sätzen über den Menschen (und sein Erkenntnisvermögen) beteiligt, kann auf die *Unhintergehbarkeit von Handlungsvollzügen durch Handlungsbeschreibungen* hingewiesen werden.[9] Wie es ein de-facto-Anspruch an jedes Mitglied der menschlichen Gesellschaft ist, das nicht mit einem Bein in der Psychiatrie oder im Gefängnis steht, zwischen dem Vollzug eines Mordes und seiner Beschreibung zu unterscheiden (und dies wieder als Vollzug), so ist auch jedem hinreichend Sprachfähigen und erst recht jedem Naturwissenschaftler allgemein die Unterscheidung zuzumuten, zwischen dem Vollzug einer Handlung und ihrer Beschreibung zu unterscheiden und dies speziell auf das Erheben von Geltungsansprüchen für eigene naturwissenschaftliche Behauptungen zu beziehen.

9 Ein Versuch, die Unhintergehbarkeit von Handlungsvollzügen durch Handlungsbeschreibungen zur Grundlegung eines methodisch-kulturalistischen Informationsbegriffs in natur- und kulturwissenschaftlichen Zusammenhängen zu machen, ist entwickelt in: Peter Janich, »Informationsbegriff und methodisch-kulturalistische Philosophie«, in: *Ethik und Sozialwissenschaften* 2 (1998), S. 1-14.

Selbstverständlich gehört es zu den elementaren, bereits im frühkindlichen Alter erworbenen sozialen Kompetenzen jeden Wissenschaftlers, das Geschäft des Behauptens von dem des Aufforderns, Fragens und einiger performativer Sprechakte in der täglichen menschlichen Kommunikation zu unterscheiden. Dabei ist der Vollzug des Behauptens – per definitionem – der Vollzug des Erhebens eines Geltungsanspruchs. Darüber kann dann selbst wieder geredet werden, u. a. wiederum im Sinne des Erhebens von (nun metasprachlichen) Geltungsansprüchen.

Wer hier schon den naturalistischen Sprung zu den Neuronen oder den großen Molekülen im menschlichen Organismus macht und den Vollzug von Geltungsansprüchen als intentionalen Akt aus den begleitenden organismischen Ereignissen erklären möchte, kann darauf verwiesen werden, daß auch dies wiederum nicht ohne den Vollzug des Erhebens von Geltungsansprüchen möglich ist – oder die anderen Diskussionspartner hören lediglich Sprachgeräusche wie beim Vorlesen eines Textes oder beim Rezitieren eines Gedichtes, mit denen der Sprecher gar manches beabsichtigen mag, nur nicht deren Inhalt zu behaupten.

Das Kernproblem, an dem letztlich jeder Naturalismus scheitert, ist diese Unhintergehbarkeit des Handlungsvollzugs durch die Handlungsbeschreibung. Jede Handlungsbeschreibung und a fortiori jeder Versuch, Handlungen im Rahmen von Theorien etwa naturalistisch kausal zu erklären, ist selbst nur in Vollzügen möglich, die nicht nur wieder aus der Beobachterperspektive einem Akteur zugeschrieben werden, sondern die nur dadurch in der Welt sind, daß es Akteure im Vollzug gibt.

Diese Bemerkungen sind auch gedacht als Einwände gegen die davon betroffenen naturalistischen Erkenntnistheorien von Philosophen etwa aus der Tradition der Analytischen Philosophie des Geistes. Zunächst aber sind sie an die Adresse von Naturwissenschaftlern und ihre Selbstverständigungsphilosophien zu ihrem eigenen naturwissenschaftlichen Forschen und Behaupten gerichtet.

Das methodisch-argumentationstheoretische Wort »Unhintergehbarkeit« wird, wenn schon nicht das Mißtrauen des Naturwissenschaftlers gegenüber der Philosophie, so doch zumindest den Eindruck einer nur sehr blassen Verbindlichkeit wecken. Was soll, so eine typische Reaktion, der Einwand einer Unhintergehbarkeit angesichts der technischen und prognostischen Wirksamkeit einer experimentell gestützten Naturforschung? Hier sind bestimmte Argumentationsebenen auseinanderzuhalten:

Es geht nicht darum, den naturalistischen Naturwissenschaftler zur Beteiligung und Zustimmung in einem argumentationstheoretischen Diskurs zu bringen, um dort das Philosophem von der Unhintergehbarkeit des Handlungsvollzuges durch die Handlungsbeschreibung anzuerkennen. Es geht vielmehr, eine Sprachebene tiefer, darum, den Naturwissenschaftler auf den Vollzugscharakter seiner eigenen Behauptungen beim Erheben von Geltungsansprüchen zu verweisen. Sollte dabei dann die naturalistische Sicht auf den Menschen, also etwa eine evolutionsbiologische Erklärung von Handlungsdispositionen vorgebracht werden, ist auch dies wieder als ein Exemplar des Vollzugs einer Argumentationshandlung mit (durch den Argumentierenden gesetzten) Zwecken ausweisbar. Mit anderen Worten, es kann direkt im dialogischen Wechsel andemonstriert werden, daß Vollzüge zweckgerichteten Handelns (und auch sprachliche Argumentationsschritte sind Handlungen) immer Zwecksetzungen in Anspruch nehmen und damit das Erreichen vom Verfehlen der Zwecke, das Gelingen vom Mißlingen der Handlungen unterscheiden.

Selbstverständlich sind hier verschiedene Varianten von Eskapismus möglich: Der naturalistische Kontrahent kann in trotziges Schweigen verfallen, die Irrelevanz aller Logik und Argumentationskunst behaupten, oder sich mit der Anerkennung durch andere Naturalisten zufrieden erklären. Wenn aber der naturalistische Naturwissenschaftler überhaupt moralisch, das heißt im Sinne eines Wechselseitigkeitsprinzips der Verpflichtung, ansprechbar ist, muß er zugestehen, daß jeder Geltungsanspruch für naturwissenschaftliche Resultate in den Kontext der Unterscheidung von gelingenden und mißlingenden Handlungen eingebunden ist und damit nicht kausal, durch irgendwelche naturwissenschaftlichen Theorien, erklärt werden kann. Hier ist dann nur noch das kleine Einmaleins der Handlungs- und Wissenschaftstheorie zur wiederholten Erläuterung zu bemühen, daß »die Naturgesetze«, also alle naturwissenschaftlichen Erkenntnisse, sowohl für die Fälle des Gelingens als auch für die Fälle des Mißlingens gleichermaßen gelten, wenn sie überhaupt gelten.

Insbesondere kann dies, einschlägig für alle naturwissenschaftlichen Erklärungsversuche von Kognitionsleistungen, in Analogie zum protophysikalischen Argument von den gestörten Meßgeräten, die keinerlei Naturgesetze falsifizieren, auf »kognitive« Maschinen (und damit auf die naturwissenschaftlichen Modelle von Organismen) übertragen werden: Ein defekter Rechner, dessen Defekt durch die Erzeugung mathematisch falscher Resultate definiert ist, verfehlt nur die Zwecksetzungen des menschlichen Erfinders, Konstrukteurs und Benutzers von Rechenmaschinen, falsifiziert aber keinen einzigen naturwissenschaftlichen oder elektrotechnischen Lehrsatz über die Rechenmaschine.[10] Ebensowenig ergibt sich aus der ja auch von Naturwissenschaftlern unbestrittenen Tatsache, daß Menschen in ihren Kognitionsleistungen (aller Typen von der Sinnesempfindung über Wahrnehmungsurteile bis zu Ergebnissen begrifflichen Denkens und logischen Schließens) dem Risiko des Scheiterns oder Irrens ausgeliefert sind, eine Falsifikation naturwissenschaftlicher Beschreibungen des Menschen. Alle kognitiven Fehlleistungen sind in genau demselben Sinne Organismusleistungen wie die erfolgreichen. Sie verfehlen lediglich Kriterien, die in einer kultürlichen Handlungs- und Sprechgemeinschaft ausgebildet wurden, Erkenntnisse von Irrtümern zu unterscheiden.

Hat man diese Inkonsistenz prinzipiell jedes naturalistischen Zugangs zu Kognitionsleistungen einmal eingesehen, weil es nicht sinnvoll ist, von spezifisch kognitiven Leistungen (im Unterschied zu anderen, über Stoffwechselprozesse Veränderungen in der Außenwelt hervorzurufen) ohne eine Unterscheidung von wahr und falsch, von gültig und ungültig zu sprechen, dann läßt sich nur noch fragen, welchen Motiven sich wohl die Naturalisierungsversuche zunächst der Naturwissenschaften vom Menschen und dann der philosophischen Naturalisierungsprogramme verdanken.

Die Naturwissenschaften haben historisch ein Aufklärungs-

10 Die Konsequenzen dieser Überlegung für die KI- und die Hirnforschung finden sich in: Peter Janich, »Das Leib-Seele-Problem als Methodenproblem der Naturwissenschaften«, in: Andreas Elepfandt, Gereon Wolters (Hg.), *Denkmaschinen? Interdisziplinäre Perspektiven zum Thema Gehirn und Geist*, Konstanz 1993, S. 39-53; ders., »Hirnforschung als philosophisches Problem«, in: *Annals of Anatomy* 176 (1994), S. 497-503.

programm verfolgt. Wenn sich dieses heute auch kaum mehr so emphatisch artikuliert, wie dies von den Vertretern der »Encyclopédie« im Umfeld der Französischen Revolution getan wurde, so sind sich dennoch wohl alle Naturforscher zumindest darin einig, innerhalb der Naturwissenschaften keine mythischen oder religiösen Erklärungen zuzulassen. An die Stelle des jüdischen, christlichen oder moslemischen Gottes tritt die Natur. Sie ist die allumfassende Gesetzgeberin auch für diejenigen Ereignisse, denen Menschen von der Geburt bis zum Tod physisch unterworfen sind. Daß auch kognitive Widerfahrnisse, auch in wissenschaftlicher Forschung, von erschreckenden bis zu erhebenden, als ein Getroffenwerden erlebt werden wie von einem Unfall, einer Infektion oder einer neuen Liebe, ist nicht verwunderlich. Daß aber Aufklärung, im Sinne der bewährten Kantischen Definition als Ausgang aus selbstverschuldeter Unmündigkeit, in tätiger Anstrengung besteht, das heißt vom Betroffensein zum Treffen, vom Widerfahrnis zum Handeln, von der Erfahrung zur reproduzierbaren Bemühung ihrer Wiederholbarkeit übergehen muß, wird jedenfalls dort nicht verzichtbar sein, wo das Treiben von Naturwissenschaft und Philosophie mit Ansprüchen verknüpft wird, Erkenntnisse zu gewinnen.

Der prinzipielle, unaufhebbare Irrtum des Naturalismus der Naturwissenschaften besteht also darin, in jeder seiner Behauptungen selbst Ansprüche auf Geltung zu erheben, aber in den Naturwissenschaften vom Menschen nur Resultate zu produzieren, die den Unterschied von Geltung und fehlender Geltung nicht betreffen können. Philosophische Naturalisierungsprogramme der Erkenntnis- und Wissenschaftstheorie übernehmen diesen Fehler in vollem Umfang, insofern sie mit ihrer Affirmation der Naturwissenschaften deren szientistischen und naturalistischen Verzicht auf eine Bestimmung des Unterschieds von Erkenntnis und Irrtum teilen. Sie zahlen damit einen hohen Preis für die Verwechslung von Naturwissenschaft und deren philosophischer Selbsteinschätzung.

Nachweise

1. Gerhard Vollmer, »Was ist Naturalismus?« Erstveröffentlichung in: *Logos* N. F. 1 (1994), S. 200-219. Mit freundlicher Genehmigung des Autors.

2. Dirk Koppelberg, »Was ist Naturalismus in der gegenwärtigen Philosophie?« Originalbeitrag.

3. Stephen Stich: »Puritanischer Naturalismus«. Erstveröffentlichung in: Stephen Stich, *Deconstructing the Mind*, New York/Oxford 1996, S. 168-174 und 192-199. Mit freundlicher Genehmigung von Oxford University Press.

4. Willard Van Orman Quine, »Naturalismus oder: Nicht über seine Verhältnisse leben«. Erstveröffentlichung unter dem Titel »Naturalism; Or, Living Within One's Means«, in: *Dialectica* 49 (1995), S. 251-261. Mit freundlicher Genehmigung von *Dialectica* und des Autors.

5. Ansgar Beckermann, »Ein Argument für den Physikalismus«. Originalbeitrag.

6. Dirk Hartmann und Rainer Lange, »Ist der erkenntnistheoretische Naturalismus gescheitert?« Originalbeitrag.

7. Mircea Flonta, »Gemäßigter und radikaler erkenntnistheoretischer Naturalismus«. Originalbeitrag.

8. Geert Keil: »Naturalismus und Intentionalität«. Originalbeitrag.

9. Peter Simons, »Naturalismus, Geist und Undurchsichtigkeit«. Erstveröffentlichung unter dem Titel »Mind and Opacity«, in: *Dialectica* 49 (1995), S. 131-146. Mit freundlicher Genehmigung von *Dialectica* und des Autors.

10. Andreas Kemmerling, »Selbstkenntnis als ein Test für den naturalistischen Repräsentationalismus«. Originalbeitrag.

11. Lynne Rudder Baker, »Die Perspektive der ersten Person: Ein Test für den Naturalismus«. Originalbeitrag. Eine erweiterte Fassung dieses Aufsatzes erschien unter dem Titel »The First-Person Perspective: A Test for Naturalism«, in: *American Philosophical Quarterly* 35 (1998).

12. Holm Tetens, »Der gemäßigte Naturalismus der Wissenschaften«. Originalbeitrag.

13. Peter Janich, »Szientismus und Naturalismus. Irrwege der Naturwissenschaft als philosophisches Programm?« Originalbeitrag.

Hinweise zu den Autorinnen und Autoren

Lynne R. Baker, geb. 1944, ist Professorin für Philosophie an der University of Massachusetts, Amherst. Ihre Hauptarbeitsgebiete liegen in der Philosophie des Geistes, der Metaphysik und der Philosophischen Theologie. Buchveröffentlichungen: Saving Belief. A Critique of Physicalism, Princeton 1987; Explaining Attitudes. A Practical Approach to the Mind, Cambridge 1995.

Ansgar Beckermann, geb. 1945, ist Professor für Philosophie an der Universität Bielefeld. Hauptarbeitsgebiete: Handlungstheorie, Philosophie des Geistes und Erkenntnistheorie. Buchveröffentlichungen: Gründe und Ursachen, Kronberg/Taunus 1977; Descartes' metaphysischer Beweis für den Dualismus – Analyse und Kritik, Freiburg 1986; Einführung in die Logik, Berlin/New York 1997; Analytische Einführung in die Philosophie des Geistes, Berlin/New York 1998. Als Herausgeber: Analytische Handlungstheorie, Bd. 2: Handlungserklärungen (1977); Emergence or Reduction? – Essays on the Prospects of Nonreductive Physicalism (1992, zusammen mit H. Flohr und J. Kim).

Mircea Flonta, geb. 1932, ist Professor für Philosophie an der Universität Bukarest. Seine Arbeitsgebiete umfassen Erkenntnistheorie, Sprachphilosophie, Wissenschaftstheorie, Kantforschung. Buchveröffentlichungen (in rumänischer Sprache): Notwendige Wahrheiten? Bukarest 1975; Philosophische Voraussetzungen der exakten Wissenschaft, Bukarest 1985; Cognitio. Eine kritische Einführung in das Erkenntnisproblem, Bukarest 1994; Bilder der Wissenschaft, Bukarest 1994.

Dirk Hartmann ist Privatdozent für Philosophie an der Universität Marburg. Arbeitsgebiete: Handlungstheorie, Sprachphilosophie, Logik, Allgemeine Wissenschaftstheorie, Wissenschaftstheorie der Psychologie und Philosophie des Geistes. Buchveröffentlichungen: Konstruktive Fragelogik, Mannheim 1990; Naturwissenschaftliche Theorien. Wissenschaftstheoretische Grundlagen am Beispiel der Psychologie, Mannheim 1993; Philosophische Grundlagen der Psychologie, Darmstadt 1998. Als Herausgeber: Methodischer Kulturalismus. Zwischen Naturalismus und Postmoderne (1996, zusammen mit P. Janich); Die kulturalistische Wende (1998, zusammen mit P. Janich).

Peter Janich, geb. 1942, ist Professor für Philosophie an der Universität Marburg. Arbeitsgebiete: Philosophie der Naturwissenschaften und der Technik, Konstruktivismus und Kulturalismus, Erkenntnistheorie, Sprachphilosophie, Wahrheitstheorie. Buchveröffentlichungen in Auswahl: Die Protophysik der Zeit (1969/1980, englische Ausgabe 1985); Euklids Erbe. Ist der Raum dreidimensional? (1989, englische Ausgabe 1992); Grenzen der Naturwissenschaft (1992, italienische Ausgabe 1996); Konstruktivismus und Naturerkenntnis (1996); Was ist Wahrheit? (1996); Kleine Philosophie der Naturwissenschaften (1997); Das Maß der Dinge (1997); Wissenschaftstheorie der Biologie (1999, zusammen mit M. Weingarten). Als Herausgeber: Methodischer Kulturalismus (1996, zusammen mit D. Hartmann); Die kulturalistische Wende (1998, zusammen mit D. Hartmann); Wechselwirkungen. Zum Verhältnis von Kulturalismus, Phänomenologie und Methode (1999).

Geert Keil, geboren 1963, ist Privatdozent für Philosophie an der Berliner Humboldt-Universität. Arbeitsgebiete: Handlungstheorie, Philosophie des Geistes, Wissenschaftstheorie, Sprachphilosophie, Metaphysik. Buchveröffentlichungen: Kritik des Naturalismus, Berlin/New York 1993; Handeln und Verursachen, Frankfurt am Main 2000. Als Herausgeber: Philosophie der Gegenwart – Gegenwart der Philosophie (1993, zusammen mit H. Schnädelbach); Informatik und Philosophie (1993, zusammen mit P. Schefe u. a.); Sich im Denken orientieren (1996, zusammen mit S. Dietz u. a.).

Andreas Kemmerling, geb. 1950, ist Professor für Philosophie an der Universität Heidelberg. Seine Arbeitsschwerpunkte sind Philosophie des Geistes, Sprachphilosophie und die Entwicklung des Repräsentationalismus seit der frühen Neuzeit. Veröffentlichungen: Zahlreiche Aufsätze zu diesen Themen sowie die Bücher: Ideen des Ichs. Studien zu Descartes' Philosophie,

Frankfurt am Main 1996; als Herausgeber: Descartes nachgedacht (1996, zusammen mit H.-P. Schütt).

Dirk Koppelberg ist Privatdozent am Institut für Philosophie der Freien Universität Berlin. Arbeitsgebiete: Erkenntnistheorie, Wissenschaftstheorie, Philosophie der Psychologie und Sprachphilosophie. Buchveröffentlichung: Die Aufhebung der analytischen Philosophie – Quine als Synthese von Carnap und Neurath, Frankfurt am Main 1987. Wichtigste Aufsätze: The Concept of Representation and the Representation of Concepts in Connectionist Models (1991, zusammen mit T. Goschke); Scepticism about Semantic Facts (1995); Foundationalism and Coherentism Reconsidered (1998); Justification and Causation (1999).

Rainer Lange, geboren 1970, ist promovierter Wissenschaftlicher Mitarbeiter am Institut für Philosophie der Universität Marburg. Arbeitsgebiete: Allgemeine Wissenschaftstheorie, Wissenschaftstheorie der Biologie, Methodologie des Experimentes, Beziehungen von Philosophie und Wissenschaftsforschung, Handlungstheorie, Sprachphilosophie. Buchveröffentlichung: Experimentalwissenschaft Biologie. Methodische Grundlagen und Probleme einer technischen Wissenschaft vom Lebendigen, Würzburg 1999. Wichtigste Aufsätze: Gibt es einen ›Neuen Experimentalismus‹? (1997); Zwischen Skylla und Charybdis? (1998).

W. V. O. Quine, geb. 1908, ist Professor (emer.) für Philosophie an der Harvard University. Buchveröffentlichungen in Auswahl: Methods of Logic (1950) [Grundzüge der Logik, 1975]; From a Logical Point of View (1953) [Von einem logischen Standpunkt, 1979]; Word and Object (1960) [Wort und Gegenstand, 1975]; The Ways of Paradox and Other Essays (1966), Ontological Relativity and Other Essays (1969) [Ontologische Relativität und andere Schriften, 1975], Philosophy of Logic (1970) [Philosophie der Logik, 1973]; The Roots of Reference (1974) [Die Wurzeln der Referenz, 1976]; Theories and Things (1981) [Theorien und Dinge, 1985]; The Time of My Life. An Autobiography (1985); Pursuit of Truth (1990) [Unterwegs zur Wahrheit, 1995]; From Stimulus to Science (1995).

Herbert Schnädelbach, geb. 1936, ist Professor für Philosophie an der Berliner Humboldt-Universität. Buchveröffentlichungen: Erfahrung, Begründung und Reflexion, Frankfurt am Main 1971; Geschichtsphilosophie nach Hegel, Freiburg/München 1974; Reflexion und Diskurs, Frankfurt am Main 1977; Philosophie in Deutschland 1831-1933, Frankfurt am Main 1983 (englische Ausgabe Cambridge 1984); Vernunft und Geschichte. Vorträge und Abhandlungen, Frankfurt am Main 1987; Zur Rehabilitierung des *animal rationale*. Vorträge und Abhandlungen 2, Frankfurt am Main 1992; Hegel zur Einführung, Hamburg 1999. Als Herausgeber: Rationalität (1984); Philosophie. Ein Grundkurs (1985/1991, zusammen mit E. Martens); Philosophie der Gegenwart – Gegenwart der Philosophie (1993, zusammen mit G. Keil).

Peter Simons, geb. 1950, ist Professor für Philosophie an der Universität Leeds. Hauptarbeitsgebiete: Metaphysik, Logik und Geschichte der Logik, Philosophie der Mathematik, Philosophie der Biologie. Buchveröffentlichungen: Parts. A Study in Ontology, Oxford 1987; Philosophy and Logic in Central Europe from Bolzano to Tarski. Selected Essays, Dordrecht 1992. Als Herausgeber (Auswahl): Metaphysik – neue Zugänge zu alten Fragen (1996, zusammen mit J. Brandl und A. Hieke); Formal Ontology (1996, zus. mit R. Poli); Applied Ethics in a Troubled World: Issues and Foundations (1998, zusammen mit E. Morscher und O. Neumaier).

Stephen P. Stich ist Professor für Philosophie an der Rutgers University, New Brunswick. Arbeitsgebiete: Philosophie des Geistes und der Kognitionswissenschaften, Erkenntnistheorie, Sprachphilosophie. Buchveröffentlichungen: From Folk Psychology to Cognitive Science. The Case Against Belief, Cambridge 1983; The Fragmentation of Reason. Preface to a Pragmatic Theory of Cognitive Evaluation, Cambridge 1990; Deconstructing the Mind, New York/Oxford 1996. Als Herausgeber: Innate Ideas (1975); Mental Representation. A Reader (1994, zusammen mit T. Warfield); Benacerraf and his Critics (1996, zusammen mit A. Morton).

Holm Tetens, geb. 1948, ist Professor für Philosophie an der Freien Universität Berlin. Forschungsschwerpunkte: Wissenschaftstheorie, Argumentationstheorie, Philosophie der Logik und der Mathematik, Philosophie des Geistes. Ausgewählte Veröffentlichungen: Experimentelle Erfahrung, Hamburg 1987; Geist, Gehirn, Maschine. Philosophische Versuche über ihren Zusammenhang, Stuttgart 1994.

Gerhard Vollmer, geb. 1943, ist Professor für Philosophie an der Technischen Universität Braunschweig. Arbeitsgebiete: Erkenntnis- und Wissenschaftstheorie, Naturphilosophie, Künstliche Intelligenz. Buchveröffentlichungen: Evolutionäre Erkenntnistheorie (1975, ^{7}1998); Was können wir wissen? (2 Bände 1985-86, ^{2}1988), Wissenschaftstheorie im Einsatz (1993); Auf der Suche nach Ordnung (1995); Biophilosophie (1995). Als Mitherausgeber: Denken unterwegs (1992); Vom Affen zum Halbgott, Zwischen Natur und Kultur, Gemachte und gedachte Welten (1994, aus dem Funkkolleg *Der Mensch – Anthropologie heute*).